LESLIE L.

LAWRENCE

Portugál április II.

Domingos de Carvalho története

Könyvkiadó
Budapest, 2007

A borító
Boros Attila
munkája

A szerző fényképét
Tumbász Hédi
készítette

A város alatt

1.

Mielőtt az a bizonyos lekukkantás megeshetett volna, történt azért még egy s más. Az első mindjárt az volt, hogy de Carvalho meglátogatta a sitten Pires építészt.

A látogatás engedélyezéséhez természetesen Lisete támogatására is szüksége volt, ezért miután otthagyta senhor Pereirát a kávézóban, felhívta a lányt. Amikor elmondta neki, mi a szándéka, Lisete először gyengéden megpróbálta lebeszélni róla, de aztán állhatatosságát látva, inkább a tettek mezejére lépett. Ötpercnyi kemény munkával sikerült rábeszélnie Miguel bácsit, azaz Miguel Flores rendőrfőnököt, hogy nyittassa meg de Carvalho előtt az őrizetesi cella ajtaját.

De Carvalho majd fenékre csüccsent meglepetésében, amikor bevezették a szobába Pires építészt. Az építész máskor éles, harcra kész tekintetét tompára köszörülték a cellában töltött órák; fényes haja borzasra tompult; bőre szürke volt, mint a másnapos vízi hulláé; ajka kék, mint ugyanezé; mozdulatai tétovák. De Carvalho őszintén megsajnálta korábbi nagy hatalmú ellenfelét, pedig úgy általában nem volt az a sajnálkozó fajta.

Pires is meghökkent, amikor észrevette – nyilván azt hitte, kihallgatásra viszik. Tett egy tétova félfordulatot, mintha menekülni akarna, aztán a fegyőr unszolására csak oda ült vele szembe, a kis asztalkához.

De Carvalho igyekezett gyorsan leküzdeni a zavarát, hiszen kevés volt az ideje. Mindössze húsz percet engedélyeztek számára.

– Megismer? – kérdezte köszönés helyett, letéve kezét az asztalra.

– Most mondjam azt, hogy nem? – kérdezte reszelős hangon Pires. – Mi a fenét akar tőlem?

– Váltani szeretnék magával néhány szót.

– Ki akarja élvezni a diadalát, mi?

De Carvalho határozottan megrázta a fejét.

– Egyáltalán nem.

– Akkor mit akar tőlem? Rá akar dumálni, hogy tegyek őszinte, beismerő vallomást?

– Azt sem – mondta De Carvalho. – Először is el szeretnék mondani magának valamit.

– Csak mondja. Úgyis híján vagyok a friss híreknek.

De Carvalho megpödörgette a bajusza végét.

– Egyáltalán nem gondolom, hogy maga a tettes. Sőt, meg vagyok győződve róla, hogy ön ártatlan.

Pires építész megsimogatta borzas haját.

– Ezt mindenesetre jó hallani. Bár nem hiszem, hogy ettől bármi is megváltozna. Tudja, mit gondolok én magáról, he?

– Mit? – kérdezte Domingos.

– Azt, hogy maga keverte a szart. Maga akar kinyírni a szakmából. Először összeverekszik velem; véletlenül el is talál néhányszor, mivel megcsúsztam valami olajfolton, belevertem a fejem a falba, kicsit nyilván meg is buggyanhattam, mert lemondtam a maga javára a munkámról. De ez magának még mind nem volt elég! Összeszedte alvilági cimboráit, és belekevert ebbe a szarba. De ki fogok mászni belőle, és akkor magának vége! Már keményen dolgoznak az ügyvédeim. Magának annyi! Kitöröm a nyakát!

Domingos megcsóválta a fejét.

– Kérem, higgyen nekem. Eszem ágában sem volt, hogy kellemetlenséget okozzak önnek.

– És a garázsban?

– Akkor úgy gondoltam, hogy igazam van. Maga visszautasította az ajánlatot, amit én később elnyertem. Csakhogy maga ki akarta verni a kezemből, mert nem akarta, hogy másnak is jusson a koncból.

– Hja, barátom, ez a dzsungel törvénye. Az oroszlán megöli az antilopot, degeszre tömi magát vele, egy falat sem férne már a gyomrába, de azt azért nem engedi, hogy a sakálok is lakmározzanak a dögön.

– Hol tanult maga természetrajzot? – kérdezte de Carvalho.

– Akárhol. Végül is, mi a francot akar tőlem?

– Ki akarom szabadítani.

Pires építész elhúzta a száját.

– Hol a kenyér?

– Milyen kenyér? – hökkent meg de Carvalho.

– Amibe a reszelőt sütötte.

– Mi lenne, ha legalább tíz percre komolyan venne? Több már úgysem maradt.

– Hiszen komolyan veszem. Nem látszik rajtam?

– Figyeljen ide – pödörgette meg a bajusza végét de Carvalho. – Úgy hallottam, hogy az építészek között van bizonyos szolidaritás.

– Igazán? Akkor biztos nem ugyanabba az iskolába jártunk.

– Én mégis ehhez tartom magam. Segítsen nekem, kérem!

Pires megkapargatta a feje búbját, aztán néhány másodpercig ellenfelét méregette. Domingos már-már azt hitte, meg sem szólal többé, de Pires mégiscsak megszólalt.

– Jól van – mondta. – Legyen, ahogy akarja. Bármennyire is harcolok az érzés ellen, be kell látnom, hogy maga olyan, mint…

– Milyen?

– Egy vadbarom.

– Köszönöm – mondta savanyúan de Carvalho.

– Várja ki a végét. Azt akartam mondani, hogy ugyanolyan vadbarom, mint én voltam huszonöt évvel ezelőtt. Vagy talán harminccal is? Úgy rohan az idő, mint a gyorsvonat. Na, mit akar tőlem?

– Beszéljen egy kicsit arról, hogy került a kísértet ruhája és a tőre a lakásába?

Pires szája keserű mosolyra húzódott.

– Tudtam, hogy ezt fogja kérdezni tőlem. De magának sem mondhatok mást, mint azoknak, akik ugyancsak megkérdezték. Fogalmam sincs róla. Nem tudok semmiféle ruháról és semmiféle tőrről. Én nem tettem a szekrényembe, az biztos.

– Valaki magára akarja terelni a gyanút.

– Minek a gyanúját?

– Hogy gyilkolt.

– Mi az ördögért gyilkoltam volna?

– Hogy *rám* terelje a gyanút. Maga ki akart csinálni engem, azért ehhez a módszerhez folyamodott.

– Ez baromság!

– Ezt mondom én is. Járt lent, a ház alatti kazamatákban?

– Hol? – hökkent meg Pires építész.

– A házak alatt. A város alatt.

– Mi van ott?

– Tehát nem járt?

– Nem én. Mit kerestem volna ott?

– Csak megkérdeztem. Továbbá azt is meg szeretném kérdezni, hogy van-e valamilyen japán kapcsolata?

– Japán? Nincs… azaz, várjon csak! Egyszer meghívtak egy pályázatra. Hidat kellett volna építenem Nagaszakiban. Be is adtam az előzetes terveket, de végül is nem lett semmi a dologból. Nem jött össze a pénz, ha jól emlékszem.

– Hallott valaha Simões mesterről?

– Kiről? Simõesről? Hát, ha arra a több száz évvel ezelőtt élt ötvösre gondol… Mit akar tudni róla?

– Hogy mi a véleménye a munkásságáról.

– Simõesről? De hát én építész vagyok, ember!

– Hallott valaha a *három szűz varázslatáról?*

– Az meg mi a fene?

Domingos felállt, s bár semmi kedve nem volt hozzá, átnyúlt az asztalon, és megszorította Pires kezét.

– Mindent megteszek önért, amit csak tudok.

– Egyet feltétlenül tegyen meg – kérte Pires.

– Mi lenne az?

– Ne tolja ide többé a képét. Maga nélkül is van elég bajom. Úgy veszem, hogy bocsánatot kért mindazért, amit elkövetett ellenem, én pedig megbocsátottam. Ilyen a szívem, na. De ezzel vége is a barátságnak. Ennyit tegyen meg nekem. Oké?

– Oké! – sóhajtotta de Carvalho. – Akkor én megyek is.

– Tudja – szólt utána Pires –, ha úgy menne el, hogy nem békültünk ki, mit kívánnék magának?

– Mit? – kérdezte Domingos.

– Hogy essen hasra az utcán, törje ki a kezét, üsse el egy autó, és ráadásul még magát varrják be közlekedési baleset okozásáért.

– Még szerencse, hogy kibékültünk. Most mit kíván?

Pires elvigyorodott.

– Ugyanezt.

Aztán intett a börtönőrnek, hogy mehetnek.

2.

Ernesto Matos immár harmadszorra kopogtatott Rosa ajtaján. A lány azonban a füle botját sem mozdította. Pedig Ernesto tudta, hogy odabent van. Hallotta a szöszmötölését, amely csak akkor hallgatott el, amikor újra megkopogtatta az ajtót.

– Rosa – hajolt a kulcslyukhoz, hogy jobban beszűrődhessen a hangja a szobába. – Én vagyok az, Ernesto.

A lány hallgatott.

Ernesto nem értette a dolgot. Semmi olyat nem tett, amivel megbánthatta volna a lányt. Igaz, miután kiengedték a vizsgálati fogságból, egy hosszú napra teljesen visszavonult, de csak azért, hogy lelkileg egyenesbe jöjjön. Ennyi idő kellett hozzá, hogy megnyugtassa megviselt idegeit.

– Rosa – kopogtatta meg ismét az ajtót. – Tudom, hogy odabent vagy.

Harmadszorra kopogtatott, amikor a lány végre megszólalt.

– Ki... az?

– Ernesto.

Csend. Aztán nagy sokára ismét a lány szavai.

– Mit akarsz... Ernesto?

Ernesto fülei megnyúltak, úgy figyelt. A lány hangja is volt, amit hallott, meg nem is. Mintha ideges lett volna a színe, a lejtése. Nem tudta volna pontosan megmagyarázni miért, de biztos volt benne, hogy történt valami Rosa hangjával.

– Beszélni szeretnék veled, Rosa.

– Most nem lehet – utasította el a lány. – Most nem.

Ernesto szíve néhány pillanatra megállt. Amikor viszont megindult, úgy elkezdett dobolni, hogy azt hitte, megfullad.

– Nagyon fontos, amit mondani akarok.
– Akkor sem... lehet.
– Mi a baj, Rosa?
– Azt hiszem... beteg vagyok.
– Rosszul érzed magad?
– Azt hiszem... igen.
– Volt nálad orvos?
– Nem volt, de... nem is kell.

Ernestót azonban nem lehetett könnyen lerázni. Most már nem. Biztos volt benne, hogy történt valami Rosával, ami összefügg ezzel az egész rohadt üggyel.

– Rosa?
– Még nem... mentél el?
– Még nem, és nem is fogok mindaddig... amíg nem láthatlak.

Ernesto maga sem értette, honnan vette magának a bátorságot, hogy így beszéljen Rosával. Elvégre, semmi köze hozzá. Ha csak az nem, hogy mindketten ugyanabban a cipőben járnak.

– Rosa, kérlek, engedj be!
– Csillapodj, Ernesto... a végén még felvered az egész házat.
– Az sem érdekel.
– Jól van... várj egy kicsit.

Ernesto hallotta a lány futó lépteit a parkettán. A léptekből ítélve Rosa mezítláb volt, és ahhoz képest, hogy betegen feküdt az ágyában, elég fürgén kiugrott belőle.

Olyan gyorsan nyílott ki az ajtó, mintha nem is Rosa nyitotta volna ki. Mintha rettenetes, földöntúli erő vágta volna ki olyan sebesen, hogy szemmel nem is lehetett követni a mozgását.

Ernesto érezte, hogy megragadják a karját, majd berántják a szobába. Az ajtó nagyot csattant a háta mögött.

Az előtérben sötét volt, vagy legalábbis félhomály – kellett néhány másodperc, amíg hozzászokott a szeme. Amikor aztán már ki tudta venni a fogas és az esernyőtartó körvonalait, rádöbbent, hogy egyedül áll az előtérben.

– Rosa? – morogta maga elé tartva a kezét. – Rosa?

Néhány másodpercnyi csend.

– A fürdőszobában... vagyok.

Ernesto belépett a nappaliba. Rosa valóban nem volt ott. És a hálóban sem volt.

– Mit csinálsz, Rosa?

– Éppen a kádban ülök... Ernesto.

– Bocs. Megvárlak a szobában.

– Ha már itt vagy... gyere be hozzám.

Ernesto meghökkent. Rosa a kádban fürdik, és menjen be hozzá?

– Inkább itt... várlak meg – szabódott.

– Jó – hallotta a lány furcsa, a régebbihez nemigen hasonlító hangját. – Azonnal megyek.

Ernesto nem tudta, mitévő legyen. A hang hasonlított ugyan Rosa hangjára, de mégsem az volt; az pedig, hogy a fürdőszobába invitálta...

– Jaj istenem... Ernesto!

Ernesto rémülten ugrott fel a kis székről, amin eddig kuporgott.

– Baj van, Rosa?

A lány ekkor már csak nyöszörögni tudott.

– Jézusom... Ernesto... én... rosszul vagyok... azonnal belefulladok...

Ernesto a fürdőszoba félig nyitott ajtajáig futott, és megpróbált belesni rajta. Fél szemmel, hogy bármelyik pillanatban becsukhassa.

A lány nem látszott a kádban. Csak a felszínre szálló szapora levegőbuborékok árulkodtak róla, hogy van valaki a víz alatt.

– Jézusom... Rosa!

A kádhoz ugrott, és minden erejét és bátorságát összeszedve a lány után kapott. Érezte, hogy síkos és hideg testhez ér a keze, mintha Rosa máris megfulladt volna. Elkapta a karját, de az fürge kígyóként kicsúszott a szorításából.

– Rosa... kérlek... én...

Rosa ebben a pillanatban kiemelkedett a víz alól. Elkapta Ernesto egyik kezét, majd a nyakába kapaszkodott. Ernesto tekintete a lány arcába villant. Ekkor olyan rémület kerítette hatalmába, hogy azt hitte, mentem rosszul lesz. Ami azt illeti, rosszul is lett. Egyetlen pillanat alatt gyomorforgató hányingere támadt, lába becsuklott, karja bénultan lógott a teste mellett.

– Rosa... kérlek...

Nem folytatta. Hiszen ez a nő nem Rosa! Bármennyire annak is akar látszani, nem ő!

Nem is nagyon értette, hogy indult meg fejjel előre a fürdőkád felé. Csak a csobbanást hallotta, és kicsit bele is verte a fejét a kád oldalába.

– Kicsoda... maga? – nyögdécselte, megpróbálva a kád oldalába kapaszkodni.

– Nem ismersz meg, Ernesto? – suttogta az ismeretlen nő. – Pedig mi már találkoztunk, nem is egyszer. Most aztán eljöttem érted...

Ernesto Matos eltűnt a víz alatt.

Nem is jött fel sokáig.

Így már nem is láthatta, hogy az ismeretlenül is ismerős nő kikapaszkodik mellőle, és biztonság kedvéért a nyaki ütőerére teszi a mutatóujját.

Ott tartotta egy kicsit, aztán bólintott.

Ernesto Matos soha többé nem látja viszont Brazíliát.

3.

Brandaõ és Faria már korábban is találkozott Rosa Lobóval, igaz, csak futólag. Így aztán akkor sem tudták volna megállapítani, hogy ez a Rosa Lobo azonos-e azzal a Rosa Lobóval, akit korábban láttak, ha láttak volna valamit is az arcából. Rosa Lobo igazi arcából azonban nem láttak semmit.

A nő, aki az ajtóban fogadta őket, maga volt az élő arcpakolás-reklám. Hófehér kenőcs takarta az egész képét, szemei helyén két szelet uborka trónolt. Brandaõ észrevette, hogy a szelet közepébe lyukat fúrt, s azon át nézegeti őket.

– Amint látom, rosszkor jöttünk – vigyorgott Faria.

– Hát... nem éppen jókor – sóhajtotta a lány.

– Talán elmegyünk, és később visszajövünk.

A lány legyintett.

– Ha maguknak jó vagyok így is... Éppen az arcpakolásommal buzgólkodom. Uborkapakolás. Tudják, mi az?

Brandaõ elhúzta a száját.

– Nem én.

– Én már hallottam róla – büszkélkedett Faria.

– Foglaljanak helyet – udvariaskodott Rosa Lobo. – Azonnal lemosom, ha óhajtják, bár akkor... tönkremegy a munkám.

– A világért meg ne tegye, kisasszony! – tiltakozott Faria. – Hiszen beszélni tud.

– A számon nincsenek ráncok, csak a szemem alján.

Brandaõ és Faria feltett néhány kérdést Rosa Lobónak. Rosa többször is látta a kísértetet a mosókonyhában, végig Matossal volt, amikor Medeirost meggyilkolták; a japán lány megöléséről semmit sem tud, Piresről pedig még csak nem is hallott. Meggyőződése, hogy kísértet jár a házban, ezért fontolóra is vette, hogy amint lejár a bérleti szerződése, elköltözik valahova. Értve ezalatt, hogy nem költözik vissza azután sem, hogy felépítették mindazt, amit most elbontanak.

Faria és Brandaõ elhatározták, hogy a következő állomás Matos lesz. Brazil a fickó, idegen, ha kicsit rámásznak, talán kisajtolhatnak belőle valamit, ami terhelő lehet Piresre.

Két-három percig kopogtattak Ernesto Matos ajtaján, de nem moccant odabent semmi. Brandaõ ekkor Fariához fordult.

– Bemegyünk?

– Menjünk.

– Majd hagyd nyitva az ajtót. Ha valaki jönne, azt mondjuk, hogy nyitva találtuk.

Brandaõ nem sokat teketóriázott. A zárhoz lépett, és három mozdulattal kinyitotta. Ha valaki a folyosó kanyarulata mögül leste volna az akciót, akár meg is esküdhetett volna rá, hogy puszta kézzel intézte el a biztonsági zárat.

Faria ment előre. Egészen addig, amíg tocsogni nem kezdett valamiben a lába.

Megtorpant, és Brandaõra kiáltott.

– Állj! Fel ne kapcsold a villanyt!

– Honnan jön ez a víz? – kapkodta a lábát a szorosan mögötte lopakodó Brandaõ.

– Na, mit gondolsz?

Ekkor már a fürdőszobánál jártak. Brandaõ megpróbálta megtalálni a zsebében a zseblámpáját, amelyet hol bele szokott csúsztatni, hol meg nem – ezúttal sajnos nem volt benne –, aztán reményvesztetten megállt az immár bokáig érő vízben.

– Menj előre!

Faria bólintott. A résnyire nyitott ajtóhoz lépett, és bedugta rajta a pisztolyát.

– Fel a kezekkel!

Nem moccant odabent semmi.
A halottak makacsok.
Nemigen szoktak mocorogni a stukkeros zsaruk kiáltozásaira.

4.

Ernesto Matos a fürdőkádjában ült, és már nem vérzett. Ami volt neki, mind-mind elfolyatta; most már csak a tiszta langyos víz csordult át a kád peremén. Brandaõ a kád fölé hajolt, és elzárta a csapot.

– Csinálj világosságot.

Faria megvizsgálta a lába tocsogós környékét, és úgy döntött, hogy tesz egy próbát. Felkapcsolja a villanyt, és vagy túlélik, vagy sem.

A halvány villanyfény elöntötte a fürdőszobát, majd élesen felvillant valami. A két zsaru önkéntelenül is összerázkódott, de csak a tükör felett lobbant fel egy neoncső fénye.

A két zsaru tudta a dolgát. Nem nyúltak semmihez, csupán azt figyelték, nem vesznek-e észre valamit, amire majd külön is felhívhatnák a kiérkező helyszínelők figyelmét.

Fariának mindjárt fel is tűnt a tőrkés a kád mellett. Cizellált nyele ezüstből készülhetett, a vörösen csillogó kövek, az egymásba kapaszkodó virágminták között talán rubintkövek lehettek.

– Figyeled a kést?

– Aha.

– Az ötödik?

– Hát, ha ötöt loptak el Coimbrából, akkor az.

– Gondolod, hogy öngyilkosság?

– Nagyon úgy néz ki a dolog.

Brandaõ csípőre tette a kezét, és Matos tágra nyitott szemébe nézett.

– Mi a frászt szórakozol velünk itt, öreg?

– És ha… gyilkosság? – kérdezte Faria.
– Majd a fiúk megmondják. Különben mérget mertem volna venni rá, hogy ez a fickó is nyakig benne van a buliban.
– És Pires?
– Ő is. Majd összevarrjuk valahogy a szálakat.
– Tulajdonképpen, mi a frász folyhat itt?
– Pires ki akarja csinálni a bajuszost. Felbérelte ezt a barmot egy kis kísértetjárásra.
– És a lány? Az uborka szemű?
– Nyugodj meg, ő sem ártatlan. Tudod, hogy Pires rohadtul gazdag ember?
– Tudom.
– Ezek meg szegények. Kíváncsi lennék rá, nincsenek-e elmaradva a lakbérrel. Gondolom, minden fillérre szükségük lehet.
– Pires kiderítette, hogy hogy állnak, mi?
– Aztán felbérelte őket. Ezek meg nekiálltak kísértetet játszani. Most aztán sorban megszabadul a fickó a bűntársaitól.
– Nem zavar, hogy Pires a sitten ül?
– Éppen ez a trükk!
– Micsoda?
– Hogy mindenki ezt gondolja. Ő maga nem ölhet meg senkit, hiszen betonbiztos az alibije. De ha ezt a kettőt felfogadta, felfogadhatott egy harmadikat is arra a feladatra, hogy eltakarítsa Matost.
– És a lány?
– Lehet, hogy ő takarít.
– Gyerünk, nézzük meg, hogy levakarta-e már a képéről az uborkát.
– Szóljak be a fiúknak?
– Ráérsz útközben.
Indultak, hogy egy rövidke séta után Rosa Lobo szemébe nézzenek.
Nem sejtették, hogy előbb megteszik, mint gondolnák.

5.

Áttocsogtak a nappalin, és az ajtó felé igyekeztek, amikor Faria megtorpant.

– Te... én benézek a hálószobába.

– Csak nézz, de gyorsan.

Brandaõ szeme körbefutott a parkettán, hogy nem lát-e valahol leesett ajtókulcsot, de nem látott. Jobb szerette volna, ha talál egyet, de nem talált.

– Hé! – hallotta hirtelen a szobából Faria hangját. – Ez aztán a meglepetés...! Gyere csak be, Brandaõ!

Brandaõ felmordult, aztán az ajtóhoz lépett.

Első pillantása Fariára esett, amint homlokát ráncolva Ernesto Matos ágya mellett állt, és lenézett rá.

Ekkor Brandaõ azt gondolta, hogy ha ő állna az ágy közvetlen szomszédságában, és lenézne rá, mint ahogy a társa teszi, bizonyára az ő homloka is ráncba szaladna, és gondok felhői árnyékolnák, ahogy mondani szokás.

Mert hogy is állhat valaki egy összetúrt ágy felett, amelynek eredetileg fehér ágyneműje vörös a vértől másként, mint összeráncolt homlokkal?

Hátha még a vörös ragacs közepén, az összetúrt ágynemű tetején fekszik is valaki.

Egy meztelen, halott nő.

6.

Brandaõ az ajtófélfának támaszkodott, és a gyomrát nyomorgatta. Ez utóbbi jobban nyugtalanította, mint a halott az ágyon. Néhány hónapja furcsa jeleket vett észre magán, amelyeknek egyáltalán nem örült. Újabban bizonyos esetekben, főleg, ha vérrel találkozik, mintha öklendezni támadna kedve. Ez pedig nagy csapás egy zsarunak; ennél nagyobb csapás hasonló esetben csak egy sebészt érhetne. Csak nem annak a jele mindez, hogy szervezete évtizednyi zsarumeló után kezdi behajigálni a törülközőt a ringbe? Egyszer csak arra ébred majd, hogy nem bírja nézni a hullákat sem?

Megrázta a fejét, és csak azért is megerőltette magát. Gyerünk, nézzük csak, hogy ityeg a fityeg?

A lány tágra nyitott, üveges szemekkel bámult rájuk, mint ahogy Matos a fürdőkádban. Összehajtogatott ruhái egy széken várakoztak, cipője az ágy mellett. Brandaõ biztos volt benne, hogy ezek ketten – a két halott – előre eltervezték az öngyilkosságot. Ha csak hirtelen ötlettől vezérelve dobták volna el maguktól az életet, aligha törődtek volna vele, hogy milyen szögben álljon a lány cipője az asztal lábához viszonyítva.

Brandaõ összerántotta a szemöldökét.

Érdekes, a fürdőszobában is rend volt. Gyanúsan nagy rend.

– Ki a csaj? – kérdezte csak úgy mellékesen Fariától.

Amit hallott, úgy mellbe vágta, hogy levegőt is alig kapott tőle.

– A Lobo lány. Rosa.

– Ne... marháskodj!

Csak ennyit tudott kinyögni, de ezt is nehezen.

Brandaõ tovább kapkodta a levegőt. A lány segítőkészen bámult rá.

– Takard már le valamivel.

– Csak nem zavar? – csodálkozott Faria.

Faria arca is halovány volt, amennyire a villanyfényben meg tudta állapitani. Igazság szerint el kellett volna húzniuk az ablakok előtt lógó sötétítőfüggönyöket, de nem akartak hozzányúlni semmihez.

– Ez… Rosa Lobo – ismételte meg. – Holtbiztos.
Brandaõ ujjai szorosan ráfonódtak a stukkerjára. Később nem is emlékezett vissza rá, hogy mikor került a kezébe.
– Akkor… ki *a másik?*
– Gőzöm sincs róla.
Brandaõ és Faria összenéztek.
– Van egy sanda gyanúm – mondta Faria. Ekkor már enyhén vérszomjas volt a tekintete.
– Nekem is – dünnyögte Brandaõ.
– Bennünket átvertek – morogta Faria.
– Ó, a rohadt anyját!
Kezükben stukkerrel, nem törődve vele, hogy látja-e őket valaki, vagy sem, végigvágtattak a folyosón, majd megtorpantak Rosa Lobo lakása előtt.
Az ajtó természetesen zárva volt.
– Kopogjak? – kérdezte Faria.
– Már csak az hiányozna – morogta Brandaõ. Az ajtóhoz lapult, és néhány gyors mozdulattal kinyitotta a zárat.
– Befelé!
Úgy vágtattak be a lakásba, mint első osztályú kalandfilmekben a kommandósok. Előretartott fegyverrel, hideg elszántsággal a szívükben.
Odabent azonban ekkor már nem volt senki.
Sem az előtérben, sem a nappaliban, sem a hálószobában, sem a kádban.
– Gyere csak ide… Faria!
Faria, aki a hálószobát nézegette, átlépkedett a fürdőszobába.
– Találtál valamit?
– Nézd csak a tükröt!
Faria a tükörbe bámult, és eltátotta a száját. A tükörre valaki egy képét rajzolt ajakrúzzsal – Rosa Lobo képét. Bár csak egy pár vonással rajzolta fel,

mégis telitalálat volt. A tükörről Rosa Lobo nézett rájuk.

Azaz dehogyis nézett! Nézett volna, ha lett volna mivel. Csakhogy Rosa Lobónak a képen nem volt szeme. Két szelet uborka helyettesítette, méghozzá igazi uborka. Brandaõ meg mert volna esküdni rá, hogy ugyanazt a két uborkaszeletet látja a tükrön, amelyet alig fél órával ezelőtt egy ismeretlen nő szemén látott, akiről azt hitte, hogy Rosa Lobo.

Kinyújtotta az ujját, és megpiszkálta az egyiket. A másik kezét alátartotta, hogy elkaphassa, ha leesik. De az uborkaszelet nem esett le. Brandaõ zselészerű anyagot látott alatta; lehet, hogy ragasztót.

– Mi a... franc ez?

– Ez a rohadék... szórakozik velünk.

– Nézd... az ördög vigye el!

Ami ezután történt, olyan hihetetlen volt, hogy egyszerűen megnémultak tőle. Előbb az egyik uborkaszelet csúszott le a tükörről, aztán a másik. Brandaõ ekkor már nem nyúlt utánuk. Inkább a lány arcának a körvonalait nézte kidülledt szemmel. Úgy látta, mintha a tükörre rajzolt Rosa Lobo hirtelen hízni kezdett volna.

– Te, ez olvad... vagy mi a franc!

Faria a tükörhöz hajolt. Egészen közelre, hogy megfigyelhesse, mitől olvadnak el a vonalak.

Ami ezután következett, még az eddiginél is szörnyűbb volt. A tükör megremegett, majd éles reccsenéssel szétrobbant, üvegszilánkokkal szórva tele Faria bőrét.

Faria üvöltött, mint a sakál.

Csak akkor nyugodott meg, amikor a helyszínelőkkel együtt megjött a doktor is, és belényomott egy lóadag fájdalomcsillapítót.

7.

Lisete beleroskadt de Carvalhóval szemben egy fotelba. Rosa lakásában voltak; a folyosóról beszűrődött a holttesteket elszállító egészségügyiek beszélgetése. De Carvalho fehér volt, mint a fal, és a bajusza végét pödörgette. Lisete maga elé nézett, és többször is megnyomkodta a szemét.

– Ez egyszerűen... hihetetlen! – morogta Domingos.

A lány kissé ingerült volt és türelmetlen.

– Ez nem rendőrségi kategória.

– Micsoda?

– Az, hogy hihetetlen. Minden hihető.

De Carvalho megcsóválta a fejét.

– Öngyilkosság?

– Azt hiszi?

– Nem tudom, mit higgyek.

– Biztos vagyok benne, hogy nem az.

– Gyilkosság?

– Van egyéb lehetőség?

– Jó, de... miért?

– Miért ölték meg Medeirost és a japán lányt? A fenébe is, majdnem a kezünkben volt a gyilkos! Ha Faria és Brandaõ nem cseszik el...

Lisete felugrott, és kiviharzott az ajtón. De Carvalho várakozott egy kicsit, aztán amikor Lisete nem tért vissza, átballagott Matos lakásába. Az ajtónál posztoló zsaru nem akarta ugyan beengedni, de egy másik kiszólt a szobából, hogy nyugodtan beengedheti. Lisetével jött, és különben is, ő az építész.

A szobában vizsgálódó magas, vörös zsaru volt, álmodozó kék szemekkel.

– Na, mit szól hozzá? – fogadta de Carvalhót. – Szép kis mészárszék, mi? Ezen a héten ez már a nyolcadik. Mostanában csak véres ügyek jutnak nekem.

– Maga szerint… mi történt itt? – kérdezte de Carvalho.

A zsaru szó nélkül mutatta, hogy Rosa Lobos és Matos is felvágta az ereit.

– No de miért?

A zsaru megvonta a vállát.

– Ki tudja? Elegük lett az egészből. Állítsátok meg a világot, ki akarok szállni! Mivel a világ nem állt meg, menet közben ugrottak ki belőle. Egészen gyakori dolog.

– Micsoda?

– Hát hogy együtt követik el ketten. Előre megdumálják. Lehet, hogy előtte még… ugye, érti? Aztán nyissz! Csak az a kés…!

– Mi van vele?

– Valahogy ellentmond a józan észnek.

– Éspedig?

– Azt mondják, muzeális darab. Brandaõ szerint úgy lopták egy múzeumból. Ez nem illik a képbe. Márpedig nem az első eset, hogy valaki felvágja az ereit, és éppen nekem jut a helyszín leírása.

– Mi lenne a… képbe illő?

– Zsilettpenge. Vagy valami éles tárgy.

– Ez a kés… nem elég éles?

– De nem ám! Jó erősen rá kell nyomni a csuklóra, hogy elnyisszantsa az ereket. Az öngyilkosjelöltek viszont nem akarnak szenvedni. Ők a lehető legkisebb fájdalommal akarnak átmenni. És mit jelentsen az, hogy a lopott kés kétszázötven éves? Ezeknek a szerencsétleneknek nem volt affinitásuk a történelemhez. Ezt meg Faria mondta.

– Ez mit jelent?

– Hogy nem voltak történelem-buzik. A lány egy lízingcég munkatársa volt, a srác meg brazil és zenész. Ha mondjuk, egy történész bedilizik, és felvágja az ereit egy történelmi relikviával, még érthető lenne. De ebben az esetben…?

A zsarut kihívták a folyosóra, de Carvalho pedig besétált a fürdőszobába. Mielőtt belépett az ajtón, megpödörgette a bajusza végét, mintha ebből próbálna pótlólagos lelkierőhöz jutni.

Vizsgálgatta egy kicsit a vérmaszatos fürdőkádat, aztán úgy gondolta, hogy immár rajta múlik minden.

Ha nem tudja kihozni a sittről Pirest, örök életére furdalni fogja a lelkiismerete.

Úgy gondolta, maga veszi kezébe a gyilkosságok ügyét.

8.

Egy-két órára volt csupán szüksége, hogy megszerezze a szükséges információkat. Természetesen nem sikerült azonnal választ kapnia valamennyi kérdésére, de azért nem panaszkodhatott. Volt néhány barátja világszerte, akikre támaszkodhatott. Igaz, hogy közben jelentős összeget halmozott fel a telefonszámláján, de hát a nyomozás nem megy áldozatok nélkül.

Délután kettő tájban látogatta meg a munkahelyén senhora Hartmant.

– Foglaljon helyet, senhor de Carvalho – mosolygott rá a csinos asszony, akinek még fogalma sem lehetett róla, mi minden történt odahaza, a mai napon a szomszédságában. – Mi szél hozta hozzám, senhor de Carvalho?

– A gyilkosságok miatt jöttem – mondta de Carvalho.

– Már azt hittem, ismét történt valami.

– *A gyilkosságok miatt* – hangsúlyozta az építész.

Senhora Hartman ekkor figyelt csak fel rá, hogy mit is mond de Carvalho. Mind ez ideig azt hitte, hogy a napokkal ezelőtti gyilkosságokra céloz.

– Milyen... gyilkosságokról beszél?

– Megölték senhorita Rosát és senhor Matost.

Azt hitte, mentőt kell hívni az asszonyhoz. Senhora Hartman szeme kitágult, szája kinyílt, keblei pedig olyan vad hullámzásba kezdtek a blúza alatt, hogy Domingos azt hitte, a végén még majd neki kell felszednie őket a földről.

– Uramisten! Jézusom! Mikor történt?

– Valószínűleg hajnalban.

– És... hogyan?

Domingos éles szemekkel figyelte az asszony minden kis rezdülését. Az az érzése támadt, mintha senhora Hartman megkönnyebbült volna. Mintha nem érte volna olyan meglepetésként a hír, mint illett volna. Még a kebelhullámzás és a jézusomozás ellenére sem.

– Felvágták a szerencsétlenek ereit, és hagyták elvérezni őket.

– Nem lehet, hogy ők... maguk...?

– Elméletileg ez is lehet.

– Elméle... tileg? Istenem... megengedi, hogy igyak egy kis vizet? Köszönöm. Hogyhogy... elméletileg?

– Egy bizonyos tőrrel tették.

– Simões mester... tőrével? Jézusom!

– Hogy van a disszertációja? – kérdezte hirtelen témát váltva de Carvalho.

– Mi? Hogyan? – értetlenkedett az asszony.

– A disszertációja. Amit be akart nyújtani. Amit elutasítottak.

Az asszony abbahagyta a jajveszékelést, és ideges tekintettel nézett Domingosra.

– Miről beszél?

– A disszertációjáról – ismételte türelmesen Domingos. Beharapta a bajusza végét, és igyekezett megőrizni a hidegvérét, pedig legszívesebben felpattant volna, és megrázta volna az asszonyt.

– Mi van... vele?

– Én kérdezem öntől.

Az asszony szeme felvillant.

– Milyen jogon?

– A kíváncsiság jogán – mondta de Carvalho. – Amint hallottam, ön benyújtott egy disszertációs témát az egyetem néprajzi tanszékéhez, ahonnan a tudományos tanácshoz továbbították. Igaz?

Senhora Hartman az ajtó felé mutatott.

– Takarodjon, mert rendőrt hívok!

De Carvalho azonban meg sem moccant.

– Nem biztos, hogy jól tenné.

– Miért? – ugrott fel a székéből senhora Hartman. – Ugyan miért?

– Lehet, hogy megbánná – mondta Domingos.

– Erről a témáról... nem vagyok hajlandó... nem vagyok hajlandó...

– Sajnálom – békítette Domingos –, mégis beszélnünk kell róla.

Az asszony visszaroskadt a székébe.

– Hát jó – mondta rövid szünet után. – Mit akar hallani tőlem?

– Meséljen valamit a disszertációjáról.

– Maga... zsaru?

– Nem vagyok az... csak éppen kíváncsi vagyok rá, mi zajlik az építkezésemen.

– Gondolja, hogy az én disszertációm és ezek között a sajnálatos események között lehet valami... összefüggés?

– Mások azt gondolhatják.

– Kik mások?

– Például a rendőrség... ha elkezd kombinálni.

Az asszony megtörölgette verejtékező homlokát.

– Jól van. A disszertációm témája Simões mester munkássága. Tudnia kell, hogy Simões mester… a hátramaradt iratok szerint nagyon szorgalmas ember volt… szerény becslésem szerint legalább kétszáz-háromszáz tárgyat készített. Fegyvereket, ékszereket, díszeket, csatokat és a többi. Csakhogy csupán a töredékük maradt ránk.

– Például az öt tőr – szúrta közbe Domingos.

– Például. A kérdés az, hogy hova lett a többi?

– Elkallódott – mondta Domingos. – A régi tárgyak általában el szoktak kallódni.

– Ahhoz túl sokat készített, hogy csak pár darab maradjon belőlük. Az én elméletem szerint… megvannak valahol.

– A föld alatt?

– Mondjuk – biccentett óvatosan az asszony.

– Ha bővebben is kifejtené…

Senhora Hartman megnyalta a szája szélét.

– Ön még bizonyára nem hallott Lucius mesterről.

– Kiről?

– Egy bizonyos Lucius mesterről. Egy ideig Simões tanítványaként dolgozott. Nos, ez a Lucius afféle leltárt készített Simões mester munkáiról. Szerinte gyönyörű darabok voltak; Távora márki meggyilkolása és a Távora család kiirtása után Pombal márki birtokába jutottak Simões mesterrel együtt. Pombal hadizsákmányként kezelte Simõest, aki azonban Távora márki elkötelezett híve volt, és gyűlölte Pombalt. Időlegesen kénytelen volt jó képet vágni Pombal rémtetteihez, lelkében azonban ott égett a gyűlölet tüze. Ezért egy napon… alighanem azután, hogy a testőrét Pombal parancsára az inkvizíció megégette, visszalopta Pombaltól azokat a remekműveit, amelyeket hajdanán Távora márkinak készített, és amelyeket Pombal erőszakkal vett a birtokába. Ellopta őket, és eltűnt velük. Talán Távora márki kincseit is magával vitte.

– Ezt írta az a bizonyos... Lucius?

– Maga is elolvashatja.

– Hm. Hogy lehet, hogy erről idáig senki nem tudott?

Az asszony halványan elmosolyodott.

– Mindenki tudott róla, akit érdekelt. Csak éppen nem érdekelt senkit. Két okból sem. Az egyik, hogy azt hitték, mese az egész. Ma is azt hiszi minden művészettörténész, aki egy kicsit is konyít ahhoz a korhoz. Ezenkívül elterjedt a köztudatban, hogy Simões másod-, ha nem harmadosztályú ötvös; nincs különösebb értéke a készítményeinek. Ez a második ok. Én viszont meg vagyok győződve róla, hogy alaposan félreismerik Simõest és a munkásságát is. Ha megtalálnánk elrejtett műveit, ráébredhetne a világ, hogy micsoda csodálatos alkotó volt!

Az asszony felugrott a székéből, és Domingos ámuló szemei előtt igazi fúriává változott. Szőke haja a homlokába hullott, szeme lángolt, ajka felhúzódott, és vicsorgott, mint a felhergelt kutya.

– Az a sok barom, az! Teli vannak velük a minisztériumok, az egyetemek, a múzeumok! Nem tudják megérteni, hogy nincs még egy olyan művész, mint Simões! Sajnálják rá azt a kis pénzt, hogy megkereshessük. Ott kell lennie a kamrának; ott lent, a ház alatt! Hiába írom nekik sorban a kérvényeket, hogy itt a legjobb alkalom megkeresni a kamrát, amelyet a három szűz varázslata őriz... a fülük botját sem mozgatják. Azt üzenték, őrült vagyok. Úgy nézek ki, mint egy őrült?

Domingos megpödörgette a bajusza végét, és nem mert az asszonyra nézni. Csak hümmögött félhangosan, amit akárhogy lehetett érteni.

– Na ugye? – vágta ki diadalmasan senhora Hartman. – Ön szerint sem! Itt lenne a legjobb alkalom, hogy feltárjuk, mi van odalent, de amint hallom... az eredeti alapokra akarják ráépíteni a házat. Igaz ez?

– Hát... ehhez még bizonyos vizsgálatok szükségesek. Bár kétségtelen, ha a régi homlokzatot meg akarjuk menteni...

– Tudja, mi ez? Barbárság! Eszement barbárság! Itt a lehetőség, hogy egy kicsit lejjebb ássanak, és megnézzék végre, mi van odalent. Lucius is írt a három szűz varázslatáról... Megesküdött, hogy Simões mester végig ott tartózkodott...

– Hol?

Az asszony Domingoshoz ugrott, és elkapta a karját. Domingos úgy érezte, mintha egy satu két pofája közé szorult volna.

– Simões nem volt ostoba ember, kedvesem! Tudta, hogy Pombal égen-földön kerestetni fogja, és addig nem nyugszik, amíg el nem kapja, és keserves kínzásokkal ki nem szedi belőle, hova rejtette a visszalopott ékszereket. Látja, már csak ezért is értékesnek kellett lenniük, hiszen Pombalt nem érdekelték volna harmadrendű munkák. Simões tudta ezt, és azt is tudta, hogy bárhova is menekül, Pombal keze utoléri. Ezért nem is menekült sehova.

– Se... hova?

– Ott maradt Pombal házában. *A föld alatt*. Érti? Készíttetett magának egy kamrát, és ott élt mindaddig, amíg meg nem halt... vagy Pombal meg nem halt. Erről az időről nem ír Lucius mester. Honnan sejthette volna Pombal, hogy akit halálra keres, ott rejtőzik alig néhány méternyire a talpa alatt. És most is ott vannak a csontjai. Kérem, nagyon kérem... segítsen nekem!

– Hogy tudnék... segíteni? – vonta meg a vállát

az építész. – Az én hatalmam kicsi ehhez… jószerével nincs is…

– Nagyon kérem… könyörgöm… menjünk le a mélybe! Ott van az egész életem… ott rejtőzik az egész tudományos munkásságom… ott van az én… Simõesem… kérem! – Megragadta de Carvalhót, és az ajtó felé rángatta.

Domingos elkeseredetten küzdött, hogy megszabaduljon tőle. Már-már éppen erőteljesebb eszközökhöz akart folyamodni, amikor az asszony keze hirtelen lehullott róla. Arca egyetlen másodperc alatt kisimult, eltűntek róla a már-már nem is emberi ráncok, szeme is veszített a csillogásából. Hatalmasat sóhajtott, mintha csak segített volna valakinek, hogy elhagyhassa a testét.

Talán egy kóbor léleknek.

9.

Az asszony arca verejtékben úszott. Domingos felkapta a közeli asztalkán álló vizeskorsót, töltött belőle az asszony poharába, aztán a markába nyomta.

– Igyon egyet. Jót tesz.

Senhora Hartman remegő kézzel tartotta a poharat. Domingos ugrásra készen állt, a pohár azonban szerencsére nem hullott ki a kezéből. Egészen addig nem is történt baj, amíg le nem tette az asztalra. Ott azonban megbillent valahogy, és a maradék víz kifolyt belőle. Balszerencséjére Domingos nadrágjára is löttyent belőle valamicske.

– Bocsásson meg – nyögte senhora Hartman. – Kérem, bocsásson meg. Nem tudom… *ilyenkor* mi történik velem.

Domingos előkapta a zsebkendőjét, és felitatta vele a cseppeket.

– *Ilyenkor?* – kérdezte aztán zsebre vágva a zsebkendőt. – Milyenkor?

– Hát amikor... elkap a roham.

– Máskor is... hm... el szokta kapni?

– Az utóbbi időben egyre gyakrabban. És mindig rossz helyen. Be kellett mennem a minisztériumba, mert panaszos levelet írtam nekik, hogy a tudományos tanács már harmadszorra utasítja el a pályázatomat, és... sajnos ott is... rosszul lettem. Képzelheti, hogy néztek rám. Komplett őrült vagyok, akinek kár minden pénz. Pedig a tudósok nagy része őrült. Ha nem lenne az, nem is csinálnák, amit csinálnak.

– Ebben lehet valami – morogta Domingos.

– És... egyebütt is rám jött már. Ilyenkor... hm... nem vagyok a magam ura.

Domingos megpödörgette a bajusza végét.

– Úgy érzi... hogy beleköltözött valaki magába? Vagy *valami?*

Az asszony felcsuklott. Egyetlen pillanat alatt öntötték el a szemét a könnyek.

– Hát persze hogy... úgy érzem. Csak nem merem senkinek... elmondani. Kinek mondjam... el? Ha csak kinyitom a számat... mindenki menekül előlem. Még Carlos is lelépett.

– Carlos?

– A férjem után... jött. Úgy beleszerettem, hogy... azt hittem, megőrülök érte, és... ő is szeretett engem. Csak nem szerette, ha éjszaka... sikoltozom.

Domingos elpirult. A fenébe is, megint ez a pirulás, ha olyat hall, amit nem szeret. Semmi köze mások intimszférájához.

Rövid úton kiderült, hogy miféle sikoltozásról van szó.

– Később, ahogy visszagondoltam rá, egyre élesebben jelent meg előttem az álmom. Kínzókamrát láttam magam előtt... amelyben egy embert kínoztak. Egy japánt. Simões testőrét. Aztán Simõest is láttam, amint föld alatti menedékében gyertyát gyújt, és egy ládából ékszereket szed elő. Tőröket, nyakláncokat, veretes öveket. Gyönyörűek voltak. És mind-mind színezüstből. Sok mindenre persze nem emlékeztem vissza. Az álmok nem arra valók, hogy visszaemlékezzünk rájuk. Én viszont még nappal is rajtuk törtem a fejem. Carlos meg is mondta, hogy nem tudja, mi van velem, de érzi, hogy nem vagyok teljesen az övé. Valaki más is lakik a lelkemben, nemcsak ő. Pedig... feleségül akart venni. Csakhogy ő feltétlen szerelmet kívánt, én pedig lassan rájöttem, hogy nem belé vagyok szerelmes.

– Hanem? – hajolt előre de Carvalho.

– Azt hiszem... Simões mesterbe.

– Ismeri egyáltalán az arcát?

Az asszony megrázta a fejét.

– Sajnos nem. Hiába kutattam utána, nem maradt róla ábrázolás.

– És az... álmaiban?

– Sosem látom tisztán. Mégsem tudok szabadulni tőle. De a szemét azt láttam... delejes szeme van. Mint az igazán nagy művészeké. Egy... óriási művész szemei. Biztos vagyok benne, hogy valahogy a hatalmába kerültem. Ő irányítja a lépteimet. Azt akarja, hogy... tárjuk fel a kamráját, ahol a csontjai nyugszanak, őt pedig helyezzük méltó helyére, Portugália nagyjai közé. Ezt akarja Simões mester. Én mindaddig harcolna fogok érte, amíg csak élek. – Ismét elkapta de Carvalho kezét, és rángatni kezdte. – Kérem, senhor, könyörgök, az istenre kérem, segítsen nekem! Hiszen csak pár lépés az egész. Önnek hatalmában áll ásatni egy lyukat, amelyen leereszkedhetnénk a föld alá.

– Ezt talán más módon is megtehetjük – kísérletezett immár másodszorra a megszabadulással de Carvalho.

– Már... megpróbálkoztam mindennel. Lejutottam a ház alá a közműcsatornákba, és... bemerészkedtem elfalazott oldaljáratokba is...

– Maga... falat bontott odalent?

– Kénytelen voltam vele. De nem találtam semmit. A járatok a végtelenbe vezetnek. Pedig ott kell lennie a kamrának a ház alatt.

Domingosnak végre sikerült elszakadnia az asszonytól. Gyorsan kihasználta a kedvező alkalmat, és az ajtó felé igyekezett.

– Majd megnézem, mit tehetek – motyogta. – Majd megnézem...

– Kérem! – kiáltotta utána az asszony. – Kérem... ne említse ezt a rendőrségnek! Tudom, hogy ön gyanakszik rám, azért is jött ide hozzám, de én... semmit nem követtem el. Csupán Simões mester... már ő parancsol nekem. De ő sem akar rosszat. Csak azt szeretné...

Domingos kiugrott az ajtón.

Sosem volt még ennyire szüksége egy pohár borra, mint most.

10.

De Carvalho még egyszer alaposan szemügyre vette a körülkerített lyukat, váltott néhány szót Calvaóval és Cruseiróval, majd bekopogtatott Fonsecáékhoz.

Maga Horatio Fonseca nyitott ajtót. Domingos látta rajta, hogy nem tudja, hova tegye. Ha Lisetével jött volna, bizonyára visszaemlékszik rá, így azonban nem gyúlt ki a szemében az értelem fénye.

– De Carvalho vagyok – mutatkozott be. – Az építész.

– Ó, hát hogyne... – dörmögte Fonseca. – Már emlékszem. Megismerem a bajuszáról.

– Hé! Honorato! Ki a franc az?

– Csak az építész – kiáltotta a konyha felé Fonseca.

– Mit akar?

Fonseca a hang irányába bökött.

– Válaszoljon neki – vigyorgott.

Domingos úgy gondolta, nem válaszol. Sejtette, hogy ha a hegy nem megy Mohamedhez, akkor fordítva bizonyára megtörténik a dolog: az asszony jön oda hozzá.

Ebben nem is tévedett. Alig lépett be Fonseca kíséretében abba a szobába, amely Fonsecáéknál a nappalit és a gyerekszobát is magába foglalta, az asszony már fel is bukkant a konyha ajtajában. Kezében ismét egy lábast szorongatott, amelynek a tartalmát időről időre megkavarta egy kanállal.

– Maga az? Mi a fenét akar már megint tőlünk?

– Bocsánat, asszonyom, de feltétlenül beszélnem kell a férjével.

Az asszony kevert egyet a kanállal.

– Maguknak szófosásuk van, vagy szerelmesek ebbe a majomba, hogy mindenki vele akar beszélgetni?

– Ki akart még? – hökkent meg de Carvalho.

– Két zsaru is volt itt. Egy nagy meg egy kicsi.

– Én nem vagyok zsaru.

– Ilyen bajusszal be se vennék. Ha ilyen lenne a macskánknak, behajítanám egy úthenger alá.

Honorato Fonseca felemelte az ujját.

– Tűnj el, Luisa!

– Eszemben sincs.

– Azt mondta a senhor, ha nem beszélhet velem, nem lesz segély.

– Hát beszéljen.

De Carvalho úgy gondolta, jobb a békesség.

– Van egy ismerősöm Portóban.

Fonseca megvonta a vállát.

– Nekem több is van. Bortermelők. Kifejezetten jó boruk van. Hát a maga ismerőse?

– Építész – mondta de Carvalho.

– Az se rossz. De ha a kettő között kellene választanom, én inkább borász lennék.

– A felesége zsaru.

Egyetlen pillanat alatt megváltozott a légkör a szobában. Luisa asszony mintha óvatosabban kevergette volna a lábas tartalmát, és Fonseca is szaporábban pislogott.

– A barátom felesége ismert egy bizonyos fickót, akit Menyétnek hívtak. Mintha korábban maga is azt mondta volna, hogy ismerte. Igaz?

– Csak futólag – szívta meg az orrát Fonseca.

– Ha jól emlékszem, ez a pasas volt az, aki elhozta magának a Coimbrából ellopott tőröket megőrzésre.

– Ezt mondtam volna? – csodálkozott Fonseca. – Akkor biztos így is volt.

Domingos igyekezett visszafogni magát. Legszívesebben kivette volna a lábast Luisa asszony kezéből, ráöntötte volna a tartalmát, aztán a még mindig ragacsos edényt ráhúzta volna Fonseca fejére. Úgy érezte, ha néhány mondat után nem jut dűlőre vele, meg is teszi.

– Ez a Menyét nemrég nagy bajban volt. Nyakig belemászott egy kínos ügybe.

– Mi volt az?

De Carvalho folytatta, mintha meg sem hallotta volna a kérdést.

– A kollégám felesége alkut ajánlott neki. Azt ajánlotta, hogy futni hagyja, ha kicsit bővebben mesél arról a coimbrai ügyről. Simões mester tőreiről.

Tudja, mi az érdekes? Az, hogy Menyét azonnal dalolni kezdett.

– Da... lolni?

– Úgy bizony. Reumás lett, és már nemigen bírta a börtöncellát. Valamelyik orvos azt diagnosztizálta nála, hogy le kell vágnia a lábát, ha nem mozog eleget. Márpedig a sitt nem arról híres, hogy ott valaki is gyógyterápiát folytathasson a levágásra ítélt lábáért. Ezért aztán Menyét kapva kapott az alkalmon.

– Mi közöm nekem... ehhez? – kérdezte Fonseca immár remegő hangon. Luisa asszony úgy állt a lábassal a kezében, mintha sóbálvánnyá változott volna.

– Az, hogy Menyét mindent kidumált. Az ön szerepét is... Tehát...

Ekkor Luisa asszony felsivított.

– Mondd el neki, te balfácán! Ha már megcsináltad, mondd el neki! Nem látod, hogy úgyis mindent tud? Ez maga az ördög, Honorato. Ilyen bajusza csak az ördögnek van.

De Carvalhónak tetszett ez a hasonlat. Mindjárt meg is simogatta arca ékességét.

Fonseca megvakargatta a feje búbját.

– Nem köthetnénk mi is egyezséget?

De Carvalho sóhajtott egy nagyot.

– Köthetünk, de akkor mindent el kell mondania.

– Menyét a reumája miatt nem akart... én pedig a gyerekeim miatt nem akarok sittre kerülni. Márpedig a gyerekek is vannak olyan fontosak, mint a reuma!

– Az attól függ – mondta de Carvalho. – Akinek nincs gyereke, annak a reumája a fontos.

– Áll az alku?

Domingos megpödörgette bajuszát.

– Áll.

– Mondd el neki, te ostoba! – kiáltozta ezalatt

Luisa asszony. – Figyelmeztettelek, hogy nem lesz jó vége, ugye, figyelmeztettelek!? De te csak mész a hülye fejed után... Hát most itt van. Egy biztos: ha lecsuknak, felőlem ott rohadhatsz a sitten. Még csak feléd sem nézek. A gyerekeknek majd azt mondom, hogy egy féllábú, vak koldus az apjuk, az legalább sajnálatot ébreszt bennük.

– Dugulj el, Luisa! – förmedt az asszonyra Fonseca. – Tényleg tud tenni értem valamit?

– Attól függ, hogy mit ér az, amit megtudok magától.

– Hát... nem is tudom – csóválta meg a fejét Fonseca. – Azért... tegyen valamit értem, jó?

– Halljam a történetet! – emelte fel a hangját de Carvalho.

Fonseca ismét megnyalta a szája szélét.

– Nem tudom, mire emlékszik abból, amit legutoljára önnek és a senhoritának mondtam...

– Mindenre – biccentett az építész.

– Hát az csak részben igaz. Tudja, kicsit meg voltam ijedve.

– A lényegre, Fonseca!

– Az a helyzet... hogy én adtam Menyétnek a megbízást a tőrök ellopására.

– Maga?

– Én.

– Maga találta ki ezt a bulit?

– Jaj, dehogy én! Másvalaki. Akit nem ismerek.

– Hm. És hogy történt?

– Úgy, hogy besétált az üzletembe. Vörös volt a haja – tuti, hogy parókát viselt –, szemüveges, piros orrú, kockás ruhában. Igazából egy bohócra emlékeztetett.

– Ha át akar verni...

– Dehogyis akarom. Istenemre mondom, így nézett ki. Bejött az üzletbe, és... azt mondta, tudja, hogy vannak összeköttetéseim, amelyekre szüksége lenne. Erre persze én adtam az ártatlant, hogy nem is tudom, mire gondol, meg hasonlók, de akkor nyíltan a szemembe mondta, hogy alapos információkkal rendelkezik rólam. Először azt hittem, el kellene passzolnom valamit, de aztán kiderült, hogy az ellenkezőjéről van szó. Azt mondta, hogy ki van állítva Coimbrában öt tőr, Simões mester tőrei, azok kellenének neki. És ezért hajlandó fizetni nekem – gyorsan az asszonyra pislantott, majd zavartan megköszörülte a torkát –, ötezer dollárt.

– Te szemét! – csapta az asszony a kanalat a lábasba. – Te szemét! Nekem ötszázat mondtál!

– Rosszul emlékszel, Luisa.

– Én még sosem emlékeztem rosszul, ha pénzről volt szó. Te viszont mindig. Te mocskos disznó!

– Nem kérdezte meg tőle, hogy mire kell neki az öt tőr?

– Akkor nem. De később megkérdeztem. Találnom kellett valakit, aki ellopja a tőröket.

– Menyétet szemelte ki, mi?

– Úgy van – bólintott Fonseca. – Tudtam, hogy Menyét éppen le van égve, segíteni szerettem volna neki.

– Inkább a családodra gondolnál, te tökéletlen!

– Hiszen éppen azért vállaltam. Miattatok.

– Jaj, hogy oda ne rohanjak!

– Szóval, maga megszerezte a Menyétet. Mit szólt, amikor elmesélte neki, hogy miről van szó?

Fonseca megvonta a vállát.

– Röhögött. Még meg is kérdezte, hogy nem az őrültekházából szalasztották-e a megbízómat. Merthogy ő jól ismeri a coimbrai múzeumot, dicsekvés nélkül állíthatja, hogy részletesebb leltár van a fejében Portugália összes múzeumáról, mint a megfelelő minisztériumban, éppen azért azt is tudja, hogy az öt tőr összesen nem ér annyit, mint a nem messze tőle látható római koponya, pedig az ráadásul még lyukas is.

– Mégis kötélnek állt, mi?

– Menyét nem válogat. Azt mondta, mindenki úgy hülye, ahogy akar. Ha neki ez kell, hát ez kell. Csak azt nem érti, miért nem inkább a kincseskamrát keresi meg.

– Milyen kincseskamrát?

– Simões mester kincseskamráját. Itt van a szomszéd ház alatt.

– Ezt... honnan tudta?

– Menyét mindent tud. Azért is hívják Menyétnek, mert mindent meghall. Egyszer találkozott egy tudóssal, aki elmesélte neki, hogy akkoriban, amikor Pombal márki megmogyorózta Távora márkit, tulajdonképpen a kincseire hajtott. Csakhogy nem sikerült megkaparintania őket. Távora márki állítólag az ország leggazdagabb embere volt; telis-tele volt tömve arannyal, drágakővel minden zsebe. Amikor Pombal márki felemelkedett, és a király kedvence lett, tudta, hogy neki befellegzett, ezért elrejtette a kincseit. Ide, a ház alá. És tudja, ki segített neki? A kedvence, Simões mester és egy japán ürge. Simões úgy ismerte a város alatti járatokat, mint a tenyerét, hiszen naphosszat odalent lógott, és mindenféle gyanús alakkal barátkozott. Nos, Simões és a japán kerestek egy rejtekhelyet, ahova Távora márki elrejtette a kincseit. Egy elfalazott szobáról mesélnek.

– Miért nem találta meg Pombal? Ne mondja, hogy nem kereste!

– Dehogynem kereste. Sőt, még meg is kínoztatta Távorát, a feleségét és a gyerekeit is. Csakhogy ügyetlen volt a hóhér: Távora azelőtt meghalt, hogy beszélhetett volna. Magával vitte a titkát a sírba.

Pombal dühöngött, és megpróbálta megtalálni a kincset, de nem sikerült neki. Arról persze fogalma sem volt, hogy Simões mester ismeri a rejtekhelyet.

– Tud valamit Simões haláláról?

– Nem én – mondta Fonseca. – De valamikor csak meg kellett halnia.

– Ez igaz.

– Simões a saját műveit is elrejtette, és azok sem kerültek elő, amiért, őszintén szólva, ha olyanok, mint az öt tőr, nem is nagy kár. Persze, sose lehessen tudni. Halott már Torresről?

– Az ki?

– Egy évarai festő volt. Cigány. Cigányokat festett, meztelen gyerekeket, kéregetőket. Én még életemben nem láttam olyan szar képeket, mint az övé. Némelyik gyereknek három keze volt, a másiknak két feje, a harmadiknak pedig fiú létére sem volt pöcse. Az öreg csak mázolta a mázolmányait, a többiek meg röhögtek rajta. Aztán egyszer csak az öreg meghalt. Heveny késelés áldozata lett. Az öregasszony, a felesége, aki addig is szégyellte az öreg mázolmányait, el akarta égetni a képeit. Már gúlába is rakta őket, hogy alájuk gyújthasson, de akkor hirtelen felbukkant egy német turista, megnézegette őket, és megvette az egészet száz márkáért. Vagy száz képet. Az öregasszony egy egész márkát adott a Szűz Máriának a templomban, mert még életében nem csinált ilyen jó vásárt. Még akkor sem, amikor eladott egy félvak lovat egy városi hülyének. És akkor mi történik? A minap olvasom az újságban, hogy egy New-York-i galériában százezer dollárt kérnek az öreg Torres egy képéért. Hát érti maga ezt?

– Én sem értem – mondta őszintén de Carvalho. – Látta maga a tőröket?

– Láttam.

– Maga szerint milyenek?
– Hogy milyenek? Ha nem becsülném a régi korokat, és ha az enyémek lennének, hagymát pucolnék velük.
– Pucolnád a lószart! – mondta tömören Luisa asszony. – Életedben nem pucoltál még semmit. Még a cipődet is én pucolom.
Domingos megcsóválta a fejét.
– Szóval, valaki ötezer dollárt fizetett azért az öt tőrért. A megbízó persze eljött érte. Bohócruhában?
– Olyasfélében. Odaadta a pénzt, és elvette a tőröket. Kifizettem Menyétnek négyezret, és eltettem a maradékot.
– Rendben van – sóhajtotta Domingos. – De ha megtudom, hogy elhallgatott előlem valamit…
Fonseca sóhajtott.
– Megpróbáltam megkeresni Távora kincsét.
Domingos meghökkent.
– Hol?
– Hát odalent. Luisa és én…
– Fogd be a szád, te hülye!
– Maga is járt odalent? – bökött de Carvalho az asszonyra.
– És ha igen?
– Nem találtak semmit?
Luisa asszony kivette a kanalat a lábasból, és körbemutatott vele.
– Így néznénk ki, ha találtunk volna valamit?
– Egyáltalán, mi van odalent?
– Menjen le, és nézze meg maga is – javasolta az asszony. – Nézze meg a saját szemével. Annyi ott a járat, hogy ki nem igazodik benne. És tele van csonttal. Valamennyi emberi csont. Ha tudtam volna, mi van alattunk, soha nem költözöm ide.
Fonseca kikísérte Domingost. Odakint, a küszöbön túl, ahol Luisa már nem hallhatta, megállította.

– Bízhatok az ígéretében, senhor de Carvalho?
Domingos bólintott.
– Ha az igazat mondta, nem lesz baja.
– Valamit elfelejtettem megemlíteni... Az a valaki, a megrendelőm, hm... annak ellenére, hogy bohóckockás nadrágot viselt, és... félrefésült, vörös hajat...
– Mi van vele?
– Esküdni mernék rá, hogy nem férfi volt, hanem nő, senhor de Carvalho.

11.

Inês Gomeiro meg sem lepődött, amikor kinyitotta az ajtót, és Domingost találta a küszöbön.
– Ön az, senhor de Carvalho? Fáradjon be, kérem. Hermínia, bújj elő, vendégünk jött!
Hermínia előbújt. Az ő arcán sem tükröződött különösebb meglepetés. Mint ahogy a jelenlévő Person kapitányén sem.
– Mi szél fújta felénk, senhor építész?
De Carvalho úgy gondolta, hogy nem kertel. Belevág a dolgok közepébe.
– Bocsássanak meg, hogy alkalmatlankodom...
Inês azonban megállította.
– Kér egy teát?
Domingos nagyot nyelt.
– Köszönöm, nem.
Hermínia mosolygott.
– Nyugodtan ihat. Csak tea lesz benne.
Inês is mosolygott.
– Már kérdezni is akartunk öntől valamit, senhor építész. Amint hallottuk... az épülő ház földszintjére üzleteket terveznek... az ön elképzelései szerint. Jól tudjuk?

– Még csak az előzetes egyeztetés stádiumában van a dolog.

– Senhor Pereira és bájos felesége szerint... apropó, ismeri senhora Sullivant? Csoda aranyos nő. Nem gondolja?

– Hát... igen.

– No és a férje? Az aztán a szépfiú! Ha fiatalabbak lennénk, meghívnánk a feleségét egy teára. Igaz, Hermínia?

– Az már igaz – nevetett Hermínia. – Egy kellemes teára mindenképpen. Szóval, azt akartuk kérdezni öntől, senhor de Carvalho, hogy vajon kizárólag a városi tanács dönt-e az ületek bérbeadásáról. Esetleg önnek is lenne szava ahhoz, hogy ki bérelhet üzlethelyiséget a házban?

– Talán igen – mondta tanácstalanul de Carvalho.

– Senhor Pereira szerint biztosan.

– Milyen üzletet szeretnének nyitni, hölgyeim?

Inês és Hermínia összenéztek.

– Teázót, természetesen. Az emberek szeretnek borzongani. Ezt akarjuk kihasználni.

– Nem tudom, jó ötlet-e...

– Ismeri a *fugut*, senhor de Carvalho? A bőröndhal húsából készítik a japánok. Csak speciálisan képzett szakácsok képesek elkészíteni, mert a hal epéje halálos mérget tartalmaz. Akár egyetlen cseppecske is végzetes lehet. Mi csak tudjuk, értünk hozzá. Nos, amikor valaki fugut eszik, bíznia kell a szakácsban. Ha téved, akkor mindennek vége. És képzelje, a fuguvendéglőkben csak előzetes bejelentésre lehet helyet kapni. Néha hónapokat kell várni, hogy bejusson valaki. Tudja, miért? Mert az emberek imádnak borzongani, és imádnak a halállal játszani. Ezért bízom benne, hogy lesz vendégünk éppen elég. Még meg is hirdetjük, hogy kik vagyunk.

– Ööööö… nem túlzás ez?

– Szerintem jó reklámfogás. Ha elhallgatnánk a múltunkat, és valaki kiderítené, talán meg is lincselnének bennünket. Ha azonban emelt fejjel, nyílt tekintettel beszélünk róla, áradni fognak hozzánk a vendégek. Kezdetben mi magunk szolgálunk fel, hogy jól láthassanak, sőt megcsodálhassanak mindhármunkat. Számíthatunk a támogatására, senhor építész?

De Carvalho habozott, majd megvonta a vállát.

– Hát ha az én segítségem is szükségeltetik, természetesen.

– Köszönjük, köszönjük, köszönjük… senhor Pereira is megígérte, és a kedves senhora Sullivan is. No de minek köszönhetjük a látogatását, senhor de Carvalho?

– Menyétnek – mondta az építész.

Inêsnek az arcizma sem mozdult, Hermínia azonban, mintha összerezzent volna. A kapitány egykedvűen a levegőbe bámult.

– Remélem, tudják, kiről van szó?

Rövid hallgatás után Inês de Carvalhóra mosolygott.

– Mit érnénk vele, ha letagadnánk, igaz?

Bumm! – csapott le az építész lelkében egy nagy kalapács. – Ez bejött!

– Sokat nem – bólintott komor képpel.

– Honnan tudja, hogy együtt ültünk vele?

– Vannak ismerőseim – pödörgette meg a bajusza végét de Carvalho.

– Ó, én már akkor tudtam, hogy vissza fog jönni, amikor azzal a szemrevaló detektív kislánnyal nálunk jártak. Tudtam, hogy eljutnak Menyéthez. Miért nem hozta magával Lisetét?

– Most éppen… más dolga akadt – morogta de Carvalho. – Így hát engem bízott meg…

– Mit óhajt tudni, senhor de Carvalho?
– Mit mesélt önöknek Menyét?
Inês nevetett.
– Nem túl gyors ez? Talán azt kellene először megkérdeznie, hogy miért mondta el nekünk, amit elmondott?
– Miért mondta el?
Inês a kapitányra mutatott.
– Mert a kapitány a pártfogásába vette. Maga még sosem ült börtönben, jól tudom?
– Hát... hosszabb ideig nem.
– Akkor csak halvány elképzelései lehetnek a börtönviszonyokról. Nos, Menyét valakinek a begyében volt, és ki akarta csinálni. Egy régi elszámolásnál Menyét véletlenül rosszul szorzott. Ez a pasas viszont azt állította, hogy Menyét szándékosan szorzott rosszul. Úgy akarta megoldani a vitát, hogy befizeti Menyétet egy hosszabb utazásra.
– Hova? – hökkent meg Domingos.
– A túlvilágra, kedvesem. Csakhogy a kapitány nem akarta, hogy Menyétnek baja essék. Ezért a másik pasas lemondott róla, hogy ártson Menyétnek. A kapitány azóta néha virágot visz a sírjára.
A kapitány heves bólogatásba fogott. Így akarta a világ tudtára adni, hogy ő bizony jó ember: még annak a sírját sem hagyja ápolatlanul, akivel élete során így-úgy összekülönbözött.
– Mikről mesélt a Menyét önnek, kapitány?
Person kapitány megsimogatta a bajuszát.
– Ó, hát erről-arról. Tudja, hogy van ez, senhor de Carvalho. A börtönben lassan múlnak a napok, így aztán a bentlakók egyre csak a szájukat koptatják. Csak hogy az időt múlassák vele. Sokat mesélt például Simões mesterről.
De Carvalho megkönnyebbült. Eszerint bejött,

amire számított. A szálak összeérnek, az utak öszszefutnak.
– Konkrétan mit?
– Ó, hát Menyét a legkülönfélébb történetekkel szórakoztatott. Azt mondta, nem biztos, hogy sokáig él, ezért hálából, amiért többször is megmentettem az életét, elmesélte Simões mester szomorú históriáját, amit, gondolom, ön is ismer.
– Mondjon el mindent, amit csak hallott tőle.
– Ne tréfáljon, senhor. Akkor holnap reggelig itt ücsöröghetnénk.
– Akkor csak a lényegre szorítkozzon.
– Istenem, hát honnan tudhatja azt az ember, hogy minek mi a lényege? Hogy lehet megkülönböztetni a lényegest a lényegtelentől? Maga például meg tudja?
– Én meg – bólintott de Carvalho.
– Például hogyan?
– Nagyon egyszerű – mondta az építész. – Ha jól tudom, ön kedvezménnyel szabadult. Feltételesen, igaz?
A kapitány bólintott.
– Ez pedig annyit jelent, hogy ha bizonyos időtartam alatt újabb bűncselekményt követ el, akkor nemcsak, hogy visszaviszik a sittre, és el kell számolnia vele, hanem még a régiből is le kell ülnie a maradékot.
– És?
– Tegyük fel, hogy kapcsolatba hozzák önt néhány gyilkossággal. Csak tegyük fel. Érti, mire célzok?
A kapitány behunyta a szemét.
– Ne is folytassa. Ön valóban a lényegre tapintott rá. Mire kíváncsi?
– Simões mester kincsére. Mit mesélt róla Menyét?

A kapitány megsimogatta a bajuszát.

– Az a lényege, hogy szerinte sok pénz hever odalent a föld alatt, egy kamrában. Nagyon sok pénz. Persze, ne konkrét pénzdarabokra gondoljon, hanem ezüstre, aranyra és drágakövekre. Annyi van odalent belőlük, hogy aki megtalálja őket, örök életére dúsgazdag lehet.

– Ön elhitte ezt neki?

A kapitány megvonta a vállát.

– Nem zörög a haraszt, ha nem fújja a szél. Régi közmondás, de lehet benne valami. Én mint tengerész, számos elrejtett kincsről szóló mesével találkoztam már. Jó, ha minden ezredik bizonyult igaznak.

– Na látja!

A kapitány felemelte a mutatóujját.

– Csakhogy az az egy kárpótolhat a nem létező kilencszázkilencvenkilencért. Márpedig honnan lehetne tudni, hogy az, amiben én hiszek, a haszontalan kilencszázkilencvenkilenc közé tartozik-e, vagy ő az ezredik? Szóval, hittem is, meg nem is Menyétnek... Főleg a kard volt számomra valahogy hihetetlen. Pedig ő hitt benne. Azt mondta, jobban izgatja a fantáziáját, mint Távora márki kincsei és Simões mester ékszerei.

Elhallgatott, mert Inês teát hozott a konyhából. Szép, kockás tálcán hozta, és letette Domingos elé. Letett egy csészével a kapitány elé, egyet-egyet pedig Hermínia és saját maga elé.

– Önnek külön készítettem, senhor de Carvalho – mondta mosolyogva.

– Igazán? – sápadt el az építész.

– Ha megissza, emlékezni fog rá egész... hm... életében. Megnyugtatja a háborgó elmét. Jót fog tenni magának.

De Carvalho orvul megpróbálta Hermínia csészéjét felemelni, de Inês lecsapott rá.

– Hé! Az nem a magáé! Magának speciális adalékkal főztem.

Domingos nem tehetett mást, belekóstolt a teába. Kellemesen zamatos volt, bár mintha némi keserűség érződött volna rajta.

– Nos, hogy ízlik? – kérdezte Hermínia, aki pillanatra sem vette le róla a szemét.

– Mintha kicsit… keserű lenne.

– Igyon még egy kortyot, de gyorsan! Egy korty nem elég!

De Carvalho mintha hipnotizálták volna, ivott még egy kortyot a három figyelő tekintet kereszttüzében.

– Mi ez a keserű… benne? – kérdezte gyöngyöző homlokkal.

– Ó, hát észrevette? – örvendezett Inês, mintha nem is hallotta volna Domingos korábbi szavait. – Ez bizony mandula. Keserű mandula. Összetéveszthetetlen az íze.

– Talán csak a ciánnal lehetne összetéveszteni – mondta elgondolkodva Hermínia.

Domingos megpödörgette a bajusza végét. Mintha csúszós lett volna egy kicsit. Talán a veríték-től…?

– Jól van, senhor de Carvalho?

– Kicsit meleg van… idebent.

Inês Domingos combjára tette a kezét.

– Ne nyugtalankodjék, barátom. Mindjárt le fog hűlni. Méghozzá alaposan.

Domingos ordítani szeretett volna, bár tisztában volt vele, hogy már úgyis késő. Ha cián volt a teájában… hasta la vista, világ!

Hirtelen úgy érezte, hogy egy csapásra megszűnt a forróság, amely egész testét elárasztotta, és verejtékcseppeket kergetett a homlokára. Immár kellemesebben érezte magát; mintha egy függőágyban ringatódzott volna ég és föld között. Az agya éles volt, mint a borotvapenge.

– Nos, hogy van? – tudakolta Inês.

– Ragyogóan – nyögte de Carvalho.

– Ez az egyik specialitásunk. Ezt is fel szeretnénk majd szolgálni, ha megkapjuk a lehetőséget, hogy teaházat nyithassunk.

– Rajtam nem fog... múlni – nyögte Domingos, majd hirtelen eszébe jutott valami, amit még azelőtt hallott a kapitánytól, hogy Inês behozta volna a teát. – Mondja, kapitány... mintha az imént azt említette volna, hogy Menyétet nem annyira Távora márki kincsei, és nem is Simões mester munkái izgatták... hanem valamilyen kard. Mi a csodáról van szó?

A kapitány elmosolyodott.

– Szatosi elveszett kardjáról, senhor de Carvalho.

12.

De Carvalho ismét enyhe szédülést érzett. Nem volt biztos benne, hogy a teától van-e, vagy pedig attól, amit idáig hallott. Kezdetben csak Simões mester tőreiről volt szó, aztán az egész munkásságáról, majd Távora márki elrejtett kincseiről, aztán tessék! – most meg itt van ennek a kicsodának a micsodája. Te jó isten!

– Kinek a kardja? – kérdezte megbirizgálva a bajuszát.

– Szatosié. De Kinszhozsa készítette.

– Igazán?

– Menyét szerint igen.

Domingos megitta a teája maradékát. Aki mindazt felfogja, amivel Person kapitány a fejét tömködi, annak a cián sem árthat!

– Ha lenne szíves, kissé bővebben...

– Természetesen, senhor de Carvalho. Volt Simões mesternek egy alkalmazottja, talán testőrt is mondhatnánk... egy japán férfi. Ezt is Menyét kutatta ki. Talán már hallott is róla?

– Futólag – mondta Domingos.

– A férfi, akinek nem ismerjük a nevét, Japánból menekült. Nem tudjuk, hogy miért... Igazán kedvelem a japánokat, de a japán történelmet nem ismerem. Mindenesetre a japán férfi egy szál karddal lépett Portugália földjére. Hogy miért ide jött, azt Menyét nem tudta. És azt sem, hogy miért éppen Simões mester szolgálatába lépett. Azt viszont sikerült bizonyos japán kapcsolatai segítségével kiderítenie, hogy a kard, amelyet magával hozott Japánból Portugáliába, Szatosi kardja volt.

Domingos két tenyere közé fogta a fejét, és gondolkodni próbált.

– Ki az a Szatosi? – kérdezte teljesen feleslegesen.

A kapitány csak a fejét rázogatta.

– És Kinszhozsa?

– Állítólag az egyik leghíresebb XVIII. századi fegyverkészítő. Színaranynál százszor többet érnek a kardjai.

Domingos a teáscsészéje után akart nyúlni, de már nem volt benne tea. Úgy érezte, hogy úgy kiszáradt a kapitány szavait hallva, mint tevetrágya a sivatagban.

– Nos? – kérdezte kezét dörzsölgetve a kapitány. – Mit szól hozzá?

– Mihez? – kérdezte Domingos megzavarodva.

A kapitány elmosolyodott.

– Ha nem tévedek... néhány nappal ezelőtt megöltek az ön munkaterületén egy japán lányt. Nos?

– Gondolja, hogy...?
A kapitány megrázta a fejét.
– Én nem gondolok semmire. Továbbá arra sem gondolok, hogy senhor Macumoto és senhorita Mijoko itt élnek ebben a házban. És csak... hm... tavaly költöztek ide.
– Ez ön szerint jelent valamit? – kérdezte jókora gombóccal a torkában Domingos.
– Ezt önnek kell eldöntenie.
Senhorita Inês még megkínálta volna egy csésze teával, de Domingos – bár szokatlan, eleddig talán még sosem érzett szomjúság gyötörte – nem fogadta el.
Valahol azt olvasta, hogy a ciánt kisebb mértékben még képes feldolgozni az emberi szervezet, nagyobb mennyiséget azonban már nem bír el.
Később, furcsa módon, még a vörösbornak is keserűmandula ízét érezte.

13.

Lisete, Brandaõ és Faria detektív lehajtott fejjel ücsörgött a szobában, míg Miguel Flores főnök úgy rohangált előttük le-fel, mint a dühöngő bika.
– A francba, a francba! – kiáltotta már sokadszorra, amikor végre megtorpant. – Akkor most mi van?
– Gyilkosság – mondta Brandaõ. – Az van.
– Csatlakozom – bólintott Faria.
– Senhorita Alves?
– Nem is kétséges.
Senhor Flores megtörölgette verejtékező homlokát.
– Szépen vagyunk, emberek! Még ez előző gyilkosságokat sem oldottuk meg, és máris itt van

újabb kettő a nyakunkon. Azt mondják meg, a jóistenit neki, hogy mit csináljak Piressel?

– Tartsa még egy kicsit bent.

Miguel bácsi képe vörös volt, mint a rák.

– Tartsam bent? Ez a pasas sztárépítész, ember! Ennek komoly kapcsolatai vannak. Nem lennék meglepve, ha egy reggelen felhívna a miniszterelnök, és megkérdezné tőlem, hogy hova a fenébe tüntettem el Portugália büszkeségét. Mondjam neki, hogy egy Brandaõ nevű zsaru azt javasolta, tartsam bent még egy kicsit? Aztán még azt is mondjam neki, hogy ennek a Piresnek olyan hosszú a keze, hogy kinyúlt a rácson, és elért egészen addig a lakásig, ahol azt a két szerencsétlent megölték? Mondjam ezt?

Erre már Brandaõ sem szólt semmit.

– Rendben van – morogta némiképpen lecsillapodva senhor Flores. – Nézzük még egyszer a történteket. Tehát: Rosa Lobo lakásában találtak egy nőt. Maguk azt hitték, hogy Rosa Lobo?

– Azt hittük, főnök – biccentett Brandaõ. – Így lett volna logikus. Rosa Lobo lakásában Rosa Lobo lakik.

– De nem ő volt az – szegezte le Flores. – Azt mondják, pakolás volt az arcán? És uborkából volt a szeme?

– Így van, senhor.

A főnök ekkor Lisetéhez fordult, aki eddig csak maga elé somolygott.

– És ön, Alves nyomozó? Ön észrevette volna?

– Feltétlenül, senhor – mondta a lány.

A két zsaru szemében felvillant valami, amit aligha lehetett volna a barátság tüzének nevezni.

– Ön rájött volna, ha ott van, hogy a pakolás alatt a hölgy nem Rosa Lobo?

– Egy nőt nem olyan könnyű megtéveszteni, uram.

Mi még a pakolások alatt is tisztán látjuk egymás arcát.

Senhor Flores rendőrfőnök a feleségére gondolt, és elhümmögte magát.

– Hm. Menjünk tovább. Maguk felmentek Matos szobájába, ahol megtalálták Matost a fürdőkádban, holtan. Felvágta az ereit, ráadásul avval a tőrrel, amit Coimbrából loptak el. Így van?

– Így, senhor.

Senhor Flores az asztalán heverő papírjaiba nézett.

– Csak Matos ujjlenyomatát találtuk meg a tőrkés nyelén, bár az is ramaty állapotban van. A nyél cizellált; apró kis ezüstágacskák fonják összevissza, mintha egy ágasbogas fát jelképeznének. Ezeken aztán nem marad meg az ujjlenyomat!

– Talán éppen ezért használta ezt a kést.

– Hogy ne maradjon a késen a saját ujjlenyomata? Van ennek valami értelme?

Hát nem volt sok, az kétségtelen.

– Ezután megtalálták Rosa Lobót Matos ágyában. Vagy öngyilkos lett, vagy Matos végzett vele. És én hajlanék is erre a teóriára, ha nem lett volna az az uborkaszemű nő Rosa Lobo szobájában. Vajon mi a fenét keresett ott?

– És mi a fenét keresett Rosa képe a robbanó tükrön? – kérdezte Lisete.

A két zsaru szótlanul maga elé bámult.

– Biztos hogy ott volt az a kép, Brandaõ?

– Si, senhor. Mindketten láttuk.

Flores rendőrfőnök biztos volt benne, hogy feltétlenül lehetett valami a tükörre rajzolva. A tükörcserepek vizsgálata kimutatta, hogy ajakrúzzsal kenték be a még ép tükröt.

– Ön látta, Lisete, a nő képét?

– Sajnos nem, senhor.

– Mégis mi a véleménye róla?
– Hogy nő rajzolta fel. Férfiak nem használnak ajakrúzst.
– A titokzatos nő? Aki Rosa Lobónak adta ki magát?
Lisete Brandaõhoz fordult.
– Mérget merne venni rá, Brandaõ, hogy a rajz Rosa Lobót ábrázolta?
– Kit ábrázolhatott volna még? – morogta dühösen Brandaõ.
– Mondjuk Margaret Thatchert.
– Ez rohadtul szellemes volt.
– Válaszoljon neki, Brandaõ!
– Azért, főnök, mert felismertem. Az egy nagyon jó rajz volt. Felismertem rajta senhorita Lobót.
– Most akkor mi legyen, emberek?
Olyan fájdalmasan csengett a rendőrfőnök hangja, hogy még a sértett Brandaõ is felkapta a fejét.
– Kimegyünk a helyszínre – mondta rövid tétovázás után. – Végigjárjuk még egyszer a lakókat, hátha valami elkerülte a figyelmünket.
– Ezt tennénk, senhor – támogatta meg Brandaõ javaslatát Faria.
Senhor Miguel Flores szomorúan bólintott.
– Akkor csak menjenek. És igyekezzenek előbbre jutni. Mégsem mondhatom a miniszternek, hogy a lisszaboni kazamaták kísértetei gyilkolnak.
Pedig nem járt volna messze az igazságtól, ha ezt mondja.

14.

Brandaõ és Faria azonban nem mentek vissza a házhoz. Legalábbis egyelőre nem. Beültek a kocsijukba, kerestek egy árnyas parkot az Avenida környékén, vettek egy-egy fagylaltot, és amíg egy padon ülve nyalogatták, igyekeztek megtervezni a jövő stratégiáját.

– Tehát? – kérdezte Faria Brandaõtól, amikor már úgy érezte, hogy lehűlt az agya, amely a meleg naptól és gyötrő gondolataitól egyaránt felforrósodott. – Mi legyen?

– Elkapjuk – mondta Brandaõ.

– Biztos vagy benne, hogy ő az?

– Holtbiztos.

– Jó, de azért fussunk végig még egyszer a tényeken. Ezúttal nem szabad hibáznunk.

– Miért? Eddig mikor hibáztunk?

– Nem volt elég bizonyítékunk, és... most sincs.

– De lesz. Biztosan lesz. Kezdjük hát az elején. Induljunk ki abból, hogy ő volt a kísértet, és a gyilkosságok tettese is.

– Ki sem nézné belőle az ember.

– Te lehet, hogy nem nézed ki, én viszont kinézem. Sosem hallottad még, hogy alamuszi macska nagyot ugrik?

– Ez csak közmondás.

– A közmondásokban annyi a bölcsesség, mint egy rakás tudományos könyvben. De nem is ez a lényeg. Sokkal inkább az, hogy milyen viszonyban van Piressel.

– Milyenben?

– Kapaszkodj meg, Faria. Nagyon jóban.

– Honnan származik ez a jó viszony?

– Még az iskolából, barátom. Tudod, hogy senhor Pires, a sztárépítészünk, a képzőművészeti gimnáziumban tanított?

– Honnan tudnám?

– Nem voltam rest, és amíg te a talpad vakargattad, besétáltam a gimnáziumba. Megtudakoltam, hogy nem tanított-e ott véletlenül senhor Pires. És képzeld, bejött amire gondoltam. Ott tanított. Három egész évig. Találtam egy szemrevaló helyettes igazgatót, aki kezét-lábát törte, csakhogy minél többet megtudhassak róla. Mármint Piresről, természetesen.

– Csak nem kezdted el csapni neki a szelet?

– Nem, barátom, arra nem volt idő. Csupán megemlítettem, hogy Pires a sitten van – amiről már ő is értesült valahonnan –, és hozzátettem, hogy segíteni szeretnék rajta. Az a feladatom, hogy adatokat gyűjtsek róla, amelyek segítségével kihozhatom a börtönből. Ettől kezdve be nem állt a szája. Óriási mázlim volt, mert kiderült, hogy öt vagy hat évvel ezelőtt Pires őt is tanította.

– Ez tényleg mázli.

– De még mekkora! Szóval, megtudtam mindent Piresről, ami csak megtudható. Az a helyzet, barátom, hogy a mi Piresünk nem akármilyen ember. Nem akármilyen egyéniség. Most sem, de évekkel ezelőtt olyan fickó volt, hogy a kis tanárnő szerint az osztály valamennyi lánya belezúgott. Mindegyik szerelmes volt belé a feje búbjáig.

– *Ő* is?

– Természetesen.

– És Pires? Csak nem tépkedte le sorban a virágokat a virágoskertben?

– Egyáltalán nem. Ebből a szempontból nem lehet panasz rá.

– Azt azért megmagyarázhatnád, hogy egyáltalán hogyan jutott eszedbe az a gimnázium? Miből gondoltad, hogy *ő* is oda járt?

– Az életrajzából.

– Hogy jutottál hozzá?

– Vannak kapcsolataim a személyzeti csoportnál.

– Térjünk csak vissza Piresre – vakargatta meg az állát Faria, és az üres fagylalttölcsért behajította a padjuk alá. – Csak ült a virágoskertben, és szagolgatta a virágokat?

– Ebben azért nem vagyok olyan biztos. És az igazgatóhelyetteske sem volt az. Azt mondta, voltak olyan hírek, hogy egyik tanítványa és az éppen elvált Pires között... hm... szorosabb a kapcsolat, mint amilyen egy férfi tanár és egy diáklány között elfogadható. Csakhogy erre nem volt bizonyíték, és őszintén szólva nem is keresett senki. Azért persze megindult bizonyos szóbeszéd a lányok között.

– Nem fakadhatott ez szimpla irigységből?

– Ki tudja? Egy a lényeg. Itt kezdődött az ismeretségük, amelyről miért ne tételezhetnénk fel, hogy tovább tartott az iskolaév végénél? Lehet, hogy igen szoros kapcsolat áll fenn közöttük... azóta is.

– Ezzel azt akarod mondani, hogy a mi kis tündérkénk Pires szeretője?

– Ennek kellene többek között utánajárnunk. Apropó... és még valami. Pires néhány évvel ezután, pontosan öt évvel ezelőtt másodszor is megnősült. Senhora Hartman után egy építésznőt vett el. Egy amerikai csajt. Egy évvel később elváltak. A nő kiadta az útját – ezt az egyik akkori szomszédjuktól tudtam meg. Kikerestettem a nyilvántartóból, hol lakott Pires, és megpróbáltam találni egy régi szomszédot. És találtam is.

Faria egyre nagyobb elismeréssel nézett Brandaõra. Te jó isten, eddig ennyire félreismerte volna? Eddig azt hitte, hogy Brandaõnak csak a pofája nagy, most viszont kiderül, hogy a harag vagy gyűlölet kihozta belőle a legjobb zsarutulajdonságokat.

– A szomszéd azt mesélte, hogy szinte egész házasságuk alatt állt a bál. Az asszony rohadtul féltékeny volt, és nem is oktalanul. Sötét felhőt látott házasságuk kék egére borulni; egy régi és soha el nem feledett szerelem árnyékát. Sőt, a szomszéd még egy hihetetlennek tűnő történetet is elmesélt nekem.

– Ki vele!

– Azt mesélte, hogy az asszony olyannyira kibírhatatlanul féltékeny volt Piresre, hogy csapdát állított neki. Egy alkalommal bejelentette, hogy Chicagóba utazik a szüleihez: megrendelte a jegyet, helyet foglaltatott egy bizonyos járatra, majd kiment a reptérre. Pires meg elkövette azt a hibát, hogy nem kísérte ki, nem győződött meg róla, hogy anyuci valóban odafent repked-e, mint a fecskemadár. Hát nem is repkedett odafent, mert fel sem szállt. Beköltözött egy hotelbe, majd éjfélkor taxiba vágta magát és hazafurikázott. Szép csendesen kinyitotta az ajtót, és lábujjhegyen belopakodott a hálószobájukba. Mit gondolsz, mit látott ott?

– Az ágyukat?

– Bingó. És ki volt az ágyban?

– Pires.

– Ez is talált. Szerinted egyedül volt benne?

– Bár nem annyira piszkos a fantáziám, mint a tiéd, valami azt súgja, hogy nem.

– Bizony hogy nem. Egy meztelen csaj is ott heverészett Pires mellett. Anyuci felkapcsolta a villanyt, majd üvölteni kezdett, mint a sakál. Ezzel egy időben kis kézikamerájával néhány felvételt készített az éppen hetyegő párról.

– Ha ezt megszerezhetnénk...

– Nem mennénk vele semmire – legyintett Brandaõ. – Megnéztem a válási papírokat... A feleség nem tudta megállapítani, hogy ki volt az ágypartner, pontosabban szólva, nem látta az arcát.

– Ez meg hogy lehet?

– Úgy, hogy a kicsikének annyi esze volt, mint az egész ENSZ-nek. Abban a pillanatban, ahogy anyuci felkapcsolta a villanyt, felkapta a kispárnát, amely addig a feneke alatt volt, letépte róla a huzatot, fúrt rajta két lyukat a mutatóujjával, majd a fejére rántotta, amitől úgy nézett ki, mint egy Ku-Klux-Klanharcos. Aztán, amíg anyuci Pirest püfölte, magára kapkodta a ruháit, és kilépett az ablakon. Pires később azt vallotta, hogy egy közönséges prostituált volt nála.

– Na és nem lehetséges?

– Ugyan már, egy prosti nem húz párnahuzatot a fejére, ha anyuci váratlanul hazaérkezik.

– Miért vette el Pires egyáltalán azt az amerikai nőt, ha a másik kellett neki?

– Valószínűleg az összeköttetései miatt. A nő apja befolyásos pasas odaát; ő indította el Pires amerikai karrierjét. Ha ő nincs, barátunk talán még mindig középiskolában taníthatná a lányokat.

– Hát ez egyre izgalmasabb! – dörzsölgette össze a tenyerét Faria. – Jaj, csak ne tévedjünk! – És *Ő?* Ő miért nem lett képzőművész?

– Ezt majd megkérdezzük tőle. De az igazgatóhelyettes nő szerint ragyogóan rajzolt. Ez pedig mire emlékeztet téged?

Faria erősen gondolkodott, de semmi nem bukkant fel az emlékezetében.

– Mire kellene, hogy emlékeztessen?

– A tükörre, Faria, a tükörre!

– Úgy érted a… rajzra a tükrön? Jézusom!

– Miért ismertük fel azonnal, hogy Rosa Lobót ábrázolja? Na, miért?

– Mert az egy… jó rajz, Brandaõ. Azaz csak volt.

– Nem jó rajz volt az, Faria, hanem *pokolian* jó rajz. Csakhogy akkor még nem tűnt fel nekem. Ma már tudom, hogy csak képzett, tehetséges rajzoló rajzolhatta.

– Például Pires?

– Például. Mert Pires is kitűnően rajzol. Láttam az iskolában néhány munkáját.

– Csakhogy Pires a cellájában ücsörög.

– Pontosan. Akkor hát ki rajzolhatta még rá Rosa Lobót a tükörre?

– *Ő?*

– Naná hogy ő! Annyira azért nem okos a kicsike, hogy feltételezte volna; rajzával áruló nyomot hagy maga után.

– Miért kellett egyáltalán odarajzolnia a lányt...?

– Talán csak szívatni akart bennünket, vagy egyszerűen gúnyolódott velünk. De lebecsült bennünket, az biztos. Főleg engem.

Ez utóbbi mondat nemigen tetszett Fariának, de nyelt egyet és hallgatott.

– Már csak az a kérdés maradt, hogy vajon miért öldökölte végig a házat?

– Gondolod, hogy ő... tette? Saját kezével?

– Persze hogy ő, nem is vitás. Még mindig őrülten szereti Pirest, és nem tudja megbocsátani senkinek, ha a szeretett férfit megalázza. Márpedig az a bajuszos zseni ezt tette. Szellemileg és fizikailag egyaránt. Elvette tőle a munkát, amit akárhogy is, de kinézett magának, ráadásul még jól meg is verte. *Ő* pedig úgy döntött, hogy bosszút áll érte. És megpróbálja majd valahogy de Carvalhóra terelni a gyanút.

– Akkor most mi lesz a dolgunk? – kérdezte Faria.

– Most az lesz a dolgunk, Faria – sóhajtotta Brandaõ detektív –, hogy nekilátunk a hangyamunkának. Összeszedünk minden adatot, ami csak létezik...

– Te... mintha az utóbb időben egyre többet lógna az építésszel...

– Ez is csak a mi gyanúnkat erősíti. Fonja köré a hálót, mint a pók. De eljön az idő, amikor... a pók kiesik a hálójából. Kifújja a szél. Az igazság és a meglepetés szele.

– És aztán?

– Eltapossuk. Láttál már eltaposott pókot, Faria?

– Persze hogy láttam.

– Na akkor pontosan tudod, miről van szó.

15.

Lisetét megdöbbentette Pires látványa. Úgy festett, mintha egy vonatszerencsétlenségben összelapult vagonból húzták volna ki, és még azon a napon legalább háromszor újraélesztették.

Megvárta, amíg az őr magukra hagyja őket, akkor rámosolygott az építészre.

– Hogy vagy, Pelisardo?

Pires vörösbe fordult tekintettel nézett rá.

– Ez valami tréfa akar lenni?

– Nincs kedvem tréfálni – komorodott el a lány.

– Remélem is. Kedves Lisete, jelenthetem, hogy szarul vagyok. Olyan szarul, ahogy csak ritkán voltam életemben.

Lisete mélyet sóhajtott.

– Bent járt nálad de Carvalho?

Pires bólintott.

– Te intézted el neki?

– Én.

– Mi a fenéért?

– Mert annyira erősködött. Lelkifurdalása van miattad. És alapjában véve rendes fickó.

Pires gyanakodva nézett rá.

– Csak nem, Lisete?

A lány elpirult, és félrekapta a fejét.

– Mit kérdeztél?

Pires elfintorította az orrát.

– Engem nem tudsz átejteni, Lisete. Te takargatsz előlem valamit. Te belehabarodtál ebbe a fickóba?

– Azt éppen nem – sóhajtotta Lisete –, csak...

– A jóistenit neki, de hát mi tetszett meg rajta? A bajusza?

– Például.

– Annak idején az én bajuszom tetszett. És az kulturáltabb is volt, mint ezé a paprikajancsié.

– Ez az ember... megpróbál kihozni téged a sittről, Pelisardo.

– Most sírjam el magam? Inkább azt áruld el, hogy mi a fene történik abban a kicseszett házban?

– Az a baj, hogy egyelőre én sem tudom.

– Akkor ki tudja?

– Megpróbálok rájönni. Két nap múlva mindenképpen kiengednek... bár én a te helyedben...

– Ez meg mi akar lenni?

– Nem sietnék annyira kifelé.

– Hogy érted ezt, csillagvirág?

– Hátha csak erre vár valaki. Aztán... végez veled.

Pires elsápadt a rémülettől.

– El tudod ezt... képzelni?

– Zsaru vagyok, Pelisardo. Mindent el tudok képzelni.

Pires összekulcsolta a kezét.

– De hát miért... Lisete, miért? Kinek vagyok ennyire az útjában? Csak nem a te kikent-kifent bajuszcsodádnak?

– Ne nevezd így, mert nem az enyém. Különben megpróbálok rájönni, hogy mi mozog az agyában. Egyelőre semmi olyat nem látok, ami miatt ki akarna nyírni.

– De hát miért is akarna kinyírni? – kérdezte panaszosan az építész. – Ő vette el a munkámat, ő vágott pofán, ha jól számoltam vagy negyvenszer a garázsban, miért akarna még ezek után megölni? Enynyire még én sem vagyok bosszúálló.

– Nem tudom – sóhajtotta Lisete. – Hiányzik a motiváció. De van valami... ami nem tetszik nekem.

– Nekem semmi sem tetszik; az a legkevésbé, hogy itt vagyok. De azért csak mondd, miről van szó?

– Megölték Rosa Lobót és Matost.

– Jézusom, azok meg kicsodák?

– A ház lakói. Egy olyan tőrrel ölték meg őket, amilyeneket Coimbrából loptak el. És a lány lakásában a fürdőszobatükörre felrajzolta valaki a lány, Rosa Lobo arcképét. Ajakrúzzsal. Sajnos nem láttam, mert összetörött, de nem lehetett rossz kép, ha mindkét zsarutársam felismerte benne. Akárki is csinálta, nem volt amatőr. Ez pedig felvet bizonyos kérdéseket.

Pires építész megsimogatta borostás arcát.

– Gondolod, hogy szakmabeli?

– Én inkább az iskolára gondolok.

Pires egyre idegesebben simogatta a sörtéit.

– Nem volt valakivel olyan kapcsolatod... mint... például... amiről én nem tudok.

– Hogy jön ez ide?

– Egyenes választ kérek.

– Mi a fenét jelentsen ez... Lisete?

A lány ekkor ingerülten rákiáltott.

– Hát nem érted, hogy ki akarlak húzni a trágyából? Valaki be akar mártani, és azt akarja, hogy ki se gyere többé a celládból. Ha nem vagy őszinte hozzám, magadra hagylak.

– Ezt nem teheted meg! – kapott rémülten a lány keze után Pires.

– Akkor beszélj! Gyerünk! Hátha valaki abból az iskolából...

– De nincs, Lisete! Nem érted, hogy nincs?
– Nem fenyegettek meg mostanában?
– Komolyabban nem. Egyébként meg mindenki utál, mert sikeres vagyok.
– És rossz a modorod.
– Valamikor... nem ezt mondtad.
– Hülye voltam és fiatal.
Pires merőn nézett a lányra.
– Lisete?
– Mi van?
– Azt szeretném kérdezni tőled, hogy... nagyon haragszol még rám?
– Miért fontos ez? – kapta fel a fejét Lisete.
– Akkor azt mondtad, hogy... összetörtem a szívedet.
– Ez így is volt.
– És most? Még mindig gyűlölsz?
– Honnan veszed ezt az ostobaságot?
Pires építész megsimogatta a borostáit, és Lisetét fürkészte.
– Akkor azt mondtad, hogy te olyan vagy, hogy csak egyszer tudsz szeretni.
– Mondom, hogy ostoba voltam.
– Azt is mondtad, hogy ha az, akit szeretsz, méltatlanná válna hozzád... soha nem lennél képes elfelejteni. Démonná változnál. Még a szóra is emlékszem. A *démont* használtad.
– Valóban? Már nem emlékszem rá.
– Sokáig én sem emlékeztem, de most az eszembe villant. De te lehet, hogy egyetlen pillanatra sem feledkeztél meg róla?
– Mit akar ez jelenteni, Pelisardo?
– Ezt kérdezem én is. Hogy mit akar ez jelenteni? Mert azt is jelentheti, hogy te valóban olyan vagy, amilyennek akkor lefestetted magad.
– És akkor mi van?

Pires tovább simogatta az arcát.
– Miért nem lettél képzőművész, kincsem?
A lány megvonta a vállát.
– Mert nem vagyok elég tehetséges hozzá.
– De az vagy. És ezt te is jól tudod.
– Lehet, hogy nem volt kedvem hozzá.
– Zsarunak mentél…
– Addig azért még történt velem egy s más.
– Miért éppen zsarunak, Lisete?
– A véletlen műve. És bizonyos értelemben az apámé. De ez most nem fontos.
– Én annak tartom. Te azért mentél zsarunak, Lisete, mert egy zsarunak hatalma van. Egy zsaru nyugodtan rajta tarthatja a szemét valakin, és bosszút állhat rajta, ha éppen olyan bosszúállóféle.
Lisete mintha enyhén zavarba jött volna. Mint az olyan valaki, akinek a másik kitalálta a gondolatait, vagy leleplezte mindaddig gondosan rejtegetett tervét.
– Te pedig az vagy, Lisete. Bosszúállófajta. Aki játszik az érzelmeiddel… annak jobb lett volna meg sem születnie.
Lisete mosolyt erőltetett a képére.
– Ostobaságot beszélsz.
Pires megrázta a fejét.
– Én meg azt hiszem, hogy rátapintottam a lényegre. Egyetlen pillanatra sem feledkeztél meg róla, hogy mit tettem veled, és nem is bocsátottad meg soha. Igaz?
Lisete megvonta a vállát.
– Valóban nem tudtam neked megbocsátani. De hogy minden pillanatban rád gondoltam volna, az erős túlzás.
Pires építész félrehajtott fejjel nézett a lányra.
– Te csináltad, Lisete?

– Mit? – hökkent meg a lány. Vagy csak úgy tett, mintha meghökkent volna.

– Ezt az egészet. Ami miatt itt vagyok.

A lány furcsa grimaszt vágott.

– Elhinnéd ha azt mondanám, hogy nem?

– Szeretnék hinni neked, Lisete. De nem tudok. Itt forog egy kis történet a fejemben, és képtelen vagyok megszabadulni tőle.

– Vágj csak bele a közepébe – biztatta a lány. – Mondd el!

– Rendben van – biccentett Pires. – A dolog úgy kezdődött, hogy te halálosan megharagudtál rám, amikor én... Hát hogy őszinte legyek...

– Kirúgtál – mondta szárazon a lány. – Megesküdtél, hogy mindig velem maradsz, de te néhány nappal később kirúgtál.

– Hibát követtem el – sóhajtotta Pires. – Sosem tudtam parancsolni magamnak. Ekkor te, Lisete... azt hiszem, bosszút esküdtél ellenem. Úgy hitted, hogy tönkretettem az életedet, pedig még csak tizennyolc éves voltál, és előtted állt a világ. Világhírű festő vagy grafikus lehettél volna.

– Mese habbal – mondta a lány.

– Aztán zsarunak álltál, és csak az alkalmat lested, hogy lecsaphass rám. Most végre elérkezettnek láttad az időt. Csak arra lennék kíváncsi, Lisete, hogy magad gyilkoltál-e, vagy másra bíztad a piszkos munkát?

Lisete felállt, és hideg tekintetét Pires szemébe fúrta.

– Így gondolod, Pelisardo?

– Vannak pillanataim, hogy így.

Lisete felállt, és a végighúzta tenyerét Pires borostáin.

– Én meg tudod, min gondolkodom mostanában, Pelisardo?

– Min, kicsim?
A lány sóhajtott és felállt.
– Hogy mi a fészkes francot szerettem rajtad annak idején? Ha ezt meg tudná magyarázni nekem valaki...!

16.

Brandaõ a körmét rágta a padon, és Fariára várt. Jó félórája már, hogy egy kisgyerek körözött körülötte két óriási lufival a kezében. Fogalma sem volt róla, mivel érdemelhette ki a kisfiú érdeklődését, de a gyerek le sem vette róla a szemét. Mintha bohócorra lett volna, kockás nadrágja, és hosszú orrú cipője. Brandaõ már-már azt fontolgatta magában, hogy feláll, és nemes egyszerűséggel kiszúrja a bicskájával a lufikat.

Szerencsére mielőtt még valami végzeteset követhetett volna el, Faria megérkezett. Brandaõ megkönnyebbülten felsóhajtott. Korábban már látta lelki szemeivel a délutáni lapok szalagcímét: Lufit ölt a zsaru!

Faria leroskadt mellé a padra, és lihegett, mint a megkergetett kutya. Brandaõ messziről észrevette rajta, hogy sikerrel járt. Hiába, ennyi év után már azt sem tudná eltitkolni, ha megcsípte volna egy szúnyog a fenekét.

– Nos? – kérdezte, hogy beindítsa a motort.

– Teljes siker – ragyogta Faria.

– Hála istennek!

– Nem volt könnyű – látott a részletesebb magyarázathoz Faria. – Egy öreg fószer őrzi az adatokat. Mintha a paradicsom kapujában állna tüzes karddal. Hiába mondtam neki, mit akarok, és hogy mennyire fontos ez egy fontos ügyben. Nem és nem.

– De te megoldottad a problémát.
Faria vigyorgott.
– Két rövid kérdéssel.
– Hm. És mik voltak azok?
– Megkérdeztem tőle, hogy mennyivel van túl a nyugdíjkorhatáron, és hogy akar-e még ezután is egy kis pénzt kapni a semmiért.
– Ügyes. Tehát?
– Itt kezelték. Tizennyolc éves volt.
– Diagnózis?
– Idegösszeroppanás, és bizonyos skizoid jelenségek.
– Ez mit jelent?
– Valahogy... két személyiségre esett szét. De csak igen rövid időre. Két napra.
– Folytasd.
– Egyfolytában meg akart ölni valakit... A papírokban nincs benne, hogy kit, de könnyű kitalálni. Azzal fenyegetődzött, hogy elvágja a torkát.
– És a másik... izé, személyisége?
– Az meg nem akarta engedni. A jelentés szerint látványos volt, ahogy ez a kettő egymással harcolt. Aztán meggyógyult és kiengedték. Többé nem is tért vissza. Pedig ha visszaesett volna, ismét csak ide kellett volna jönnie.
– És ha máshova ment?
– Azt is megnéztem a komputerben, a biztosítók adatbázisában. Nem esett vissza, és sehova nem tért vissza. Egyik kórházba sem.
Brandaõ összedörzsölte a tenyerét.
– Így is jó. Tudod, hogy van ez, Faria?
– Hogy?
– Mármint az ilyesfajta betegségekkel. Előfordul, hogy valaki hosszú ideig tünetmentes, talán élete végéig az is maradna, ha egyszer, váratlanul, nem találkozna össze azzal, aki a sokkot okozta nála.

Aki előidézte a tudathasadását. Akkor aztán robban a bomba: bumm! Az illető előbukkan a múlt mélységeiből; erre felszabadul a volt betegben valami, ami talán ahhoz hasonlítható, mint amikor a megáradt folyó áttöri a gátat. Egyénisége ismét kettéhasad, s az egyik harcolni kezd a másikkal.

– Hát… azért ez meredek.

– Az egész lélek az. A beteg ettől a perctől kezdve kettős szerepet játszik. Hol nyomozó, hol gyilkos, hogy világosan fejezzem ki magamat.

– Ezzel nem lehet sittre kerülni.

– De zárt osztályra igen. S ami legfőbb: meg lehet szabadulni tőle mindörökre.

– Úgy legyen – sóhajtotta Faria.

– Úgy lesz – bólintott Brandaõ detektív.

17.

Lisete az elkerített gödör mellett állt, és a műanyag szalagon áthajolva lefelé kémlelt.

– Bele ne essen, kisasszony – figyelmeztette Cruseiro, aki a bobcattel matatott.

– Majd vigyázok – mosolygott rá a lány. – Merre találom senhor de Carvalhót?

– Az előbb még itt volt. Keressem meg?

– Majd én megkeresem. Maga csak javítgassa a masináját.

De Carvalho a tizenhármas számú ház lépcsőházából bukkant elő. Amikor észrevette Lisetét, széles mosolyra húzódott a szája.

– Hogy van, Lisete?

– Amint látja, jól – nevetett a lány. – Ellenőrizni jöttem.

– Amit csak akar – örvendezett az építész. – Hol kezdjük az ellenőrzést? Itt vagy a kávézóban?

Úgy hajoltak össze a kis asztalka felett, mint a régi szerelmesek.

– Tökéletesen kivannak az idegeim – panaszolta az építész, s mindezt aláhúzandó, a bajusza is lefelé konyult, mintha éppen elhervadni készülne.

– Ne mondja... és mitől? – csúfolódott vele a lány.

– Ha visszagondolok arra az éjszakára...

– Hát ne gondoljon vissza rá!

– De én vissza akarok gondolni!

– Hm. És mire emlékszik?

– Soroljam?

– Ha kedve telik benne.

– Egy ágyban... aludtunk.

– Na, erre jól emlékszik. Bár azért én nagyobb hangsúlyt fektetnék az *aludtunk* szóra.

– Nem is sejti, milyen jólesett nekem.

– Talán más is jólesett volna? Különben maga is úgy aludt, mint a tej.

– Honnan tudja?

– Úgy, hogy egyszer felébredtem, és maga... békésen szuszogott mellettem.

– Ördög és pokol, miért nem keltett fel?

– Miért tettem volna?

– Hát... hogy...

– Látja, még erre sem emlékszik.

– Hogy emlékezném, ha aludtam? De a bugyijára emlékszem.

A lány elnevette magát.

– Mi a csoda maga? Rövidáru-kereskedő?

– Szép... rózsaszín volt.

– Ebben téved – mondta a lány. – Zöld volt.

– Lehet hogy káprázott a szemem?

– Még az is előfordulhat.

– Ha magát látom, egyfolytában káprázik a szemem.

– Tud még ilyeneket mondani?

– Nem tetszik?

– Dehogynem.

Domingos áthajolt az asztalon, és kezébe kaparintotta a lány kezét.

– Kérdezhetek valamit?

– Nincs – mondta Lisete. – Momentán nincs senkim – ha ezt akarta kérdezni.

– Őszintén szólva... inkább azt, hogy megismételhetnénk-e ezt az együtt alvást?

A lány csúfondárosan nézett rá.

– Magának ez a mániája? Lefekszik egy lány mellé, lehajtja a fejét, majd szuszogni kezd.

– Én nem aludni szeretnék... elsősorban.

– Ezt még majd megbeszéljük – mondta Lisete.

– Hol? – nyögte Domingos. – És mikor?

– Este – mosolygott a lány. – Jöjjön fel hozzám, és hozzon egy üveg bort.

– Egy egész hordóval viszek.

– Meg ne próbálja – rémüldözött Lisete. – Akkor ismét csak alvás lesz a dologból, és később nekem tesz majd szemrehányást érte.

Lisete ekkor úgy gondolta, ideje rátérni a komolyabb dolgokra.

Ő is áthajolt az asztal felett, és futó csókot lehelt Domingos arcára.

– Ezt vegye előlegnek. De addig még... lenne egy kis dolgom... dolgunk.

– Micsoda? – hökkent meg Domingos.

– Le szeretnék menni a föld alá – mondta a lány.

Domingos megdermedt.

– A föld... alá? De... miért?

– Hogy megnézzem, mi van ott. Ez az én ügyem, én dolgozom rajta; az a feladatom, hogy elkapjam a gyilkost, és világosságot derítsek arra, hogy végül is mi a fene történik itt. Márpedig meg vagyok győződve róla, hogy csak odalent tudhatom meg. Ezért elhatároztam, hogy lemegyek a mélybe. Velem jön?

Domingos zavartan húzogatni kezdte a bajuszát.

– Hát… mennék én… csak az a helyzet…

Lisete arca elkomorult.

– Mi a baj, Domingos?

Az építész vett egy mély lélegzetet.

– Már megígértem valakinek.

– Mit?

– Hogy lemegyek vele.

Lisete is elkomorodott.

– Kinek ígérte meg?

– Nem vagyok biztos benne, hogy elárulhatom-e.

A lány hangja erre kissé keményebb lett.

– Nem tudom, Domingos, tisztában van-e a dolgok lényegével.

– Milyen… lényegével? – kérdezte megszeppenve az építész.

– Azzal, hogy itt négy gyilkosság is történt egymás után. Ez pedig azt jelenti…

– Rendben van – sóhajtotta Domingos. – Senhor Pereira… azt tervezi, hogy ma éjszaka leereszkedik… kedünk… a mélybe.

– Hol?

– Hát a lyukon át. Amibe a bobcat beleesett.

– Kik még?

– Ő, a felesége, senhora Sullivan… aztán én…

– És még?

Domingos beharapta a bajusza végét. Lucrecio atyáról nem szívesen beszélt, főleg, hogy ő sem tudott róla sokat.

– Hát… még egy pap is – mondta valamivel később kényszeredetten.

– Pap? – hökkent meg Lisete. – Miféle pap?

– Egy páter. Katolikus pap vagy szerzetes.

– Hm. És mit akar odalent?

– Beszenteli a járatokat, szóval az alvilágot.
Lisete csodálkozva rázta meg a fejét.
– Kinek jutott ez az eszébe?
– Csak nem képzeli, hogy nekem? – tört ki a felháborodás Domingosból.
A lány jelentőségteljesen végignézett rajta, majd elfordította a fejét.
– Mikor indulnak?
– Naplemente után. Nem akarok feltűnést kelteni.
Lisete habozott. Legszívesebben megtiltotta volna akár hatalmi szóval is a leereszkedésüket, aztán meg arra gondolt, hogy miért is ne mennének együtt?
– Én is megyek – mondta határozottan.
Domingos a bajuszát huzigálta, de nem mert ellenkezni.
Lisete érdeklődve nézett rá és várt. Mivel Domingos még jó három perc elmúltával is csak ült szótlanul, a bajusza végét morzsolgatva, kénytelen volt ő megszólalni.
– Nem is tiltakozik ellene?
– Nem – mondta Domingos.
– Miért? – kíváncsiskodott a lány.
Domingos felsóhajtott.
– Mert maga olyan, hogy úgyis eléri, amit el akar.
Lisete megsimogatta Domingos kezét.
– Drága vagy.
Domingos kapott az alkalmon.
– Ne menjünk fel hozzád... egy kis délutáni sziesztára?
A lány az órájára pislogott.
– Sajnos nem lehet. Van néhány apróság, amit még el kell intéznem. De ha feljöttünk a föld alól... egyenesen hozzám megyünk.
Domingos sokadszorra is felsóhajtott.

Istenem, mikor lesz az még? Hiszen még le sem mentek. És ha lementek, ki tudja, mi vár rájuk?

Olyan távolinak tűnt a legközelebbi, együtt töltendő éjszaka, mint az égen ragyogó csillagok.

És valóban: olyan messze is volt tőlük.

18.

Amint feljöttek az első csillagok az égre, Domingos elkezdte megvalósítani a tervét. Elsőként Calvaóval beszélte meg a teendőket.

– Tehát – folytatta a szövegét, miután gondosan és lassan mindent beadagolt az építésvezető fejébe. – Csak akkor jön le, ha megrángatom a zsinórt. Világos?

– Világos – bólintott Calvao.

– Addig semmiképpen sem. Amint eltűntünk a nyílásban... odamegy, és ráakasztja a zsinór végére a csengőt.

– Értem, senhor.

– És el sem mozdul a közelből. Behúzódik a mögé a téglakupac mögé és vár.

– Úgy lesz, senhor.

Calvao már ment volna, sőt tett is néhány lépést a téglakupac felé, de Domingos hangja megállította.

– Calvao!

Calvao megfordult.

– Senhor?

– Jöjjön vissza, kérem!

Calvao visszalépkedett oda, ahol eddig állt, és várakozva nézett a főnökére.

– Kérdeznék magától valamit, Calvao.

– Senhor?

– Tegyük fel... csak tegyük fel, hogy maga itt áll a

lyuknál és várakozik. Akkor hirtelen – úgy értem, várakozás közben –, felbukkan valaki a közelében.

Calvao meghökkent.

– Kicsoda, senhor?

– Mondjuk... egy japán lány.

Calvao eltátotta a száját.

– Ez... komoly?

– Ez csak feltételezés, Calvao – magyarázta de Carvalho. – Merő feltételezés. De tegyük fel, hogy tényleg megjelenik. Kezében egy szamurájkarddal. És ajánlatot tesz magának.

– Nekem? – hökkent meg Calvao. – Hogy vegyem meg a kardot?

De Carvalho megtörölgette a homlokát.

– Nem, Calvao... de rendben van, feledkezzék meg a kardról. Csak a nő az érdekes. Szóval, idejön, és ajánlatot tesz magának.

Calvao összeráncolta a homlokát.

– De ha nincs nála kard, akkor mire tesz ajánlatot?

– Figyeljen, Calvao. A lány, mondjuk, köpenyben van vagy hosszú kabátban.

– Nyáron?

– Jó, egye fene, fürdőköpeny van rajta. Az is könnyű anyagból, mert valóban nyár van. Odamegy magához, és hirtelen szétrántja a köpenyét. El tudja képzelni?

Calvao tovább ráncolta a homlokát. Domingos őszinte meglepetésére mozogni kezdett a szája, és behunyta a szemét. – Japán lány... nincs nála... kard... köpeny... széthúzza... ajánlatot tesz...

– Elképzeltem, senhor.

– Na szóval... maga mit mond akkor neki, Calvao, vagy mit csinál?

– Ha... ajánlatot tesz?

– Pontosan.

– Hát… – mondta rövid habozás után Calvao –, azt mondom neki, hogy előbb mutassa meg a kardot. Látatlanba nem fizetek.

Domingos néhány pillanatig maga elé bámult, majd kifújta a levegőt a tüdejéből.

– Jól van, Calvao – veregette meg a munkavezető vállát. – Az a lényeg, hogy a csengőre figyeljen. És ha megszólal, lásson munkához.

Magában pedig abban reménykedett, hogy semmiféle japán lány nem bukkan fel a környéken, amíg odalent vannak – sem fürdőköpenyben, sem anélkül; sem bundában, sem anélkül; sem karddal, sem anélkül –, s nem lesz vele Calvaónak semmi dolga.

Mert ha egy szamurájkardos lány mégiscsak megjelenne, és beszélgetésbe merülne Calvaóval, az isten irgalmazzon nekik.

19.

Cruseirónak egy távolabbi téglarakás mögött kellett dekkolnia, és készen állnia arra a lehetőségre, ha a bobcatre is szükségük lenne.

– Készen van, Lionel?

– Készen, senhor de Carvalho – felelte Lionel. – Itt van a zsebemben az indítókulcs. Ha történne valami, kiásom magukat.

– Erre ne is gondoljon – intette le az építész. – A drótkötél?

– Minden a helyén.

– Rendben van. Tűnjön el a bobcat mellől. És csak akkor lépjen ki az árnyékból, ha megszólal a csengő.

– Értem, senhor.

– Ugye nem kell figyelmeztetnem rá, hogy talán a maga kezében van az életünk?

– Nem kell, főnök.
– Akkor akár el is mehet.
– Senhor de Carvalho?
– Mi van, Lionel? – kérdezte de Carvalho türelmetlenül.
– Visszaadnám az amulettjét.
Domingos megpödörgette a bajusza hegyét.
– Ha akarja, megtarthatja.
– Inkább visszaadnám, senhor Domingos. Tudja, nem vagyok én olyan jóban az ázsiai istenekkel, mint ön. Nekem nem segítettek. Hiába volt a nyakamban, úgy belesüllyedtem a földbe, mint egy meteorit, pedig nem is estem olyan magasról.
Leakasztotta az amulettet a nyakából, és Domingos felé nyújtotta. Domingos morgott valamit, és a saját nyakába akasztotta. Ebben a pillanatban két árnyék bukkant fel a téglarakások között, és feléjük közeledett.
Domingos megszorította Cruseiro karját.
Cruseiro beleveszett a sötétségbe.

20.

A hold még nem kelt fel, csak a város fényei és a közeli neonreklámok idegesítő villogása oszlatta el valamelyest a sötétséget. Domingos csípőre tette a kezét, és a közeledő árnyékokat figyelte.
A vékonyabbik árnyék megtorpant és megszólalt.
– Senhor… de Carvalho?
– Itt vagyok, asszonyom.
– Segítsen a férjemnek, kérem.
Domingos szolgálatkészen a kettes számú árnyékhoz ugrott, és segített leemelni a hátáról a jókora csomagot.
– Még majd vissza kell mennünk a kötélért –

mondta senhor Pereira megkönnyebbülve, hogy megszabadult a vállát nyomó tehertől.

– Hol van a tekercs, senhor Pereira?

– Alig néhány lépésnyire magától.

Domingos megtalálta a köteltekercset, és visszaballagott vele a másik kettőhöz. Mire visszaért, azok már a lyuk fölé hajolva beszélgettek.

– Milyen mélyen lehet az alja? – kérdezte Lucilla Sullivan Domingostól.

– Vagy tízméternyire.

– Gyerekjáték – legyintett az asszony. – Mászott már kötélen, senhor de Carvalho?

Domingos megpödörgette a bajusza végét.

– Nagy ritkán.

– Remélem, nem szédülős.

– Az a mélységtől függ.

– Ha jól meggondolom, nem is lesz ideje szédülni. Az a lényeg, hogy ne eressze el a kötelet, és ne hányjon le.

– Majd igyekszem visszatartani – morogta az építész.

– Helyes? Hol van a papod, Vitor?

– Már itt kellene lennie.

– Remélem, meghagytad neki, hogy ne egy csengettyűs körmenet élén jöjjön?

– Lucrecio atya nem hülye.

– Bízzunk benne.

Domingos sóhajtott, és nagyot nyelt.

– Senhora Lucilla... és senhor Vitor... az a helyzet...

Az asszony csípőre tette a kezét.

– Csak nem szállt inába a bátorsága?

Domingos akaratlanul is csodálattal legeltette a szemét az asszonyon, és sajnálta, hogy nem látta még egyetlen alakítását sem. Senhora Sullivan magabiztosan viselkedett, mintha egy jól megrendezett filmben játszana. Itt azonban nem volt senki, aki utasításokkal láthatta volna el – sőt még a férjének is ő adta őket. Szűk, fekete nadrágjában és szoros, ugyancsak sötét pulóverében a macskanőre emlékeztetett. Amint felgyulladt senhor Pereira sisaklámpája, s a csóva az asszony arcára világított, Domingos majdhogynem felkiáltott meglepetésében. Senhora Sullivan már majdnem hervadásnak indult arca olyan csodaszép volt, hogy szinte meghűlt tőle az ereiben a vér. Mozgása is határozott volt, parancsoló, magabiztos. Domingos úgy érezte, hogy amíg az asszony velük van, nem érheti baj őket.

Domingos még egyet sóhajtott.

– Szóval... senhora Pereira...

– Maradjunk a Sullivannél – mondta az asszony.

– Rendben van – tépte meg a bajusza végét az építész. – Az a helyzet, hogy lejön még valaki velünk.

Az asszony válasz helyett csak tett-vett tovább, a férje azonban megtorpant a meglepetéstől.

– Lejön valaki? Hát nem megmondtam magának...

Az asszony elkapta a karját és rápisszegett.

– Fogd már be a szádat.

– Nem hallottad, mit mondott?

– Hallottam.

– Az én... a mi engedélyünk nélkül...

– Dugulj már el, Vitor.

Vitor Pereira gyanakodva nézett a feleségére.

– Te meg sem lepődtél, szivi!

Az asszony gúnyosan mosolygott rá.

– Te is kitalálhattad volna.

– Honnan a jó fenéből...

– Abból, hogy együtt jöttek hozzánk. Az a lány nem olyan, hogy feladja, amit eltervezett. Ráragadt senhor de Carvalhóra, és addig el nem engedi...

– Meddig? – hökkent meg Domingos.
– Amíg meg nem oldja ezt az ügyet. Olyan az a lány, mint az iszalag. Ha rátekeredik a fára…
– Megfojtja, mi?
Domingos villámsebesen fordult hátra.
Lisete állt mögötte tetőtől talpig foltos, terepszínű kommandósruhába öltözve.

21.

Lucilla Sullivan ránevetett Lisetére.
– Isten hozta! Remélem, nem sértődött meg?
Lisete megvonta a vállát.
– Meg kellene sértődnöm? Elvégre nem olyan sértő, ha valakit az iszalaghoz hasonlítanak. Az iszalag szívós, kemény, és…
– Szép virágai vannak – mosolygott Lucilla.
– Hoztunk magunkkal sisakokat – mondta gyorsan Vitor Pereira. – Próbálják fel. Ha nagy lenne, tömjék ki valamivel.
– Nekem van sajátom – emelte fel az övét de Carvalho.
– Én kérek egyet – nyújtotta ki a kezét Lisete.
– Hol a csodában van a pap?
Vitor Pereira idegesen téblábolt a lyuk körül, de a közelükben elrobogó gépkocsik zümmögésén kívül nem hallatszott egyéb zaj az éjszakában.
– Meddig várjunk rá? – tudakolta az asszony.
– Jönni fog.
– De a hajnal is.
Vitor Pereira az órájára nézett.
– Öt percig várunk. Ha addig nem jön… lemegyünk.
Vártak öt percig, de Lucrecio atya nem jött.
Senhora Sullivan feltartotta a kezét.

– Gyerünk lefelé!
Pereira sóhajtott.
– Ki megy előre?
– Majd én – mondta az asszony. – Nem szeretnék a vezető pózában tetszelegni, de mégiscsak előre kell mennie valakinek. Ha elfogadják...
– Elfogadjuk – bólintott Lisete.
Domingos is bólintott.
– Akkor hát indulok. Na, isten nevében, előre!
Senhora Sullivan derekára hurkolt kötéllel eltűnt a lyukban.
Megkezdte leereszkedését az alvilágba.

22.

Domingos meglepetten tapasztalta, hogy úgy ugrál a szíve, mintha a Csomolungmán mászna felfelé. – Érdekes – gondolta. – Amikor lejöttem Cruseiro után, nem volt semmi bajom. – Aztán rájött a nyilvánvaló okára. Akkor *csak* Cruseiróval törődött, hogy megtalálja a fickót, egyáltalán nem érdekelte, hogy mi vár rá odalent. *Akkor* nem volt ideje mérlegelni a lehetőségeket, ki kellett húznia a gépészét a lyukból, és kész! Most viszont van ideje elgondolkodni rajta, hogy mi a fenébe is keveredett bele...
– Lent vagyok – hallatszott a sötétség közepéből senhora Lucilla hangja. – Szilárd a talaj. Jöhet a következő.
Domingos közben megcsodálta a kis hordozható csigaszerkezetet, amelyet a házaspár szerelt a lyuk szélére. Látszott, hogy nem először ereszkednek le a föld alá. El is határozta, hogy megfelelő időben kikérdezi őket a tapasztalataikról.
Vitor Pereira bólintott, majd ő is eltűnt a feketeségben.

– Te leszel a következő – mondta Lisete Domingosnak.
– Miért nem te?
– Mert a végén rögzítenem kell a kötelet.
– Honnan tudod, hogy kell csinálni?
– Pereirától – mondta a lány. – Indulhatsz is!
Domingos a derekára erősítette a kötelet, aztán ereszkedni kezdett lefelé.
Ügyesebben haladt, mint a többiek gondolták volna. Elmosolyodott, ha arra gondolt, hogy társai valószínűleg amatőrnek hiszik. Pedig nem volt az. Bár igazi hegymászónak sem mondhatta magát – egyáltalán nem izgatták a hegyek, és nem is értette azokat a fickókat, akik életüket kockáztatják azért, hogy felmásszanak egy-egy magas csúcsra, ahol különben semmi keresnivalójuk – azért ő is mászott már eleget. Néha fél napokat lógott ég és föld között. Különben hogy tanulmányozhatta volna a magasra épített házak tetőszerkezetét? Merthogy Domingos de Carvalhónak ez volt az élete értelme. A háztetők. És azok közül is elsősorban a keletiek. A pagodatetők, a templomtornyok, templomtetők. Márpedig ahhoz is kell némi bátorság, hogy valaki ott lógjon húsz méter magasban, és a gerendák összeillesztésének a módját vizsgálgassa.
Észre sem vette, és máris lent volt a fenéken.
– Jöhet! – kiáltott fel a sötétségnek, amikor elérte a talajt, és kiszabadult a kötélhurokból. – Jöhet, Lisete!
Öt perc múlva Lisete is mellettük állt. Ott szorongtak egy alig két négyzetméteres lyuk fenéken.
– Úgy érzem magam, mint a szardíniák a dobozban – panaszkodott Vitor Pereira. – Remélem, nem aknában vagyunk?
Senhora Sullivan egy, a sisaklámpáktól halványan megvilágított törmelékhalmazra mutatott.

– Ott egy beomlott járat. Hány ásó van idelent?
– Kettő – mondta Pereira.
– Álljatok neki! Nem lehet vastag a földtakaró. Különben nem omlott volna be az akna.
Domingos és Pereira éppen ásni kezdett, amikor megszólalt a fejük felett egy ideges hang.
– Hé! Ott vannak még?
– Ki a fene ez? – hökkent meg Domingos. – Esküszöm, hogy másnak...
– Lucrecio atya – sóhajtotta megkönnyebbülve Pereira.
– Várjon egy kicsit, atyám – kiáltott felfelé Lucilla, tölcsért csinálva a tenyeréből. – Még lapátolunk egy kicsit.
– Várok – jött a rövid válasz.
– Mi van, Vitor?
– Mindjárt készen leszünk. Valóban alig volt idelent valami. Kíváncsi lennék, hova tűnt a föld az aknából?
– Elvitte a víz – vonta meg a vállát az asszony. – Csupán egy földdugó választotta el az aknát a földfelszíntől. Ez omlott be a bobcat alatt.
Öt perccel később szabad volt az oldaljárat szája.
– Jöhet, atyám!
Az atya olyan könnyedén ereszkedett le hozzájuk, mintha repült volna. Látszott rajta, hogy nem először csomózott kötelet a derekára.
– Elnézésért a késésért – morogta, ahogy melléjük ért. – Igazán kellemetlen.
– Történt valami... atyám? – kérdezte senhor Pereira a kissé zilált papra pislogva.
A szakállas, viharvert kinézetű páter értetlenül rázta meg a fejét.
– Bár nem kellene ilyet mondanom... de sok hülye futkos szerte a nagyvilágban.

– Nem is vitás – helyeselt senhor Pereira. – Az emberiség Isten állatkertje.

– Lassan kezdem már magam is ezt hinni. Képzeljék... hm... hogy is mondjam csak... kissé valóban elkéstem. Az a helyzet, hogy feltartóztattak. Valaki... meg akart gyónni nekem. Hiába próbáltam Shuster atyához irányítani, csak én voltam jó neki. Ez voltaképpen nem baj, hiszen jó érzés, ha híveink bizalommal vannak irántunk; mindenesetre ez volt az oka a késésemnek. Olyannyira siettem, hogy még arra sem volt időm, hogy... nem akarom a jelenlévő hölgyeket megbotránkoztatni... de ugyebár, ha emberi szükségletekről van szó...

– Nyugodtan elmondhatja, atya – legyintett nagyvonalúan senhora Sullivan.

– Szóval... mielőtt leereszkedtem volna ide, úgy gondoltam félremegyek egy kicsit. Van odafent két nagy téglarakás is...

Domingos rosszallón megcsóválta a fejét, de nem szólt semmit.

– Szóval odamegyek az egyikhez, és hát... mivel a csuha akadályozott benne... hát... – kezével mutatta, hogy mit csinált: kissé oldalra húzta a csuháját. – Erre, ha hiszik, ha nem, előttem termett egy ember, valószínűleg a téglarakás mögül bújt elő. És tudják, mit kérdezett tőlem? Hogy nem akarok-e ajánlatot tenni a szamurájkardomra? Értik ezt maguk? Életemben nem hallottam még... hogy az izé... szóval, hogy szamurájkardnak nevezték volna.

– Hja, atyám, változik a terminológia – vonta meg a vállát senhor Pereira. – Ha egyszer időnk engedi, és ha érdekli, felsorolom önnek, hogy mi mindennek nevezték már az én gyermekkorom idején is.

– Isten mentsen meg tőle! – emelte fel a kezét elutasítón az atya. – Nem vagyok kíváncsi rájuk.

Bár… ez a szamurájkard, ez tetszik nekem. Na de végül is itt vagyok.

– Mindent magával hozott, atya?

– Mindent, amit kell.

– Van valami elképzelése róla, hogy hol kellene elkezdenie?

– Az elején – mondta az atya. – Nincs itt valami lépcsőféle, amely lefelé vezetne?

Tíz perc múlva megtalálták.

23.

Ha nem is a teljes lépcsőt találták meg, azért az valószínűsíthető volt, hogy jó nyomon járnak. A lépcsőtöredéket Lisete kotorta ki a föld alól. A töredezett szélű kődarabon egy hajdani minta maradványa látszott – azt már nem sikerült megállapítaniuk, hogy micsoda.

– Ez akár egy lépcsőlap is lehetett – mondta.

– Vagy törmelék, ami máshonnan került ide – óvatoskodott senhora Sullivan.

Ötpercnyi kotorászás után további három kőlapdarab bukkant elő a leomlott föld alól. Kettő az elsőhöz volt hasonlatos – töredékes és elmosódott volt a ráégett ábra, a harmadik azonban már minden kívánságot kielégített. Négyszögletes kőlap, recés szélekkel: közepében élénk, színes címer virított. Mintha csak tegnap vagy tegnapelőtt temették volna a föld alá.

– Ez már igen! – rikkantott fel senhor Pereira. – Simões mester címere!

Domingos és Lisete a címerképre meresztették a szemüket. Közönséges címernek látszott, szalagokkal, egy fa lombjával, valamint egy négylábú állattal díszítve, amelyről így első látásra nehezen lehetett megállapítani, hogy bárány, oroszlán, esetleg griffmadár-e.

– Nyomon vagyunk – suttogta áhítattal senhor Pereira. – Istenem, nyomon vagyunk!

Domingost egyelőre még nem kerítette hatalmába a kutatás láza; csupán az akna falait nézegette komor tekintettel.

– Valami baj van? – suttogta a fülébe Lisete.

Domingos megrángatta a bajusza végét.

– Nem tetszik ez nekem.

– Micsoda? – húzódott még közelebb hozzá a lány.

– A falak. Nincs tartásuk. Attól tartok, megbomlott az akna statikai egyensúlya.

– Az meg mi a fene?

– Meglazult föld stabilitása. Valószínűleg a fenti munkáktól. Nem is csoda, hiszen a bobcat napok óta dolgozik odafent. Emiatt is következett be az omlás. És ez a… törmelék is…

– Törmelék?

– Amit felforgattunk. Ez nem idevaló föld.

– Hát hova való?

– Fogalmam sincs róla. De nem is lényeges. Az a lényeges, hogy valaha… lépcsősor vezetett le a mélybe. Ide, ahol most állunk. Aztán megszüntették a lejáratot. Ez a lyuk tulajdonképpen a hajdani lépcsőház. Felszedték a lépcsőket, a lépcsőházat feltöltötték törmelékkel. Csakhogy ez a törmelék az évszázadok alatt elfogyott. Valószínűleg elvitte a víz. Olvadás idején hömpölyög a járatokban, s mindig magával visz egy kicsit a lépcsőházba töltött törmelékből. A törmelék pedig, saját súlyánál fogva egyre lejjebb süllyed. Ezért szakadhatott be az a vékony réteg, amely valamiért az aknába szorult, mintegy fedőt képezve odafent.

– Ez eddig világos.

– Sajnos látok néhány repedést a falban… ez pedig nem jó jel.

A lány még nyugtalanabbul pislogott a komor képű építészre.

– Ez azt jelenti, hogy… bármikor ránk omolhat az egész?

– Remélem, hogy nem. Még nem olyan szélesek a repedések. Azért persze nem árt az óvatosság.

– Hé! Itt egy újabb lap! – kiáltotta senhora Sullivan. – Jézusom, ez még szebb, mint a másik!

A lap valóban olyan gyönyörű volt, hogy egy csapásra megfeledkeztek minden egyébről. Még Domingos is ellágyulva cirógatta a szemével.

A pajzs formájú kerámiacímer két mezőre oszlott. A bal oldalin néhány domb, a dombok felett pedig egy jókora – a domboknál is nagyobb – szőlőfürt látszott.

Domingos közelebb hajolt hozzá, hogy jobban szemügyre vegye. Mintha a szőlőfürtből csepegett volna valami. Domingos feltételezte, hogy bor. A másik mezőt egy hosszú, egyenes kard uralta; úgynevezett toledói kard. Pizarro is ilyen kardokkal hódította meg Perut, az elöltöltős mordályokat és a lovakat nem számítva.

– Minden világos – morogta senhor Pereira. – A kard.

– És a szőlő? – kérdezte Domingos.

Senhor Pereira megpróbálta megvakarni a fele búbját, de a sisak megakadályozta benne.

– Valószínűleg… szőlőtermelők lehettek az őseim.

– Úgy érted, darling, hogy senhor Simões ősei?

– Az ő ősei az én őseim is! Ha neked lennének ilyenek…

– Egyáltalán nem vágyom farmer felmenőkre!

De azért senhora Sullivan hangján is érződött némi megilletődöttség. Hiszen olyan időket kutattak, amikor Amerika modern értelemben még nem is létezett.

– Akárhogy is van, jó nyomon járunk.

Domingosnak ugyan kedve lett volna megjegyezni, hogy ha a lejáratot törmelékkel töltötték fel, akkor azt bárhonnan idehozhatták, és akkor egyáltalán nem biztos, hogy a lejárat Simões mester kincseskamrájába vagy műhelyébe vezet.

– Jó nyomon járunk! – kiáltotta ismét senhor Pereira, mintha csak Domingos ki nem mondott kétségeivel vitatkozna. – Csak *oda* vezethet az út!

– Mi a következő lépés? – kérdezte Lisete. – Továbbmegyünk?

– Hogy a fenébe ne mennénk tovább! – lelkesedett senhor Pereira. – Hiszen azért jöttünk ide. Ezek a lépcsőlapok is jelentenek valamit, de ezeknél azért többet remélek.

– Miért? Mit remél?

– A kamrát! Simões mester kamráját, ahova a kincseit rejtette.

– Akár tovább is mehetünk – bólintott Domingos végighúzva a kezét néhány repedésen. – Itt sem téblábolunk nagyobb biztonságban, mint másutt.

Lucrecio atya Domingosba karolt.

– Gondolja, hogy... veszélyben vagyunk?

Domingos elmosolyodott.

– Éppen ön kérdezi?

– Szeretek mindenre felkészülni.

– Azt hiszem, elég, ha azt csinálja, amiért idehívták.

– Ön nem hisz a szenteltvíz erejében?

Domingos meghúzogatta a bajusza végét.

– Azt nem mondtam, de azért egy aládúcolás sem ártana mellé.

– Remélem, nem omlasztja ránk a földet a sátán.

– Eljött az ön ideje, Lucrecio atya – dörzsölte öszsze a tenyerét Pereira. – Itt a lejárat, amit kerestünk.

Az atya bólintott.

– Én is így látom. Erre menekülnek majd.

Senhora Sullivan meghökkent.

– Kikről beszél, atyám?

– A gonosz lelkekről, lányom.

Senhora Sullivannek láthatóan nem tetszett, hogy az atya lányomnak szólította; gyors kis rándulás futott végig tőle az arcán.

– Gondolja, hogy gonosz lelkek vannak idelent?

– Ön nem hisz bennük?

– Jobban tartok a gonosz emberektől.

– Mert még nem találkozott velük. Tudja... senhora, a gonosz lélek olyan, mint a radioaktivitás.

– Nocsak.

– Nem lehet látni, nincs íze, szaga, színe. Csak hatása van. Ha a radioaktivitásban hisz, miért nem hisz a gonosz szellemekben is?

– Mert még nem láttam egyet sem. És a hatásukat sem éreztem soha.

– Adja az Úr, hogy ne is érezze. Ahhoz mit szól, hogy a férjét megkéselte egy? Ezekben a régi házakban úgy hemzsegnek a tisztátalan lelkek, mint a patkányok a csatornákban.

– Na erről aztán végképp ne beszéljen, atya, mert utálom a patkányokat.

Pereira gyengéden megveregette a pap oldalát.

– Mi lesz már, atyám?

– Másszanak át a folyosóba.

Kicsit elkésett a felszólítással, mivel Domingos már odaát volt. Lisete bólintott, és ő is átmászott a törmelék alól kiszabadított nyíláson.

Domingos nem elégedett meg a sisaklámpájával, zseblámpát húzott elő a zsebéből, és felkattintotta. A lámpa erős fénye megvilágította a környéket.

Olyasféle alagút húzódott előttük, amely minden város alatt húzódik. Hol modernebb, hol öregebb. Ez inkább az idősebbek közé tartozott. Falai – a tetőt is beleértve – omladozó téglákból voltak kirakva, a lehullott téglatörmelék vastagon borította a talajt. A csatorna vége a messzeségbe veszett, ahova már nem hatolt el a lámpa fénye.

Domingos megvizsgálta az átjárót, amely az aknából – a valamikori lépcsőházból – az alagútba vezetett. Kicsit töprengett, hogy vajon melyik terminust használja, hiszen csatornát csak abban az esetben használhatott volna, ha van benne víz. Ebben azonban nem volt. Talán csak a tavasz hoz majd némi nedvességet a száraz, föld alatti világba.

Megvizsgálta a falakat, ám nem látta rajtuk víz nyomát. Úgy látszik, már régóta nem ért fel idáig a talajvíz, vagy a közeli folyó szintje. Talán a csatornázások óta. Csak az átjáró földje... azzal van a baj. Túl kevés... Bizony, túl kevés.

Megrázta a fejét, és szótlanul figyelte, ahogy a többiek is átmásznak a kürtőből a járatba. Utoljára senhora Sullivan bujt be közéjük.

– Elzavart – mondta kissé sértődötten. – Nem akarja, hogy lássam, mit csinál.

– Igaza van – bólintott a férje. – A bűvész sem szereti, ha kilesik a titkait.

– Hogy hasonlíthatsz egy papot egy bűvészhez?

– Jó, jó, nem kell szó szerint venni mindent. Amit csinál, az nem olyan, mint a nagymise.

– Hanem milyen?

– Az atya démonűző: vannak módszerei, amelyeket nem oszt meg másokkal. Mondhatnám, szakmai titkok.

Ebben a pillanatban halk ima hangzott fel a kürtőben. Szavakat nem lehetett megkülönböztetni egymástól, csupán a recitáció ünnepélyessége jelezte, hogy a páter immár a gonosz lelkeket fenyegeti.

– Én is találkoztam már ördögűzőkkel – sóhajtotta Domingos.

– Hol? – hökkent meg Lisete.

– Sokfelé. Malajziában, Tibetben...

– Maga járt Tibetben? – kérdezte kíváncsian senhora Sullivan. – Istenem, szerencsés ember. Úgy elmennék egyszer én is...

Néhány röpke perc elmúltával az atya is átmászott a járatba. Senhor Pereira csalódottan nézett rá.

– Már kész is van?

– Fő az eredményesség – nyugtatta meg a páter. – Nem az a jó módszer, amelyik hosszan tart, hanem amelyik hatásos.

– Ebben lehet valami – morogta senhor Pereira. – Gondolja, hogy biztosította számunkra a hátországot?

– Bízzunk benne – sóhajtotta az atya.

Bár Domingos egyáltalán nem érezte úgy, hogy annyira biztos lenne ez a hátország, nem tehetett mást, úszott az árral. Sok minden nem tetszett neki idelent, és ha egyedül van, talán nem is megy tovább, de a többiek miatt nem tehette meg, hogy visszafordul. És nem tehette meg Lisete miatt sem. Mit szólna a lány, ha megfutamodna? Alighanem leszámolhatna szép reményeivel.

– Nos, idáig eljutottunk – mondta senhor Pereira. – Hogyan tovább?

– Egyáltalán, hol vagyunk most? – kérdezte senhora Sullivan.

– Még mindig a ház alatt – felelte Domingos. – A tizenegyes szám alatt.

– És ha továbbmegyünk?

– Ha abban az irányban folytatjuk az utat, a tizenhármas alá érünk.

– Az még mindig Távora márki tulajdona volt?
– Az még igen.
Senhor Pereira mintha elveszítette volna eddigi magabiztosságát.
– Lát valaki oldaljáratot?
Senki nem látott.
– Csak egyfelé mehetünk – mondta Domingos. – Egyenesen előre. Csupán az a kérdés, hova jutunk.
Pereira megcsóválta a fejét.
– Nem tűnt fel maguknak, hogy tiszta a levegő?
Valóban az volt. Nem érzett rajta az évszázadok nyomasztó lehelete.
– Kell lennie valahol néhány szellőztető aknának, amelyek a felszínre vezetnek.
– Ki a fene akar a felszínre menni? Hiszen még csak most jöttünk le.
– Gyerünk! – vezényelt Domingos. – Irány a pokol feneke!
Elindultak előre. Cirka ötpercnyi gyaloglás után aztán egyszerre csak észrevettek egy mellékágat.
– Na végre! – sóhajtotta senhor Pereira. – Már attól tartottam, kimegyünk a világból. Bekukkantsunk?
– Nézzünk be – bólintott Domingos. – Ha már itt vagyunk.
– Nem fogunk eltévedni? – aggódott Lucilla Sullivan.
– Várjanak egy kicsit – torpant meg az atya. – Hoztam magammal valamit. – A csuhája alá nyúlt, és egy pamutgombolyagot húzott elő. – Ez talán megfelelő lesz.
Szavuk szakadt a bámulattól. Egy pap gondolt arra, amire valamennyiüknek gondolniuk kellett volna.
– Hát ez… aztán valami, atyám! – lelkendezett

senhor Pereira. – Hála önnek, bemehetünk a járatba. Gyerünk, gombolyítsuk a fonalat.

Elkezdték gombolyítani. Nem kellett sokáig menniük, a járat háromfelé ágazott előttük.

– A fenébe is – morogta senhor Pereira. – Most aztán merre?

– Simões mester kamrájához – mondta Lisete.

– És az merre van? – kérdezte gúnyosan Lucilla Sullivan.

– Mindjárt megtudjuk. – Lisete az oldaltáskájába nyúlt, és egy kis csomagot vett ki belőle. – Ezek majd megmutatják. – Meglazította a csomagolóanyagként szolgáló szövetanyagot, és néhány furcsa tárgyat szórt eléjük a földre. – Ezek majd megmutatják – ismételte, és a lehulló csilingelő fémdarabok fölé hajolt.

– Mik az... ördögök ezek? – nyögte senhor Pereira. – Jézusom... csak nem...?! Hiszen ezek... ezek...

– Úgy van – bólintott Lisete. – Ezek bizony azok. Simões mester tőrei.

24.

Olyan csend volt odalent, hogy talán még a patkányok neszezését is meg lehetett volna hallani, ha lett volna akár csak egy is a közelükben. Szerencsére nem volt.

– Hogy... honnan... – nyögte senhora Sullivan.

Lisete elégedetten nézte a földön heverő tőröket.

– A rendőrségről – mondta.

– Maga... idehozta őket? – csodálkozott senhor Pereira. – Ide... a föld alá? Mi a fenéért? Az ördögbe is... de csinosak. És az ősöm munkái!

Senhora Sullivan megcsóválta a fejét.

– Ez is valami... varázslat? Játék a természetfelettivel?

– Olyasmi – bólintott Lisete. – Varázslatnak mindenesetre varázslat.

– Én visszafordulok – krákogta sértődötten a páter. – Látom, hogy rám itt nincs is szükség. A fonalat megtarthatják maguknak.

– De hát hova megy, atya!? – kapta el Lisete Lucrecio páter csuhájának a szélét.

– Istentelen varázslatokban nem veszek részt! – hárította el a lány kezét az atya.

– Szó sincs istentelenségről! – rázta meg a fejét Lisete. – A varázslatot is csak átvitt értelemben használtam.

– Akkor... miről van szó?

De Carvalho elgondolkodva pödörgette a bajuszát. Látszott a lányon, hogy komolyan veszi a tőröket. Márpedig mi a fenét csinálhatna velük egyebet, mint hókuszpókuszt. Vajon így akarja kiugratni a nyulat a bokorból? Csak hát milyen nyulat, uramisten?

A lány a tőrökre mutatott.

– Egymás mellé tettem mind az ötöt, és megvizsgáltam őket. Őszintén szólta a munka minősége érdekelt. Hogy milyen mester volt Simões?

– És?

– Nem lényeges. Csak a tőrök a lényegesek. És a markolatuk.

Minden szem a tőrök markolatára meredt.

– Mit látnak rajtuk?

– Semmit – mondta Lucilla. – Mit kellene látnunk?

– Indázatot – morogta Pereira. – Indás motívumot.

– Ezért aztán nem marad meg rajta az ujjlenyomat.

– Mit akar ezzel mondani? – hökkent meg senhor Pereira. – Amikor ezek készültek, fogalmuk sem volt még az embereknek arról, hogy létezik ujjlenyomat. Legalábbis bűnügyi értelemben. A daktiloszkópiát csak jóval később találták fel.

– Arra koncentráltam, hogy miképpen lehetne az indázatról levenni az ujjlenyomatot.

– Sikerült? – érdeklődött senhor Pereira.

Lisete megrázta a fejét.

– Nem. De ez már nem is fontos. Elvégre kesztyűben is dolgozhatott a gyilkos.

– Ha pedig kísértet volt vagy gonosz szellem, úgysem maradt látható nyoma – legyintett Lucrecio páter.

– Ha gyilkolni tud, ujjlenyomatot is hagyhat – ellenkezett Pereira.

Domingos még mindig azt találgatta magában, hogy mire megy ki a játék. Vajon mit tartogat Lisete a tarsolyában?

– Tegyük egyelőre félre az ujjlenyomat kérdését – javasolta Lisete. – De én akkor még azt kerestem rajtuk. Egymás mellé tettem két tőrt, megnéztem a markolatukat, összehasonlítottam őket, és... rájöttem valamire.

Mindenkiben bennszorult a levegő. Még a páterben is.

– Mire? – kérdezte senhor Pereira.

– Hogy a két markolat nem ugyanolyan.

Senhor Pereira gondolkodni próbált.

– És?

– Más az indák mintázata.

– Miért ne lenne más? Elvégre a tőrök nem egy étkészlet darabjai, hogy egyformáknak kelljen kinézniük. Nyilván más és más tulajdonosnak szánhatta őket.

– Azt hiszem... Simões mester az utókornak készítette mind az ötöt. Talán éppen önnek, senhor Pereira.

– Nekem? – hökkent meg a megszólított. – Ezt honnan veszi?
– Nézze csak meg a két markolatot. Mit lát rajtuk?
– Semmit. Azaz... ágacskákat, amint egymásba fonódnak. Ujjlenyomatot nem, ha erre gondol.
Lisete ekkor a harmadik tőrt is odatette a másik kettő mellé.
– És így együtt? A három együtt?
Úgy figyelték a tőröket, mintha puzzlejátékot játszanának.
– Ez is különbözik a másik kettőtől – mondta a páter, aki megfeledkezve ördögökről, démonokról, egyre nagyobb figyelemmel szemlélte a tőröket.
– Úgy van, atyám – bólintott Lisete. – Nincs köztük két egyforma.
– Ezt már említette – figyelmeztette senhor Pereira.
– Figyeljék csak meg ezt a virágot itt – mutatott az egyik tőr nyelére Lisete. – Látják?
– Egy tulipán – mondta senhora Sullivan.
– Pontosan. Egy tulipán. Látnak tulipánt a többi tőr markolatán is?
– Nem – mondta a páter. – Nem látunk.
– Nincs is rajtuk. Csak ezen az egyetlen markolaton látható.
– És éppen a közepén – csodálkozott az atya.
– Ön kitűnő megfigyelő, atyám – dicsérte meg Lisete.
Az atya elpirult.
– Mit akar ez jelenteni? – kérdezte összehúzva a szemét senhor Pereira. – Csak nem azt, hogy Simões mester Tulipános Fanfannak készítette a tőröket?
– Aligha – nevetett Lisete. – Tudják, honnan származnak a tulipánok?

– Talán a Közel-Keletről – mondta önkéntelenül is Domingos.

– Úgy értem, hogy Európában – javította ki magát Lisete. – Mely országhoz köthető…

– Természetesen Hollandiához – bólintott senhor Pereira.

– Úgy van. Tudják, milyen értéke volt ebben az időben, a XVIII. század közepe táján egy-egy gyönyörű tulipánhagymának?

– Jézusom! – nyögte senhor Pereira. – Hova az ördögbe fogunk kilyukadni? A végén még kiderül, hogy tulipánkertész volt az ősöm!

– A tulipán ezúttal az értékre utal – magyarázta Lisete. – A kincsre. A vagyonra. A gazdagságra. A tulipán Simões mester számára a gazdagság szimbóluma volt. Értik már?

– Nem egészen – rázta meg a fejét senhora Sullivan.

– Én meg sehogy! – pattogott senhor Pereira. – Az a gyanúm, hogy egyre távolabb jutunk…

– Látják ezt a sok kacskaringós ágacskát itt? – mutatott a tulipánt körülvevő, egymásra fonódó ágakra Lisete. – Mit figyelhetnek meg rajta?

Senhora Sullivan a tőrre mutatott. Ujja hegye majdnem érintette a fémet.

– Egy ág vastagabb a többinél. Méghozzá jelentősen.

– Bravó – dicsérte Lisete. – És mi az érdekes még rajta?

– Hogy eléri a tulipánt.

– És hol van a másik vége?

– Az ágnak? Nincs vége… azaz kifut a tőrből.

– Akkor nézze csak ezt a tőrt.

– Te jó isten! – nyögte Lucilla. – Itt folytatódik, azaz ez az előzménye.

– Nézze csak tovább.

– Ezen sincs vége. Az egész markolaton áthúzódik, de nincs sem eleje, sem vége.

Lisete akkor felemelte mind az öt tőrt, majd bizonyos sorrendben visszahelyezte őket a földre.

– Most nézzék meg ismét. De csak erre, a vastagabb ágra koncentráljanak!

Úgy is tettek.

– Egy fatörzsből indul ki! – lelkesedett Lucilla. – Itt egy fatörzs. A csodába is... ez érthetetlen!

– Micsoda? – hökkent meg a férje.

– Nézz csak ide, Vitor. Itt a fatörzs. Látod a lombját?

– Nem vagyok vak.

– Akkor azt is látnod kell, hogy mi húzódik itt a fatörzs közepe táján.

– Mi húzódik?

– Itt a talajszínt. Látod ezeket a kis micsodákat itt? Ezek fűcsomók.

Senhor Pereira megcsóválta a fejét.

– Most vagy én vagyok túl hülye, Lucilla, vagy te túl okos. Vagy belemagyarázol valamit a tőr nyelébe, ami nincs is benne. Őszintén szólva, én ez utóbbira hajlok.

– Én pedig azt mondom neked, hogy ez nem véletlen. Igaz, Lisete?

– Mondjuk.

– Ez esetben... nézzük csak... Ha itt a talajszint, és itt láthatók a fűcsomók, akkor... ennek a fának a fele a föld alatt van. És az ágai is. A vastag ág éppenséggel a törzs legaljából nő ki.

Senhor Pereira kétségbeesetten mordult fel.

– Hagyd már ezt az őrültséget, Lucilla! Ez nem egy növényhatározó, hogy minden kis részletnek a helyén kelljen lennie. Ezt egy ötvös készítette, a növénytani hűség igénye nélkül. Így jött neki kézre.

– Gondold csak meg, Vitor... ez az ág egyenesen a tulipánhoz vezet.
– Tulipánfa? – találgatta az atya.
– És a kentaurok a görög vázaképeken? Csak nem azt akarod mondani, hogy az antik mesterek is a valóságos világot ábrázolták?
Lisete hallgatott; hagyta, hogy senhora Sullivan vonja le a tanulságokat.
– Figyelj már, Vitor! Ez a fa, illetve a törzse... az az akna, amelyen lemásztunk.
– Mi? – hökkent meg senhor Pereira. – Lucilla, te megbuggyantál. A fatörzs egy akna? Honnan szedted ezt a baromságot?
– Látod ezeket a kis rovátkákat rajta?
– Na és? Biztos a kérge.
– Én viszont esküdni mernék rá, hogy ez lépcsőt jelent.
– És a tulipán? – kérdezte az atya döbbent hangon. – Ez esetben az is allegorikus...
– Úgy van – mondta Lisete. – A tulipán sem tulipán, hanem...
– Simões mester vagy Távora márki kincseskamrája! – sikította olyan élesen Lucilla, hogy talán még a város túlsó végén is meghallották, ha a járatok odáig elhúzódtak.
– Te jó isten! – sápadt el senhor Pereira. – Te komolyan gondolod, és maga is... Lisete?
Lucilla remegő ujjakkal a vastag ágra mutatott.
– Ez az ág... illetve, amit jelenteni akar, a kürtő aljából indul ki, és...
– ...a kincseskamrához, azaz a tulipánhoz vezet!
– Ezek pedig itt az oldaljáratok!
– Csak meg kell számolnunk őket, és már meg is találtuk.
– Jézusom, Lisete! – kiáltotta senhora Pereira. –

Akkor ez az öt tőr, amivel valaki gyilkolt... akkor ez...

– Egy térkép – bólintott Lisete. – Amely, reméljük, valóban Simões mester vagy Távora márki kincseskamrájához vezet.

25.

A megfejtett rejtvény annyira kiütötte őket, hogy le kellett ülniük a földre. Előbb a páter roskadt le, aztán senhor Pereira, majd Domingos is úgy érezte, hogy ő az amerikai rajzfilmek Rongyláb seriffje. Mire felocsúdott volna, már a másik kettő mellett ücsörgött.

– Akkor most mi legyen? – kérdezte Lisete, akinek viszont esze ágában sem volt leülni. – Továbbmegyünk, vagy... visszafordulunk?

Senhor Pereira csukott szemmel pihegett a falnál.

– Vitor? – csattant fel senhora Sullivan.

– Mennyi időnk... van még?

– Reggelig? Jó néhány óra.

Domingos megpróbált feltápászkodni.

– Felőlem... akár mehetünk... is.

Aztán szép lassan visszacsúszott a fal mellé.

– Jól van – adta meg magát senhora Sullivan. – Tartunk egy kis pihenőt. Ön hogy van, atyám?

– Egész... jól.

– Nem akarna inkább visszafordulni?

– Hát... ha már idáig eljöttem... Azonkívül nem vagyok meggyőződve, hogy nem vár-e még ránk... valami...

– Démonok?

– Lucilla, ezt a szót meg ne halljam, amíg idelent vagyunk! Senhorita Lisete?

– Öt perc múlva rendben leszek.

Tíz percig még elbeszélgettek erről-arról; a következő tizet viszont teljes némaságban töltötték. Domingos érezte, hogy mindannyiuk fejében vadul forognak a kerekek, mint ahogy az övében is. Senhor Pereira gyakran az órájára pislantott, majd egyszer csak felemelkedett a földről.

– Majdnem fél órát pihentünk. Indulnunk kell!

– Akkor hát induljunk – sóhajtotta Lucilla. – Megmondaná valaki, hogy merre?

Lisete felemelte a kezében szorongatott tőrt.

– Ez a kettes számú. Az első csak a lejáratot és a betorkolást mutatja.

– És a kettes?

– Eszerint ezen a járaton kellene továbbmennünk.

– Meddig?

– Jó darabig egyenesen előre. Bár nem hiszem, hogy a térképünk méretarányos lenne... elég hosszú az egyenesen haladó szakasz. Akárcsak ez az ág a markolaton.

Senhor Pereira elvette a lánytól a tőrt, megnézegette, majd visszaadta neki.

– Akkor menjünk csak előre. És azután?

– Ismét kétfelé ágazik a járat. A jobb oldaliba kell bemennünk.

– Mindenki kész van?

– Kész – sóhajtotta az atya.

– Ki megy előre?

– Majd én – ajánlkozott Domingos.

– Néha azért világítson a lábunk alá is. Jézusom, mennyi itt a szemét!

– Évszázadok hulladéka – suttogta áhítattal a páter.

– Azért néhány coca-colás-üveget is találnánk közte, ha nagyon keresnénk.

– Gondolják, hogy... gyakran járnak erre kíváncsiskodók?

– A feliratokból ítélve igen.

És valóban: fejmagasságtól lefelé már alig olvasható nevek borították a téglafalat. Domingos némelyik név alatt dátumot is látott: 1844, 1871 és így tovább. Zömük a XIX. századból származott, de az 1700-as évekből való is akadt közöttük.

– Hiányoznak az egészen frissek – morogta a páter.

– Ön szerint miért? – kérdezte Domingos.

Lucrecio atya megvonta a vállát.

– Bizonyára lezártak valahol egy lépcsőt, amelyen át a kíváncsiskodók lemerészkedtek ide.

– Ott egy patkány! – kiáltotta senhor Pereira.

– A fenébe is, Vitor, miért kell neked mindent észrevenned? És ha már észrevetted, miért kell mindjárt az elsőnél pánikot keltened?

– Ez már nem az első volt – védekezett senhor Pereira.

Az elől haladó Domingos hirtelen megtorpant.

– Kétfelé ágazik a járat.

– A jobb oldali a jó.

– Biztos?

– A térkép szerint.

– Megnézné még egyszer, Lisete?

– Már megnéztem. Jobbra kell fordulnunk.

– Érdekes – morogta a páter. – Pedig a másik látszik szélesebbnek.

– Mindjárt kiderül – mondta Domingos. – Csupán pár lépés az egész.

– Előremegy?

Maga Domingos is bizalmatlanul szemlélgette az előtte feketedő járatot.

– Szívem szerint inkább a másikba mennék.

– Figyeljék csak – mutatott a falra az atya. – Annak a szélesebb járatnak a falán is látszanak feliratok.

– A miénken?

– Nem látok egyet sem – mondta Domingos.

– Akkor most mit csináljunk?
– Kövessük a térképet.
– Kövessük.
Bebújtak a folyosóba. Mintegy tíz lépés után anynyira összeszűkült, hogy alig fértek el a falai között. Errefelé már nem emberkéz alkotta műnek látszott a föld alatti járat. Inkább mintha valaha régen, a föld mélyén vágtató árvíz vájta volna ki.
– Mindjárt beragadok – panaszkodott Lucrecio páter. – Túl vastag a csuhám.
– Vigyázzanak a fejükre.
Néhány perc múlva már négykézlábra kellett volna ereszkedniük.
– Álljunk meg, és tárgyaljuk meg a dolgot – javasolta senhor Pereira. – A térkép szerint tovább kellene mennünk.
– Ha ez a micsoda egyáltalán térkép – morogta az atya.
– Holtbiztos, hogy az. Én hiszek Lisetének – szegezte le határozottan Lucilla asszony. – Csak abban nem vagyok biztos, hogy jól olvassuk-e.
– Miért? Hogy kellene olvasnunk?
– Éppen ez a kérdés.
– Én továbbmegyek – morogta Domingos. – Ha beragadnék, húzzanak ki.
– Muszáj bemásznia? – kérdezte kelletlenül senhor Pereira. – Nem szeretném, ha beragadna.
– Csak egy kicsit másznék előre.
– Jól van, másszon csak, ha annyira akar!
Domingos négykézlábra ereszkedett, és eltűnt az ürgelyukká változott járatban. Senhor Pereira a lyuk elé térdelt, és Domingos után nézett.
– Kiáltson, ha valami baj van.
– Ha még lesz erőm hozzá…
Senhora Sullivan Lisete felé nyújtotta a kezét.

– Adja csak ide a tőrt, szívem. – Megnézegette, aztán megcsóválta a fejét. – Nem tetszik nekem valami.
– Nekem sem – morogta a páter. – Már a fonalam is fogytán van.
Lucilla asszony összehúzott szemmel a kés markolatát nézegette.
– Valami az eszembe jutott – mondta aztán bizonytalan hangon. – Egyszer játszottam egy filmben. Éppen egy hasonló, föld alatti kalandról szólt.
– Akkor önnek nagy tapasztalata lehet a labirintusokban való járkálásban – sóhajtotta irigyen a páter.
– Azt azért nem mondanám, atyám. Más egy stúdióban felépített járatban csúszni-mászni, mint egy valódiban. Ott, ha még be is omlik a teteje, legfeljebb néhány kiló papír potyog a fejünkre.
– Erről ne is beszéljünk – vetett keresztet az atya.
– Amikor a filmet forgattuk – folytatta habozva, mintegy magának senhora Lucilla –, volt egy szakértőnk, egy egyetemi tanár. Szimbólumszakértő. A film telis-tele volt mindenféle szimbólummal, azt kellett megfejtenünk. Ő adta a tanácsot a rendezőnek, hogy hogyan kell bánni velük.
– A micsodákkal?
– A szimbólumokkal, természetesen. Elmagyarázta, hogy a középkori ember nem direkt módon, hanem szimbólumokba rejtve közölte másokkal a világról alkotott véleményét.
– Ne kábíts bennünket, Lucilla – fordította hátra a fejét senhor Pereira.
– Ez nem kábítás, szívem. Akkoriban nagyon fontosak voltak a szimbólumok. Ha a szerelmesek virágot küldtek egymásnak, az maga is egy bonyolult szimbólum volt.
– Akárcsak ma – szólt hátra ismét Pereira. – Egy egyszerűen értelmezhető szimbólum. Szeretlek, kívánlak, le akarok feküdni veled.

– El akarlak venni feleségül! – tette hozzá kemény hangon az atya.

– Bocsánat atyám – hunyászkodott meg senhor Pereira – Nyilván így is értelmezhető...

– Így *kellene* értelmezni!

– Csakhogy akkor sokkal bonyolultabb volt a szimbólumrendszer. Ma a virág csupán virág, akkor azonban a bonyolultabb kommunikáció eszköze volt. Ezt hívták virágnyelvnek. Nem mindegy, hogy milyen virágot küldtél szíved hölgyének. A rózsának, a tulipánnak, a szegfűnek mind-mind külön jelentése volt. És annak is, hogy milyen arányban, és milyen elrendezésben keveredtek egymással egy csokorban a különböző virágok.

– Ha találnék idelent egy virágcsokrot...

– Ugyan már, Vitor, ne idétlenkedj!

– Csak a feszültségemet próbálom levezetni.

– Nyomd a homlokod a falhoz, az talán segít. Szóval egy csokor kellős közepébe dugott vörös rózsa a lángoló szerelmet jelentette... Ha a csokrot másnap az udvarló az imádott lány asztalán pillantotta meg, s a lány kedvesen mosolygott rá, azt hihette, sínen van.

– És nem volt sínen?

– Az a kérdés, hogy miképpen állt a rózsa a csokor közepében.

– Miképpen állhatott? Úgy érted, egyenesen, vagy görbén?

– Úgy értem, normálisan-e, vagy fejjel lefelé, azaz szárral felfelé.

Senhor Pereira ismét csak hátrapislogott.

– Biztos hogy jól vagy, Lucilla?

– Te csak ne félts engem.

Lisete komoly arccal hallgatta senhora Sullivan szavait. Közben nem is egyszer a tőrkések nyelére pislantott.

– Ha a rózsa fejjel lefelé állt, az bizony azt jelentette, hogy bármit is mond a lány, pontosan a fordítottját kell érteni.

– A fordítottját?

– Ha azt mondta a reménykedő ifjúnak, hogy bizonytalan még magában, nem tudja hova tenni az érzelmeit, s a többi, de a rózsa fejjel felfelé állt, a fiatalember boldog lehetett. Azt jelentette a szimbólum – a virágszimbólum –, hogy tényleg sínen van az illető. De ha a rózsa fejjel lefelé nyomorgott a többi virág között, hát akkor bizony bármit is mondott a lány a szülei előtt – akik esetleg támogatták volna az említett ifjúval kötendő házasságot –, azt jelezte, hogy nincs remény. A lány szíve már másé.

Senhor Pereira fejcsóválva nézett a feleségére.

– Mondd, kedvesem, meg tudnád magyarázni, hogy miért mondtad mindezt el nekünk? Éppen akkor, amikor minden figyelmünkkel...

– Ó, hát hogyne.

– Na, miért?

Lucilla Lisete felé bökött.

– Azért szívem, mert a kincseskamra helyét mutató tulipán éppen a feje tetején áll az ötödik tőr markolatán.

26.

Ugyanebben a pillanatban szűrődött ki a lyukból Domingos kétségbeesett nyöszörgése.

– Hé! A fülükön ülnek?

Pereira a lyukhoz hajolt.

– Mi van? Beszorult?

– Még nem, de nem is szeretnék. A járat nem bővül, de nem is szűkül.

– Akkor mi a baj?

– Félek, hogyha nagyon előremászom, nem tudnak majd segíteni rajtam.

Lucilla félretolta senhor Pereirát, és a lyuk elé térdelt.

– Jöjjön ki, senhor de Carvalho.

– Ne próbálkozzam még egy kicsit?

– Jöjjön ki, kérem, meg kell beszélnünk valamit.

Könnyű volt mondani, megtenni annál nehezebb. Mármint kimászni a lyukból. Bő negyedórába is beletelt, amíg Domingos megtette a jó tízméteres távolságot.

Lisete maradék felfedező kedvét is elveszítette, ahogy megpillantotta az építészt. Arca verejtékben úszott, bajusza végén kosz feketedett.

– Kevés odabent a levegő, és... meleg is van. Nem vagyok biztos benne, hogy végig tudunk-e mászni...

– Talán nem is kell – mondta senhora Lucilla.

– Feladjuk?

– Változtatnunk kell a stratégiánkon.

Miután Domingos meghallgatta, miről volt szó idekint, amíg ő odabent erőlködött, megcsóválta a fejét.

– Biztos benne, Lucilla?

– Miben lehetnék biztos? Én csak azt ismétlem, amit egy szakértőtől hallottam. És az is régen volt. Sajnos.

– Mutassák a tőrt!

Kezébe vette és megnézegette.

– Vissza kell mennünk az aknáig – mondta aztán. – És ismét elindulnunk. Már az első elágazásnál rossz irányt választottunk.

– Te jó ég! – vetett keresztet a páter. – Vissza, és ismét előre?

– Ne feledje el felgombolyítani a gombolyagot, atyám.

Visszaindultak a levezetőaknához.

27.

Domingos kénytelen volt megállapítani, hogy az egyik járat éppen olyan, mint a másik. Ugyanazokkal a téglákkal rakták ki a falaikat, és a feliratuk is ugyanabból a korból származnak. Ez aztán megerősítette abbeli meggyőződésében, hogy a föld alatti labirintus eme részét cirka száz évvel ezelőtt zárhatták le. Talán akkor, amikor a Távora-házakat utoljára átépítették. Nem akarhatták, hogy a járatok mindenki által hozzáférhetők legyenek, és bárki csak úgy besétálhasson a házak pincéibe.

– Jézusom, Lucilla, ha lehet, *most* nézd meg alaposan a markolatot. Nem szeretném, ha egy újabb szimbólum miatt feltörné a bakancs a lábamat – elégedetlenkedett senhor Pereira.

– Ne nyafogj már, Vitor! Aki kincset keres, annak türelmesnek kell lennie.

– Tudsz még ilyet, Lucilla?

Azért csak elindultak előre.

– Ami jobb kéz volt idáig, az most bal kézzé változik. Így gondolod, Lucilla?

– Ha valóban ezért áll a fején a tulipán.

Más utakon mentek; mindig az ellentétes járatot választották, mint amelyiket a térképük szerint választaniuk kellett volna – ha a ciráda balra fordult, ők jobbra tértek, és megfordítva –, aztán legnagyobb meglepetésükre másfél óra múlva ugyanoda jutottak vissza, ahonnan elindultak. A két elágazó járathoz. A szélesehez és a keskenyhez.

Senhor Pereira, amikor megpillantotta szenvedéseik színhelyét, majdnem leroskadt a földre.

– A fene vigye el, körbejárunk!

– Nem járunk körbe – tiltakozott senhora Lucilla. – Csak most a helyes úton jöttünk.

– És ugyanide jutottunk.

– Ki tudhatta előre?
– Az az érzésem, hogy Simões mester, akárhol is legyen – talán égi ötvösműhelyében készít diadémot az Úrnak –, jókat röhög rajtunk.
– Éppen ezt akarta.
– Mit, szívem?
– Hogy ne találjanak könnyen a kincseskamrájához.
– Te, Lucilla, nekem eszembe jutott valami.
– Jaj, csak ezt ne!
– Ha a fejre állított tulipán mindent fejre állít, azaz mindennek az ellenkezője az igaz, akkor lehet, hogy a kincseskamra sem kincseskamra…
– Hanem micsoda?
– Mondjuk, üres kamra.
– Ne pánikolj, Vitor!
– Meddig totojázunk még? – kérdezte nem kis ingerültséggel a hangjában Domingos. – Ha rágondolok, hogy mit álltam ki abban a rohadt kis lyukban teljesen feleslegesen, beleragad az agyamba a vér.

Ettől kezdve már nem volt sok dolguk. Csak mentek előre, ki tudja, hova, gondosan vigyázva rá, hogy mindig mindent fordítva csináljanak, mint ahogy a kések markolatán lévő térkép mutatta. Bal helyett jobbra, jobb helyett balra fordultak.

Egészen addig, amíg kilencfelé nem ágazott előttük a járat.

28.

– Te jó isten! – nyögött fel Domingos, ahogy a lámpák fénye elveszett a sötét járatokban. – Azt hiszem, ezzel be is fejeződött a kalandunk.
– Ugyan miért? – csodálkozott Lucilla.
– Csak azért – lihegett az építész –, mert ember

legyen a talpán, aki megmondja, hogy melyikbe kell bemásznunk. Mit jelez a térkép?

– Ezen csak három látható a kilenc helyett.

– Puff neki!

– Biztos hogy Simões mester tudta, mit akar?

– Elfogyott a fonalam – mondta kinyilatkoztatásszerűen a páter.

– Vegyük ezt isteni jelnek?

– Csak mondom.

Senhor Pereira felemelte a karját.

– Adjunk magunknak még fél órát. Ha ez alatt az idő alatt sem találjuk meg a tulipánt, azaz a kamrát... forduljunk vissza, és majd odafent...

– Akkor viszont ne vesztegessük az időt. Vajon miért van a térképünkön csak három járat a kilenc helyett?

Mindenki csak a vállát vonogatta. Aztán senhora Lucilla nagyot kiáltott, és a homlokára ütött.

– Megvan! – kiáltotta. – Megvan!

– Micsoda, Lucilla? – törölgette meg az arcát a férje.

– A magyarázat, szívem.

– Már azt hittem, a kamra.

– Előbb-utóbb az is meglesz. Hány ágacska van a késen, darling?

– Három, szívem.

– És itt hány van az orrunk előtt?

– Kilenc, szívem.

– És ez mit jelent?

– Valószínűleg nem fért rá több. Mármint a késnyélre.

– Ez az! – kiáltott fel Domingos. – Három jelent egyet. Vagy éppen fordítva. Egy jelent hármat.

Senhor Pereira eltátotta a száját.

– Egyet három... három egyet... mi az ördögöt akarnak ezzel mondani?

– Annyit, szívem – magyarázta türelmesen senhora Lucilla –, hogy mivel valóban nem fért rá annyi ágacska a markolatra, Simões mester tömörített. Összetömörítette őket.

Senhor Pereira lassan kezdte felfogni, miről is van szó.

– Eszerint egy ágacska jelent három járatot?

– Ahogy mondod.

– Akkor most melyikbe kell bemennünk?

– A jobb oldaliba.

– Azaz a bal oldaliba.

– Úgy van.

– A *bal oldali háromba.*

Lucilla asszony összevonta szemöldökét.

– Három nem vezethet a kamrához. Hacsak…

– Ha a három járat valahol össze nem találkozik.

– És ha nem?

– Én mást mondok – szólt közbe Lisete. – Ha a hármas beosztásnál maradunk, akkor a három kiválasztott járat közül is a harmadikat kell választanunk.

– Jobbról a harmadikat.

– Azaz bal oldalról a hetediket.

Senhor Pereira megsimogatta a homlokát, és üveges tekintettel nézett maga elé.

– A világ csodája lesz, ha megtaláljuk a kamrát.

Pedig megtalálták.

29.

Persze ez azért még egy kicsit odébb volt. Először be kellett merészkedniük abba a bizonyos alagútba. Nem mintha ez valamivel is nehezebben végigjárhatónak látszott volna, mint a többi, csak éppen már kezdték elveszíteni a türelmüket és az erejüket. Szívük mélyén alighanem valamennyien meg voltak győződve róla, hogy délibábot kergetnek: amiben hisznek, az még beszélő viszonyban sincs a valósággal. Még az is felmerült Domingos lelkében, hogy egyáltalán létezett-e Simões mester. Nemegyszer előfordult már a történelemben, hogy sokáig létezőnek hittek egy titokzatos személyt, akiről aztán később kiderült, hogy az Üveghegyen túl született, az Óperenciás-tengeren innen halt meg, e kettő közötti idejét pedig az ismeretlenség homályában töltötte.

– Ez az utolsó járat – mondta nyomatékosan senhora Sullivan. – Aztán visszafordulunk.

– Mindenképpen az utolsó – bólintott Lisete az ötödik tőr nyelét nézegetve. – Ha ezen végigmegyünk, ott kell várnia ránk a kamrának.

– Éppen ettől félek – morogta senhor Pereira.

– Mi a bajod már megint, Vitor?

– Az kincsem, hogy látod a falfirkákat?

– Na és?

– Az például 1872-ből való.

– Miért? Mi volt akkor?

– Semmi sem volt tudtommal. Csak éppen arra akartam felhívni a figyelmedet, hogy akkoriban boldog-boldogtalan itt sétafikált a város alatt.

– És?

– Gondolod, hogy nem találták meg a kincseskamrát? Hiszen majd kiverte a szemüket.

– Kinek a szemét?

– A sétálókét, kedvesem. Akik a falakra firkáltak. Bekukkantottak ide, bekukkantottak oda, és felfedezték a kamrát.

– Tudnunk kellene róla.

– Hátha eldugták, amit találtak.

– Azóta már elő kellett volna kerülnie. Sem Simões mester alkotásait, sem pedig Távora márki kincseit nem találta meg mind ez ideig senki.

– Elfogyott a fonal – panaszkodott ismét Lucrecio páter.

– Nem baj, atyám – vigasztalta Lisete –, majd veszünk helyette másikat.

– Nem a fonalat féltem kisasszony, hanem magunkat.

De azért csak velük ment ő is a vágatba.

– Jelez újabb járatot a térkép? – kérdezte úgy ötpercnyi gyaloglás után Pereira.

– Nem – mondta, beharapva a szája szélét Lisete.

– Hol kell lennie a kamrának?

– Egyenesen belefutunk.

– Úgy érti, hogy ez egy zsákutca? A kamra zárja le?

– Annyit tudok, mint ön – mondta kissé ingerülten Lisete. – Most vagyok lent én is először.

– Bocsánat, hogy megkérdeztem – sértődött meg senhor Pereira.

Valamennyien erejük végső határának a közelében jártak. Az oxigénben egyre szegényebb levegő elcsigázta őket. Domingos úgy érezte, hogy akkor tenné a legjobban, ha megszabadulna a hátizsákjától, minden holmijától, megfordulna, és eliszkolna a kijárat felé. Simões mester és Távora márki kamráját pedig keresse meg az, aki nagyon akarja. Ő már nem akarja annyira.

Öt perc múltán aztán megérkeztek a járat végébe. És itt érte őket az újabb meglepetés. A járatot nem zárta le semmiféle kamra, hanem élesen elfordult, és ment tovább. Hiába világított be az újabb járatba Domingos, a lámpa erős fénye egy idő után beleveszett a sötétségbe.

Lisete letette a hátizsákját a földre, és mélyet sóhajtott.

– Végre itt vagyunk.

– Hol? – kérdezte a páter.

– Az utunk végén.
– Készíthetem a szenteltvizet?
Erre már nem válaszolt senki.
Senhor Pereira csípőre tette a kezét, és végigforgatta a lámpáját a falakon.
– Falfirkák. Mindenütt csak falfirkák. De hol a kamra?
– Itt kell lennie az orrunk előtt.
– Itt? Aligha.
Lisete sisaklámpája fényénél ismét megvizsgálta az ötödik tőrt.
– Pedig ide vezet – mondta a fejét csóválva. – Ez az út ide vezet.
– És ha rosszat választottunk?
– Szerintem nem.
– De ha mégis?
– Akkor sincs mit tennünk. Nem járhatjuk végig mind a kilencet.
– Most nem is, de szép sorjában igen. Minden napra két járat jut, és...
– Vizsgáljuk meg alaposan ezt az egyet. Mit mutat az ábra, Lisete?
Lisete megvonta a vállát.
– Amit már többször is elmondtam. Az alagút egyenesen a kamrába vezet.
– Lát itt valaki valamilyen kamrát?
Nem is kellett válaszolniuk. A hallgatás magáért beszélt.
– Azért még ne adjuk fel – intette őket türelemre senhor Pereira, aki pedig nemegyszer már maga is elveszítette a kedvét és a türelmét. – Térképünk szerint a járat egyenesen a kamrába fut.
– Úgy van.
– Ez viszont... elkanyarodik. Mit mond erről a tőr nyele?

– Semmit – mondta Lisete. – Végállomás a kamra. A faágak nem nyúlnak tovább.

– És ha mégis?

– Akkor az út további szakaszának a vizsgálatához egy hatodik tőr kellene. Ha egyáltalán van ilyen.

Senhor Pereira ismét körbeforgott.

– Abból induljunk ki, ami van. Ami nincs, azzal nincs mit kezdeni. Márpedig nekünk nincs hatodik tőrünk.

– Hát az valóban nincs.

– Ez esetben viszont nézzük a valóságot. A térkép szerint a járat a kamrába fut bele. Tehát: hol kellene lennie a kamrának?

– Itt, ahol most állunk.

– De nincs itt.

– Vagy egy kicsit távolabb. Megállapodtunk benne, hogy a térkép nem méretarányos, sőt meglehetősen elnagyolt.

– Akárcsak a kalózok kincsének a leírása – morogta a páter. – Menjél előre, találsz egy nagy követ, majd egy görbe fát, amelyen egy szarka fészkel.

– Mi van itt előttünk?

– Sziklafal.

– Inkább kőfal.

– És ha a kamra fala?

Domingos a falba karcolt firkákra nézett, és önkéntelenül is megcsóválta a fejét.

– Szikla ez, innen is jól látom.

Lisete bizonyult valamennyiük közül a legtalpraesettebbnek. Megfordult, és Lucilla asszony felé nyújtotta a kezét.

– Adja ide az ásóját.

Lucilla asszony egyetlen mozdulattal lecsatolta az oldaláról.

– Akár meg is tarthatja. Legalább nem kell tovább cipelnem.

Lisete két lépésről futott neki a falnak. Úgy, mintha láthatatlan ellenség ellen indult volna rohamra. Domingos fülsiketítő csikorgást hallott, majd látta, hogy Lisete úgy pattan vissza, mint a gumilabda. Az ásó kihullott a kezéből, Lisete pedig fájdalmas képpel szájába kapta az egyik ujját.

– Hát ez nem téglából készült, az kétség...

A következő pillanatban csoda történt. Lucilla asszony éppen azt nézegette, hogy nem csorbult-e ki az ásója, amikor egészen furcsa, suhogó-reccsenő zajt hallottak a megtámadott fal felől. Mintha a megsértett szikla támadásba indult volna.

Alighanem az is történt. A furcsa zaj nyomán – amely úgy hangzott, mintha Lucrecio páter csuháját tépte volna ketté egy szemérmetlen ördögfióka – a fal megremegett az orruk előtt, majd, mint annak idején Jerikónál, leomlott.

Néma csend töltötte be a járatot.

Aztán Lucilla felcsukló hangja:

– Jézusom! Megtaláltuk!

– Mi a fene történt... emberek? – lépett hátra óvatosan senhor Pereira.

– Nem látod, Vitor? Leomlott a fal!

– Nem tetszik ez nekem. Nem szeretem, ha a falak csak úgy maguktól leomlanak. Nem hiszek a természetfelettiben...

– Nem is természetfeletti omlasztotta le, hanem Lisete. És az én ásóm!

Domingos letérdelt, és megpróbálta megállapítani, mi történt. Az első, ami a szemébe ötlött – és ezt nagyon is sajnálta –, hogy a sziklafal látszatát keltő vakolat egészen apró darabokra törött szét, majdhogynem porrá morzsolódott. Egyetlen belékarcolt firka sem maradt meg az utókornak, pedig Domingos éppen ezekre lett volna kíváncsi.

– Valóban a vakolat omlott le – mondta szárazon. – Ezen voltak a falfirkák.

– Nem vették észre a firkálók, hogy vakolaton dolgoznak?

– Na és ha igen? Mit érdekelte ez őket?

– Mi van… alatta? Ön is téglákat lát?

Domingos bólintott.

– Most akkor mit csináljunk? – kérdezte senhor Pereira.

– Próbáljunk meglazítani egy téglát – javasolta Lucilla asszony.

– Nem fog a nyakunkba dőlni ez az egész? – aggodalmaskodott a páter.

– Ha egy téglát meglazítunk, attól még aligha.

Ekkor már valamennyien a falnál álltak, alig karnyújtásnyira tőle.

– Mintha nedves lenne a fal – bizonytalankodott Lisete.

– Talán csak hideg. A föld alatt vagyunk.

– De hát meleg a levegő körülöttünk!

Domingos is a falra fektette a tenyerét, aztán azonnal el is vette róla.

– Egy kicsit valóban nedves – morogta.

– És… mit szűr le mindebből? – türelmetlenkedett Lisete.

Domingos megvonta a vállát.

– Vagy a páralecsapódástól van, vagy pedig kívülről kapta a nedvességet. A lecsorgó vizektől.

– Vagy belülről – morogta senhor Pereira. – Ki tudja milyenek itt a hidrológiai viszonyok a nedvesebb időjárási periódusokban?

– Senki – bólintott Domingos. – Látják itt ezt a csíkot?

– Jézusom! – kapta a szája elé a kezét senhora Sullivan. – Rejtekajtó?

– Vízszintet jelez. Valamikor idáig ért a víz.

– Mikor?
– Lehet, hogy az elmúlt tavaszon. Azért ilyen tiszták a járatok. Nem porosak nem piszkosak. Nem halmozódott fel bennük évszázadok szemete, mint közvetlenül a levezető akna közelében.
– Jó, de akkor most tényleg mit csináljunk? Forduljunk vissza, vagy…
– Addig vissza nem megyek innen, amíg legalább egy téglát ki nem veszek a falból! Maguk?
– Én… veled maradok, Vitor.
– És maga?
– Én is – bólintott Domingos. – Ha már itt vagyunk a feltételezett mennyország kapujában.
– Én vissza sem találnék egyedül – legyintett a páter. – Különben is, eljött az idő, hogy használjam a szenteltvizet.
Nyúlt volna a táskájába, de Domingos leintette.
– Várja meg, amíg kiemeljük az első téglát.
Lisete elkapta Domingos kezét.
– Gondolja… gondolod, hogy… megtaláltuk?
Domingos felvonta a vállát.
– Valamit találtunk, az biztos.
– Mehet? – kérdezte Lucilla asszony felemelve az ásóját. – Készen áll, atyám?
Az atya előkapta a vízszóróját.
– Én kész vagyok. Az Atyának, a…
Senhora Sullivan belenyomta a tábori ásó élét két tégla közé. Azt hitte, nagy erőt kell majd kifejtenie, de az ásó így is félig eltűnt a falban.
– Jézusom, ez könnyen megy! Mi az ördögtől… bocsánat, atyám…
– Csak nem a szenteltvíztől? – kérdezte az atyára kacsintva senhor Pereira.
Domingos a falhoz hajolt.
– Alig van vakolat a téglák között – mondta.
– És ez… mit jelent?

– Vagy kimosta a víz, vagy nem is volt elég. Azaz felületes munkát végeztek az építők.

– Ez azt jelenti, hogy képesek leszünk beküzdeni magunkat?

– Mindenesetre megpróbálhatjuk.

– Nem adnád át az ásót, Lucilla?

– Eszem ágában sincs! Magamnak akarom a dicsőséget… Jaj, a fenébe is!

Puffant valami, majd a meglazított tégla eltűnt a szemük elől.

Senhora Sullivan megállt, letette az ásóját, és két tenyere közé szorította a fejét.

– Istenem… megtaláltuk! Én el sem… hiszem.

Elkezdte feszegetni a következő téglát. Már-már az is eltűnt a szemük elől, de Domingosnak sikerült még idejében elkapnia.

– Kicsit lassabban, senhora – igyekezett csillapítani Lucilla asszony felfedezői hevületét. – Előbb nézzük meg, mi van odabent.

– Be tud világítani a belsejébe?

– Éppen azon vagyok.

A lámpa azonban nem sokat segített rajtuk. Mintha fekete, puha bársonnyal lett volna bélelve a kamra, amely elnyelte a külvilág tolakodó fényét.

30.

A harmadik, majd a negyedik téglát is kiemelték már, de még mindig mindent magába zárt a sötétség. A tizedik téglánál aztán Domingos felegyenesedett, és jelentőségteljesen megköszörülte a torkát. Kissé ünnepélyes volt a hangja, ahogy megszólalt; Lisete némi szorongást is érzett benne.

– Megállnának egy pillanatra?

Senhorita Lucilla és senhor Pereira abbahagyták

a téglák kiemelését. Domingos az egyre szélesebbre táruló nyílásra nézett, aztán mélyet sóhajtott.

– Csak azt akarom megkérdezni – pödörgette meg a bajuszát, – hogy valamennyien el vannak-e szánva a folytatásra?

– Ezt... miért kérdi? – tudakolta ásójával a kezében senhora Lucilla.

– Mert... meg kell kérdeznem. Nem tudhatjuk ugyanis... hogy mi van odabent.

– Maga szerint... mi?

– Ha tudnám, nem haboznék. Egy azonban biztos... nézzen csak ide, senhora.

A nyíláshoz lépett, és bedugta a kézilámpát a lyukon. Éppen csak annyira, hogy a keze ne nagyon lógjon be az ismeretlenbe.

– Látja?

– Látom. Azaz, nem látok semmit.

– Hát éppen ez az – morogta Domingos. – Éppen ez az. Látszania kellene a lámpa fényének a szemközti falon. De nem látszik. Valami elnyeli, mielőtt még elérhetné.

– Lehet, hogy nagyon nagy a kamra.

– Most nézzenek ide!

Domingos felfelé tartotta a lámpát. A fény így is elveszett, mielőtt még elérhette volna a mennyezetet.

– Hogy a fenébe...?

Domingos a lyukra mutatott.

– Nem tudom, mi van odabent. De akármi is, elnyeli a fényt. Márpedig a fényt semmi olyan nem nyelheti el, amit a XVIII. században ismertek.

– Csak a Gonosz – borzongott meg a páter.

Lisete szeme megrebbent.

– Te is erre gondolsz?

– Nem tudom, mire gondoljak – mondta őszintén Domingos. – Lehet, hogy valóban van odabent valaki; alszik a sötétben, és mi öt perc múlva esetleg felébresztjük. Ennek minden lehetséges következményével együtt. Ezért kérdezem, hogy feltétlenül ki akarjuk-e nyitni a varázsszelencét?

– Én igen – mondta határozott hangon senhor Pereira. – Én felkészültem erre is. Ezért hoztam magammal papot. Mindannyian kiröhögtetek érte. Most mégis jó, hogy itt van.

– Kinek jó? – dörmögte a páter.

– Felkészült atyám a nagy hadműveletre?

Az atya előhúzott a csuhája alól egy fakeresztet, majd a másik kezébe a szenteltvízszórót szorította.

– Én felkészültem. Akár a Sátánnal is szembenézek, ha kell!

Lisete elégedetten látta, hogy a pátert kezdi elragadni a hév. Úgy villogott a szeme, mint évszázadokkal ezelőtti kollégáié a gaz eretnekek elleni harcaikban.

Domingos megvonta a vállát.

– Akkor hát nézzünk szembe vele!

Intett senhora Lucillának, hogy folytathatja a munkát.

A téglák ismét hullani kezdtek a lábuk elé.

31.

Senhora Lucilla csak akkor hagyta abba a bontást, amikor már akkora nyílás feketedett előttük, hogy bárki beférhetett rajta. A fény azonban még mindig beleveszett a sötétségbe. Egyedül a legerősebb lámpa világított meg valamit, ami valahogy recésnek látszott, mint a rovarok szárnya.

Senhora Lucilla tett vagy két lépést hátrafelé. Látszott némi megilletődés az arcán, ahogy a páterhez fordult.

– Mondja, atyám, van az ördögnek szárnya?
– A Sátánnak igen. A Sátán repülni is képes.
– Hát én nem is tudom… mintha… szárnyakat látnék odabent.
Az atya összeszorította a száját.
– Nem tudom… képes leszek-e magával a Sátánnal… az az igazság, hogy én kisebb ördögök elűzésére vagyok csak felkészülve…
– Most már késő – legyintett senhor Pereira. – Már nem hátrálhatunk meg… Gyerünk, atyám, emelje fel a keresztet és a vizet is…
Kifújta a levegőt a tüdejéből, aztán egyetlen ugrással eltűnt a sötétségben. Senhora Lucilla szája elé szorította a tenyerét és várt.
Nem kellett soká várnia. Alig néhány másodperccel azután, hogy Pereira beugrott a kamrába, már ugrott is vissza. Úgy rángatódzott az arca, mintha huzatot kapott volna.
– Istenem, Vitor, mi van veled?
Vitor Pereira remegő kézzel maga mögé mutatott.
– Valami van… odabent.
– Micsoda, darling?
– Nem tudom, de… mintha szárnyai lennének. Meg is simogatott velük.
– Csak… megsimogatott?
– Ütötte volna ki inkább a szememet?
– Tudod jól, hogy nem úgy értem. És még mit csinál az a… valami?
– Nem tudom, mert nekem ennyi elég is volt. Talán le kellene bontanunk az egész falat…
Domingos meghúzogatta a bajusza végét.
– Én majd bemegyek.
– Kérem, senhor Domingos, nem lesz ebből baj?
– Majd az atya megvéd.
Az atya biztatásnak vette a dolgot, mert rögvest

imádkozásba fogott. Ez még önmagában nem lett volna akkora baj, az viszont már igen, hogy mindezt üvöltve tette. Mintha egy ördögi kórust akart volna túlüvölteni vele.

– Jézusom! Ez azt hiszi, a Sátán nagyothalló?

Senhor Pereira lihegett, és az arcát tapogatta – feltehetően ott, ahol a szárnyak érték –; felesége dermedten bámult a páterre; Lisete tehetetlenül állt, és csendben imádkozott, hogy térjen már vissza Domingos.

Domingos csak jó öt perc múlva tért vissza.

Olyan komor volt a képe, mintha temetésről jönne.

32.

Amikor a páter megpillantotta Domingost, abbahagyta az imádkozást. Csak állt, előrenyújtva a keresztet, mint Rióban a szobor a hegy tetején.

Lisete is azonnal észrevette, hogy Domingos vagy látott valamit odabent, ami nem vidította fel a lelkét, vagy történt valami vele. Hiába futott azonban végig rajta a szeme, semmi olyat nem tudott felfedezni, ami ez utóbbi feltételezését igazolhatta volna.

– Történt... valami? – kérdezte aztán, szándékosan nyugodt hangon, nehogy a többieket is megriassza.

Domingos megpödörgette a bajusza végét, mintha csak időt akarna nyerni vele. Mintha azon töprengene, mit mondhat el abból, amit a kamrában látott vagy tapasztalt.

– Történt valami... Domingos?

Domingos még mindig habozott. Mielőtt aztán bármit is mondhatott volna, Lucilla megrángatta a kabátja ujját.

– Ez a kamra, igaz? Mondja már, hogy ez a kamra!

Domingos megrázta a fejét, mintha álomból ébredt volna.

– Nem... tudom – mondta habozva. – Talán.

– Mi van... odabent?

– Elsősorban... sötétség.

– És másodsorban?

Domingos megvonta a vállát.

– Másodsorban is az.

– Mi a fene nyeli el a fényt? – tudakolta Pereira, újra meg újra bevilágítva a nyíláson. – Valami elnyeli, az fix.

– Bársony – mondta Domingos.

– Micsoda? – hökkent meg Pereira. – Milyen bársony?

– Vastag, fekete bársony – magyarázta Domingos. – Ezt akasztották a mennyezetre.

Rövidesen kiderült, hogy amikor Domingos belépett a feltételezett kamrába, nekiütközött valaminek, amiről fogalma sem volt, micsoda, s amit korábban hatalmas szárnynak gondoltak. Csakhogy nem az volt, hanem vastag, bolyhos bársonyfüggöny a mennyezethez erősítve. Úgy volt felszerelve, mintha felszerelője tisztában lett volna vele, hogy eljön majd az idő, amikor kíváncsiskodók bontják meg a falat, és bedugják a fejüket a nyíláson. Sőt fáklyát és gyertyát is bedugnak rajta. Ha aztán világítóeszközeik fényét elnyeli a bársony, talán nem kísérleteznek a bejutással.

Senhora Lucilla, Pereira és Lisete szájtátva hallgatták Domingos beszámolóját.

– Mekkora a kamra? – kérdezte végül senhor Pereira.

– Amelybe beléptem, itt közvetlenül a fal mögött, az… kicsi. Nagyobbik részét maga a függöny foglalja el.

– Hm. És mi van mögötte?

Domingos megpödörgette a bajuszát.

– Azt hiszem… *a három szűz varázslata.*

33.

Ha korábban hallottak is erről a varázslatról, úgy látszik, megfeledkeztek róla. Csak álltak Domingossal és a bejárattal szemben értetlen képpel, félig nyitott szájjal.

– Igen… azt hiszem, a három szűz varázslata – ismételte meg elgondolkodva Domingos.

Senhor Pereira igyekezett összeszedni magát.

– Legyen olyan kedves, senhor de Carvalho… mesélje el részletesen, hogy mi történt odabent, és mi az ördög…

– Talán meg kellene szentelnem a bejáratot – ajánlkozott Lucrecio páter.

– Egyelőre várjon, atyám.

Domingos megpödörgette a bajuszát.

– Tulajdonképpen semmi különös nem történt. Bebújtam a lyukon, tettem két lépést előre, és belefejeltem a bársonyfüggönybe. Mit tagadjam, megijedtem egy kicsit, mert azt hittem, elkapott valaki. Felkaptam a kezem… és azonnal rájöttem, hogy nem élő, aminek nekimentem. Sikerült átbújnom alatta; és… mögé jutottam.

– A függöny mögé?

– Természetesen.

– És ott mi van?

Domingos habozott néhány pillanatig.

– A kamra vagy terem másik része. Úgy képzeljék el a dolgot, hogy a felfüggesztett bársony kettévágja a kamrát. Mintegy harmadát választja el a maradék kétharmadtól. Valamint a kamra harmadának a mennyezetét is bársony takarja.

– Talált a függöny előtt valamit?

– Semmit.

– Tehát átbújt a függöny alatt. És tovább?

Domingos vett egy mély lélegzetet.

– Jobb lenne, ha magyarázkodás helyett bejönnének velem.

– Helyes – bólintott senhor Pereira. – Menjünk.

– Csak egy pillanatra még! – emelte fel az ujját de Carvalho. Nem ártana, ha a páter... hm... megtenné, amit a helyzet megkíván.

A páter bólintott, és szorgos imába fogott. Ezúttal rövidre vette – úgy látszik, az ő oldalát is furdalta, mi lehet odabent. Ismét előkapta szenteltvízszóróját, és néhány cseppet rálocsolt a téglafalra.

– Most már rendben van?

– Honnan tudjam? – vonta meg a vállát Domingos. – Csak ütközet után szokott kiderülni, hogy milyen hatásosan dolgoztak a fegyverek.

Senhor Pereira tűkön állhatott, mert csaknem betaszította Domingost a lyukba.

– Menjen már, ember!

Domingos bebújt a kamrába. Mögötte közvetlenül Pereira tolakodott. Senhora Pereira habozott egy kicsit, mielőtt rászánta volna magát a nagy tettre.

– Jól van, atyám? – kérdezte a pátertől, aki ugyancsak nekikészülődött, hogy bevarázsolja magát az ismeretlenbe.

– Hát... voltam már jobban is.

– Azért csak ne izguljon.

A következő pillanatban mindketten eltűntek Lisete szeme elől.

Lisete hátranézett, de nem látott mozgást a folyosóban. A sisaklámpák fényének eltűntével egyre nagyobb területet foglalt el a sötétség. Ahogy visszafordította a fal felé a fejét, a sötétség hozzákúszott, és a sarkát nyalogatta.

Lisete összeborzongott, és belépett a titkok kamrájába.

34.

Nem toporoghatott sokáig magányosan a bársonyfüggöny előtt, mert két lépés után nekiütközött valakinek.

– Bocsánat.

– Hé, Vitor, mi a fene folyik ott?

– Csak nyugalom – nyugtatta meg őket senhor Pereira. – Felemeljük a bársonyt. Látnak valamit?

Ekkor már Lisete is észrevette a közvetlenül az orra előtt emelkedő feketeséget. Vastag anyag volt, amilyenből a színházak függönyei készülnek. A függöny hullámzani kezdett, majd kibontakozott a sötétségből Domingos arca.

– Bújjanak át alatta. Aztán álljanak meg.

– Nem lehetne inkább leszedni valahogy?

– Létra nélkül?

– Jöjjön, senhorita – hallotta Lisete Pereira sürgetését. – Ideát vagy már, Lucilla?

– Miért van itt ilyen rohadt sötét?

– Senhor de Carvalho megkért, hogy ne világítsak.

– Páter?

– Itt vagyok – nyögte Lucrecio atya. – Maguk hol vannak?

– Itt állok ön mellett.

Lisete vett egy mély lélegzetet, vállai közé húzta a nyakát, és átbújt a bársonyfüggöny alatt. Érezte, hogy a nehéz anyag ráhullik a hátára. Mintha évszázadok mohó ujjai simogatták volna meg.

– Valamennyien ideát vannak?

– Úgy látszik.

– Páter?

– Itt vagyok én is.

– Ha világítani kezd a lámpám... tegyen, amit jónak lát.

– Amit jónak látok? De hát miről...

Nem tudta befejezni a mondatát. Domingos kezében felvillant a lámpa fénye.

A következő pillanatokat – Lisete úgy érezte – soha életében nem fogja elfelejteni. Abban a minutumban ugyanis, ahogy Domingos kezében felcsapott a fény, valami gömbölyű fehérség indult meg feléjük – aztán még egy, majd ismét egy. Lisete önkéntelenül is hátralépett. Úgy fordult, hogy sisaklámpája fénye telibe találja az egyik fehérséget.

Telibe is találta, bár nem volt sok köszönet benne. Érezte, hogy összeszűkül a torka, s bár nem kevés szörnyűséget látott már életében – az itteni látványnál sokkal szörnyűbbeket is –, a hely varázsa minden korábbit feledtetett vele. Csak azt a fehéressárga csonthalmot látta, amely koponyával a tetején ott hintázott az orra előtt. Mintha így üdvözölte volna a látogatókat, akik hosszú évszázadok csendje után végre életet hoztak a sírkamrába.

Lisete hallotta, hogy Lucilla felsikít. Gyors mozdulattal elkapta, és mint a rémült gyereket szokás, magához szorította.

– Csak nyugalom – suttogta a fülébe. – Nincs semmi baj.

– Lucilla, drágám, hol vagy? Remélem, nem ijedtél meg túlságosan.

Lucilla kettőt nyögött, és kiszabadította magát Lisete karjából.

– Köszönöm, Lisete már jobban vagyok. Valahogy megindultak a lábaim kifelé.

– Jól vagy, Lucilla?
– Már jól, de mi az ördögért nem figyelmeztettél?
– Azt hittem, nem veszed ennyire a szívedre.
Ekkor vették csak észre, hogy az összekötözött csonthalom és a rákötözött koponya mellett még két másik is hintázik az elsőként felfedezett mellett.
Megszeppent csendben hallgatták, ahogy Lucrecio páter az imáját mondja.
A három csonthalom lágyan ringatódzott a levegőben.

35.

Amikor a páter befejezte az imáját, nem szólt egyetlen szót sem, csak maga elé meredt.
– Ez hát a három szűz varázslata? – nyögte kicsit később a fejét rázogatva. – Teremtőm, milyen barbárság. Teremtőm, milyen pogányság!
– Én inkább szörnyűségnek mondanám – morogta Lucilla.
– Lefejezték őket, feldarabolták, s a fejüket levágott testrészeikre kötözték – magyarázta Domingos.
– Ez egyszerűen… hihetetlen! Mindeddig azt hittem, ilyen csak a történészek bizarr fantáziájában létezik.
– Hja, kedvesem, évszázadokkal ezelőtt mások voltak az erkölcsök. Akkor még nem volt Amnesty International.
Senhor Pereira Domingoshoz fordult.
– Maga kitől hallott a három szűz varázslatáról?
– Senhor Fonsecától – mondta Domingos. – Az ön egyik lakójától.
– Mit mondott róla?
Domingos meghúzogatta a bajuszát.
– Hogy régen azt hitték, ha három eltérő bőrszínű szüzet áldoznak fel a kincseskamra bejáratánál,

a szüzek lelke elüldözi a betolakodókat. A lelkek a kincseskamra őrei.

– Akkor itt valami gond van – morogta idegesen Pereira. – Lát itt valahol kincseket?

– Nem.

– Ez esetben…

– Azok odaát vannak – mondta Domingos.

Senhor Pereira a sisaklámpák által megvilágított, velük szemben húzódó téglafalra bámult.

– Minden bizonnyal ott rejtőznek a fal mögött.

36.

Lisete minden viszolygása ellenére a csonthalmokhoz ment, és egészen közelről megvizsgálta őket. Néhány csont már lehullott a földre; nem volt biztos benne, hogy az elmúlt évszázadok tették-e, vagy valamelyikük véletlenül hozzáért a kötegekhez.

– Talált valamit? – kérdezte mögötte Lucilla.

– A kést keresem – mondta Lisete.

– Istenem! Még elgondolni is szörnyű…

– Sajnos, nem találom.

– Gondolja, hogy itt kellene lennie?

– Valószínűleg a hóhér magával vitte.

– Újabb falhoz érkeztünk – mondta senhor Pereira, amikor már úgy tűnt, hogy valamennyien megbékültek a csontok látványával. – A kérdés az, hogy mit tegyünk? Van-e még elég erőnk…

– Ami azt illeti, nekem mára elég volt – nyögte Lucrecio atya. – Maguk csak keressenek tovább, ha akarnak. Kimegyek a kamra elé, leülök, és…

– Jól van, atyám, csak pihenjen. Ön mit gondol, senhor Domingos?

Domingos meghúzogatta a bajusza végét.

– Talán a hölgyek…

– Én még bírom – nyögte Lucilla asszony. – Nem gondoltam volna, hogy ennyire kikészít, de mégis bírom.

– Csak nehogy aztán meglegyen a böjtje, Lucilla.

– Ha már itt vagyok… végére akarok járni a dolognak.

– Kérdezzük meg senhorita Lisetét is.

– Én is bírom – mondta Lisete. És valóban így is érezte. Elkapta az az izgalom, amely akkor szokta elkapni, ha nyomozás közben kézzelfogható eredményre bukkant. Merthogy az egyik eredmény hozza a másikat. Gordon nyomozó annak idején erre tanította.

Senhor Pereira az órájára pillantott.

– Lassan hajnalodik odakint – mondta gondterhelt ábrázattal. – Nem maradhatunk idelent a végtelenségig. Ha egy riporter megszagolja…

– Márpedig ma is tiszteletét teszi nálunk néhány, afelől kétségem sincs – morogta Domingos.

– Mégiscsak hagyjuk inkább abba?

– Te mit mondasz, Lucilla?

Mielőtt Lucilla asszony megszólalhatott volna, Domingos felemelte a kezét.

– Lenne egy javaslatom. Valamennyien fáradtak vagyunk, de… kíváncsiak is. Vegyünk ki a szemközti falból két-három téglát. De ne többet. Aztán világítsunk be a kamrába.

– És?

– Csak ennyi. Akármit is látunk odabent, nem bontjuk tovább a falat. Pihenünk egy napot, és holnap éjszaka befejezzük, amit elkezdtünk.

– És ha… újabb bársonyfüggönybe botlunk?

– Akkor is abbahagyjuk a kutatást.

Pereira sóhajtott.

– Én benne vagyok.

– Én is – csatlakozott hozzá senhora Lucilla.

– Páter?
– Nekem már a szenteltvizem is elfogyott.
– Senhorita Lisete?
– Egyetértek.
– Akkor essünk neki.

Alig negyedórát vett igénybe a hadművelet. A téglák úgy potyogtak a lábuk elé, mintha papírragasztóval ragasztották volna össze őket.

Senhor Pereira megállt a kibontott nyílás előtt, és Domingoshoz fordult.

– Kérem – mondta remegő hangon. – Kérem, senhor Domingos, világítson be a lyukon.

Domingos azonban komor képpel megrázta a fejét.

– Ez önt illeti meg, senhor Pereira. Elvégre az ön őse volt Simões mester, nem az enyém. Önnek van joga hozzá, hogy először pillantsa meg az örökségét.

– Örökségemet…? Jézusom, ezek szerint a három csontváz is az örökségem? Lucilla, kérlek, ezennel átruházom rád a felfedezés jogát.

Lucilla asszony elsápadt. Lisete nem volt biztos benne, hogy a megtiszteltetéstől, vagy a félelemtől-e.

– Köszönöm, szívem, de talán mégiscsak jobb lenne…

– Világíts már be, Lucilla!

– Kérem, atyám…

– Itt vagyok mögötted, lányom.

Lucilla mélyet sóhajtott, aztán bevilágított a kamrába.

37.

Lisete az arcokat figyelte. Domingos képéről szakadt a veríték, izzadságcseppek gyűltek össze a bajusza végén, kövérre híztak, majd lecseppentek a földre. A páter üveges tekintettel nézett maga elé, közben mozgott a szája. Senhor Pereira a körmét rágta idegességében.

A fény besuhant a kamrába.

A következő pillanatban Lucilla hátratántorodott, és nagyot kiáltott.

– Úristen! Úristen! Ezüst! Mennyi ezüst!

Megremegett, és kiesett a kezéből a lámpa.

Domingos és Pereira egyszerre ugrottak oda hozzá. Pereira apró üvegcsét kotort elő a zsebéből, és az asszony orra alá tartotta.

– Szalmiák – mondta Domingosnak. – Máskor is előfordult már, hogy ha nagyon felizgatta magát, elájult. Hogy is lehettem olyan ostoba...

Senhora Sullivan nagyot tüsszentett, és magához tért. Az első pillanatban még nem tudta, hol van, a következőben azonban már igen. Felemelte a fejét, és a nyílás felé mutatott.

– Én láttam... sok... ezüst... láttam.

– Jól van, Lucilla, most az a legfontosabb, hogy ne izgasd fel magad.

– Elájul... tam?

– Mint rendesen, Lucilla.

– Nem baj... kedvesem. A lényeg az, hogy megtaláltuk. Megvan a kamra! Megvan Simões mester kamrája! Gyerünk, menjünk be, és...

– Hazamegyünk, szívem. Majd később visszajövünk, és akkor bemegyünk.

– De én annyira szeretném, Vitor!

– Én is szeretném, de most nem lehet. Az egészséged mindennél fontosabb. Különben is odafent lassan megvirrad. És ki tudja, mi vár még ránk a viszszaúton? Nem tartogat-e még ez az éjszaka egyéb meglepetést is számunkra?

Tartogatott.

38.

Amikor kiértek a kamrából, Domingos és Pereira visszarakták a helyükre a téglákat.

– Gondolják, hogy ha így hagynánk mindent, ahogy van, feltűnne bárkinek is? – kérdezte az atya, aki egyre nehezebben viselte a várakozást.

– Az ördög nem alszik, atyám – mondta Pereira. – Ezt önnek jobban kellene tudnia.

– Csak a felesleges tétovázást nem szeretem.

– Már készek is vagyunk, atyám.

– Egyáltalán... visszatalálunk az aknához?

– Ebben reménykedem, atyám. Meg az ön fonalában.

Úgy bandukoltak a járatokban, mint a vert sereg. Valamennyien úgy érezték, hogy a cipőjüket – mialatt ők a kamra felfedezésével voltak elfoglalva – egy láthatatlan, kísértet suszter ólommal talpalta meg. Méghozzá olyan varázsólommal, amelyik minden lépésük után egyre nehezebb lesz. Sisakjuk úgy lötyögött a fejükön, mintha összeaszalódott volna a koponyájuk a föld alatt. Izmaik fájtak, Lisete úgy érezte, hogy a hideg rázza.

Ki tudja, hányadik kereszteződésnél jártak már, hányadik csatornába fordultak be, amikor végre felfedezték az atya fonalát a földön.

Az atya gyorsan keresztet vetett.

– Járt valaki erre.

Lisete előhúzta a pisztolyát.

– Csak óvatosan.

– Itt már nincs is fonal.

– Ott meg összegabalyodva egy öklömnyi kupac...

– Ebbe belekeveredett valaki.

Lisete megállt, és felemelte a kezét.

– Álljanak meg egy pillanatra, kérem.

Megtorpantak, és várakozva néztek rá.

– Óvatosaknak kell lennünk – figyelmeztette őket a lány. – Úgy látszik, mégsem olyan ritka errefelé a turista.

– Azt hiszi… utánunk lopódzott valaki?

– Nem tudom, Lucilla. Mindenesetre összebarmolták a páter cérnáját.

– Várjunk még egy kicsit?

– Csend! Mintha lépéseket hallanék.

Ekkor már Domingos is hallotta a közeledő lépteket. Valakik beszélgettek, az kétségtelen, de mintha csak egy valaki lépkedett volna a folyosón.

– Többen is jönnek… – suttogta senhora Lucilla.

– Egyvalaki jön – torkolta le a páter.

– Honnan a csodából tudja ezt maga ilyen jól? – tört ki a fáradtság szülte ellenkezés az asszonyból.

– A templomból – felelte Lucrecio atya.

Senhora Lucilla álla leesett a csodálkozástól.

– Hogyhogy a… templomból?

– Gyakran előfordul velem – magyarázta az atya –, hogy felkapaszkodom a kórusba, és hallgatom a csendet. Nem is sejtik, milyen csodálatos dolog az üres templomban a csendet hallgatni. Próbálják ki egyszer, csodálatos élményben lesz részük.

– Ha egyszer kijutok ebből a nyavalyás labirintusból, megígérem magának – sóhajtotta senhor Pereira.

– Szóval, ott ülök a kóruson, és élvezem a csendet.

– Ezt már mondta, atya.

– Egyszer csak… léptek koppannak. Kip-kop.

A léptek valóban feléjük közeledtek. Kip-kop.

– Ahogy hallgattam őket – már legalább tíz éve, hogy hallgatom – megtanultam kiolvasni belőlük, hány személy közeledik az oltár felé.

– Most hányan jönnek? – törölte meg verejtékező homlokát Domingos.

– Hát ez az – dünnyögte az atya. – Csupán egyvalaki.

– Lehet, hogy magában beszél? – találgatta senhor Pereira.

Erre viszont Domingos rázta meg a fejét, de úgy, hogy táncolni kezdtek a fények a bejáró falán.

– Hé! Oltsa már el a sisaklámpáját! – förmedt rá senhora Lucilla. – Húzódjon be maga is ebbe a kis benyílóba vagy micsodába!

Domingos gyorsan engedelmeskedett.

– Akart valamit mondani, senhor de Carvalho?

– Csak azt, hogy... biztosan ketten beszélgetnek.

– Biztos benne?

– Két különböző nyelven folyik a társalgás, ha nem vették volna még észre. Valaki valamilyen nyelven mond valamit, a másik pedig egy másik nyelven válaszol rá.

– Milyen... nyelven?

– Fogalmam sincs róla. Egyiket sem ismerem.

– Te jó isten, páter – kapaszkodott Lucrecio atya csuhája ujjába senhor Pereira. – Holtbiztos, hogy tisztátalan lélek! Két nyelven beszélget, és... csak egyetlen személy... azaz, két lába van... Kapja elő a szenteltvízszóróját!

– Felesleges, senhor – mondta feltehetően sápadt képpel az atya, amiből a sötétségben természetesen semmi nem látszott. – Kifogyott a szenteltvizem.

– Nincs tartaléka?

– A szenteltvíz ritka kincs, nem cipelhetem magammal marmonkannában.

– Fogják már be szájukat!

Lisete a sötétségre fogta a stukkerját. Ha mégsem túlvilági lény, akkor van esélye rá, hogy elkapja. Bárcsak ne az lenne!

A léptek már közvetlenül a benyíló előtt kopogtak. Mivel a bemélyedés alig három méter mély volt csupán, nem volt esélyük rá, hogy elrejtőzzenek a két nyelven beszélő, két lábbal kopogó valaki elől, ha be találna kukkantani a nyílásba.

Ő pedig bekukkantott.

39

Előbb azonban még fény villant a folyosón, majd megszűnt a kopogás és nyikorgás. Az atya elégedetten bólintott. Turistabakancs. Ezt a hangot már jól ismeri. Nem is kopogás ez, hanem inkább csosszantások sorozata. Úgy látszik, a fickó vasat veretett a sarkára.

A furcsa zajok közeledtek. Valami ismét koppant-csosszant, majd mintha a közeledő térdre vetette volna magát. Az atya ezt a zajt is jól ismerte, hiszen a templomban mindennapos dolog, hogy valaki kissé vehemensebben térdel le.

Aztán az ismeretlen beszélni kezdett. Méghozzá egy harmadik nyelven. Angolul.

– Állj meg, úgyis elkaplak!

Majd ugyanezt megismételte kissé idegenes kiejtéssel portugálul is.

Lisete kezében megremegett a pisztoly. Ki a fene ez?

– Úgyis megkereslek – fenyegetődzött az ismeretlen, előbb angolul, majd portugálul. – Látom, hogy bebújtál egy oldaljáratba.

Ebben a szempillantásban Domingos olyan vad mocorgásba fogott, hogy Lisete kénytelen volt elkapni a kezét.

– Mi történt, Domingos?

– Valami… felmászott a lábamon.

– Micsoda?

– Lehet hogy ez a soknyelvű… egy patkány?

Mivel a másik három is hallotta a suttogást, kis

híja volt, hogy ki nem tört a pánik. És ki is tört volna, ha be nem néz valaki a nyíláson. Sőt nemcsak hogy benézett, hanem még a lámpáját is rájuk irányította.

– Egy egér! – ordított fel senhor Pereira. – Ott mászik a lábán egy egér!

De Carvalho erre táncolni kezdett rémületében, pedig amúgy nem is félt a rágcsálóktól.

A nyílásban felbukkanó két szem elképedve nézett rájuk. Aztán az ismeretlen pillantása rákúszott Domingos lábára. Oda, ahol egy kis fehéresszürke egér kapaszkodott görcsösen az építész nadrágjába.

– Bocsánat, senhor – mondta egy hang immár csak egy nyelven, portugálul. – Megengedné, hogy levegyem a lábáról az egeret?

Domingos nyelt egy nagyot, és megpödörgette a bajusza végét.

– Csak tessék... kérem... csak tessék.

Immár egy kéz nyúlt be a nyíláson, és ügyes mozdulattal elkapta a menekülőt.

– Gyere, te kis hülye. Megígértem, hogy nem esik bántódásod.

A következő másodpercben az egér eltűnt a szemük elől, majd valami koppant. Lisete biztos volt benne, hogy az ismeretlen dobozba tette az egeret.

A soknyelvű kísértet felszívódott néhány pillanatra, majd visszatért hozzájuk.

– Bocsánat, hölgyeim és uraim – mondta elegáns meghajlás kíséretében. – Eszem ágában sem lett volna betolakodnom az önök... hm... barlangjába, ha az egér nem fut be oda. Márpedig ez egy nem mindennapi egér. Bocsánat. Jól vannak?

– Azt hiszem... igen – morogta senhora Pereira.

– Akkor én már megyek is – dünnyögte az ismeretlen. – És még egyszer elnézést kérek a zavarásért.

Ment volna, de Domingos és Pereira egymás sarkát taposva kibújtak a nyíláson. Mögöttük Lisete stukkerja következett.

– Hé! Uram! – szállt a távolodni akaró után senhor Pereira kiáltása. – Álljon csak meg, senhor!

A senhor megállt. Ekkor már valamennyien meggyőződhettek róla, hogy akárhány nyelven is beszél, és akárhogy is csoszog, nincs semmi démoni a kinézetében. Magas, vékony, izmos fiatalember, haja divatosan rövidre nyírva, zöld pulóvert és kék jeansnadrágot visel. Ja, és turistabakancsot. A senhor feléjük fordult. Amikor észrevette, hogy valamennyi sisaklámpa fénye rá irányul, lassú, nyugodt mozdulattal leoltotta a sajátját.

– Bocsánat – mondta. – Nem akarok a szemükbe világítani.

A többiek azonban nem kapcsolták ki a fényeiket. Domingos ehelyett lépett egyet a férfi felé, és csípőre tette a kezét.

– Megkérdezhetem, hogy kicsoda maga, barátom?

Az illető biccentett.

– Hát hogyne. A nevem Lawrence. Leslie L. Lawrence.

40.

Talán arra várt, hogy a többiek bemutatkozzanak, de mivel ez nem történt meg, ismét indulni készült. Domingos azonban ismét megakadályozta.

– Várna egy kicsit, senhor?

A Lawrence-nek nevezett fiatalember megtorpant. Domingos csak ekkor vette észre, hogy figyelő és éles a tekintete.

– Pardon, senhor?

Domingos a társaságra mutatott.

– Ellenőrök vagyunk. A folyosók állapotát ellenőrizzük.

A fiatalember vetett egy futó pillantást Lisete kivont pisztolyára, de nem tett megjegyzést.

– Engedje meg, hogy megkérdezzem, nem látott valahol omlást a járatokban?

Lawrence felkapcsolta a sisaklámpáját, majd megrázta a fejét.

– Nem én. Semmi ilyet nem láttam. Különben az atya is ellenőr?

– Ő is – bólintott Domingos. – Az egyik folyosó közvetlenül a rendháza alatt halad el, meg szeretne győződni róla, hogy nem kell-e a közeljövőben nem kívánt eseményektől tartania.

– Ó, hát igen – mosolygott a fiatalember. – Fő az óvatosság.

– És ön? – tudakolta Domingos. – Ön hogy kerül ide?

– Lemásztam – mondta Lawrence.

– Hol mászott le?

– Közvetlenül az egyetem mellett. Lemásztam egy utcai lefolyó aknáján, aztán a csatornát elhagyva átjöttem a régi járatokba. Egy iskolatársam mutatta meg az utat.

– Ön... iskolába jár?

– Már végeztem, senhor. Csak rövid időre érkeztem Lisszabonba. Különben Londonban lakom. Ott tanítok az egyetemen.

– Ön angol?

– Fogjuk rá.

– Végül is... mit keres idelent?

– Egereket – mondta elégedett mosollyal az arcán a fickó. – És már fogtam is egyet.

Domingos megpödörgette a bajusza végét.

– Ön egerekre vadászik?

– Igen, senhor.

– Hát ha egereket akar fogni, miért nem odafent kergeti őket?
A fiatalember arcán szélesebbre terült a mosoly.
– Én speciális egereket keresek. Lisszaboni csatornaegereket. Szeretnék cikket írni róluk.
– Cikket? Az egerekről?
– Tudományos cikket – bólintott Lawrence. – S. S. Parker írt már ugyan róluk egyet, de arról jobb nem beszélni. Nem olvasták véletlenül? Az volt a címe, hogy *A lisszaboni csatornaegerek morfológiai leírása.*
Domingos megrázta a fejét.
– Még nem olvastam.
A fickó legyintett.
– Ne is olvassa el. Csak a szemét rongálja vele. S. S. Parker valótlanságokat állít. Például az egér szemével kapcsolatban. Azt állítja, hogy a recehártya alakjánál fogva... De ez talán nem is érdekli önöket, különösen a hölgyek szokták nehezményezni...
– Ó, dehogy, Mr. Lawrence – mosolygott rá Lisete, akinek valahogy eltűnt a stukker a kezéből. – Csoda érdekes lehet az a recehártya, vagy micsoda... csak mi éppen a csatornák veszélyes helyeit kutatjuk...
– Értem, senhorita – biccentett Lawrence.
– Ön... biológus?
– Az bizony, senhorita. Biológus. *Is.*
– Hát még micsoda?
– Keleti nyelvekkel és keleti kultúrákkal foglalkozom. Tulajdonképpen ezeket tanítom Londonban.
– Egerek és keleti nyelvek?
Lawrence csak mosolygott.
– Legalább sikerült megfognia az egerét?
– Már itt van a dobozomban, senhorita. Ne aggódjék, nem fog elpusztulni. Lefényképezem, meg-

mérem, aztán visszahozom ide. Erre akár meg is esküszöm.

– Isten nevét hiába fel ne vedd! – mordult fel az atya.

– Bocsánat, atyám.

– Biztos, hogy egyedül van? – kérdezte Lisete, aki egyetlen pillanatra sem feledkezett meg az óvatosságról. Ki tudja, hogy a fickó igazat mond-e? Bár jámbor kutatónak látszik, nem először fordulna elő, hogy egy jámbor fickó egyik pillanatról a másikra hidegvérű gyilkossá változik.

– Hát hogyne – mondta a férfi csodálkozva. – Persze hogy egyedül vagyok.

– Mintha többen is beszélgettek volna – vágott közbe senhor Pereira. – Ráadásul nem is egy nyelven.

A fickó felnevetett.

– Ó, az Kálidásza volt.

Lisete ujjai rákulcsolódtak a fegyver markolatára.

– Indiai?

– Az, senhorita.

– Az imént mintha azt mondta volna, hogy egyedül van idelent. Ez az izé... Kálimicsoda a barátja?

– Azt azért túlzás lenne állítanom. Bár jó viszonyban vagyunk, az kétségtelen.

– Ő is biológus?

– Nem, senhorita. Ő költő... *volt*.

– Csak volt?

– Sajnos már meghalt.

– Mikor?

– Ezerötszáz évvel ezelőtt. Sri Lankán.

– Ezt... nem értem.

– Kálidásza szanszkrit költő volt, senhorita. Az ő verseit mondtam fel hangosan, amíg az egeret kerestem. Le kell vizsgáznom belőle, mert nemcsak tanítok, hanem tanulok is. Szanszkritul mondtam fel a versei szövegét.

Senhor Pereira előugrott Lisete mögül, és vádlón Lawrence-re mutatott.

– Most megfogtalak! Ugyanis egy másik nyelven is beszélt valaki! Kell lennie még egy személynek…

– Az is én voltam – mosolygott szelíden a magas, kefehajú fickó.

– Maga? – tátotta el a száját Pereira.

– Lefordítottam Kálidásza költeményeit burjátra, és mindjárt el is szavaltam őket.

– Maga… szanszkritről fordította… burjátra?

– A kommentárokat pedig magyarul mondtam hozzá.

Bocsánatkérőn mosolygott, mintha kellemetlenséget okozott volna bárkinek is, amiért a lisszaboni föld alatti járatok mélyén, egy lisszaboni csatornaegeret kergetve, Kálidásza költeményeit szavalta, burjátra fordította, majd magyar kommentárokkal látta el őket.

Senhor Pereira, amikor már képes volt levegőt venni, remegő hangon megszólalt.

– És most… merre tart?

A fickó megvonta a vállát.

– Ha nincs ellene kifogásuk, visszamegyek arra, amerről jöttem. Beváltok a csatornákba, és kimászom az egyetem főépülete előtt.

– Gyakran szokott idelent… mászkálni?

A fickó megvonta a vállát.

– Mikor hogy. Az az igazság, hogy sokat kell tanulnom, de az egérnek nem voltam képes ellenállni. Képzeljék csak el, ha megírom, hogy a lisszaboni csatornaegér szemében a recehártya interferenciájának semmi köze…

Domingos sóhajtott egyet, és csak úgy messziről és jelképesen megveregette a pasas vállát.

– Jó utat kívánunk önnek, senhor… izé… és legyen sikeres az egerével. Ha majd megjelenik a cikke…

– Ha megadja a címét, küldök egyet belőle – ajánlotta Lawrence lelkesen.

– Ó, ne fárassza magát, senhor – igyekezett kikerülni a nagy lehetőséget Domingos. – Jó kapcsolataim vannak az egyetemmel, majd beszerzek magamnak egyet belőlük. Hát akkor, agyő, Mr. Lawrence!

A fiatalember búcsút intett, és elgyalogolt az ellenkező irányba.

– Kedves fickó – mondta lágy hangon Lisete. – Kedvem lenne…

– Ez egy hülye – legyintett a lányba karolva Domingos. – Milyen ember lehet az, aki egereket kerget a csatornákban, ráadásul nem is azzal a céllal, hogy kiirtsa őket.

Megpödörgette a bajusza csúcsát, és terelni kezdte a többieket a kijárat felé.

Mindenképpen szüksége volt még egy kis időre az éjszakából.

41.

Szerencsére nem jártak már messze az aknától, tíz perc alatt el is érték. Lisete fejében megfordult ugyan, hogy meg kellett volna mutatni ennek a kedves Lawrence fickónak is, úgy hamarabb hazaérhetett volna, csakhogy Domingos úgysem egyezett volna bele.

Amint elérték a céljukat, Domingos elkapta a kötél végét, és a dereka köré kötötte.

– Húzódjanak egy kicsit félre, amíg felérek. Ha felértem, füttyentek.

A kürtőn való feljutás sem okozott problémát.

Csupán az atyát kellett kissé megtámogatni, mert már annyira elfogyott az ereje, hogy képtelen volt magától feljutni a felszínre.

– Akkor hát holnap folytatjuk – búcsúzott el tőlük senhor Pereira, miután meggyőződött róla, hogy árva lélek sincs a környéken. Várakozásukkal ellentétben még sötét volt, csupán egy vékonyka fénypamacs látszott a keleti égen.

– Próbálják meg estére kipihenni magukat.

– Úgy lesz – bólintott Domingos.

Senhor Pereira, senhora Lucilla és a páter eltűntek a balfenéken. Lisete és Domingos egyedül maradt a lejárat mellett.

Domingos a bajusza végét csavargatta, a lány pedig kínosan toporgott.

– Akkor hát?

A lány hallgatott, majd döntő lépésre szánta el magát.

– Kérlek, Domingos – kezdte halkan. – Megígértem, hogy ma éjszaka... te meg én... ugye, egy ágyban... és hát... én állom is a szavam... csak ezután a túra után...

Domingos megveregette Lisete vállát.

– Azt gondolod, drágám, hogy olyan fickó vagyok, aki nem tudja megzabolázni huszonnégy órára a vágyait? Hát én nem vagyok olyan! Tisztában vagyok vele, hogy fáradt vagy, holnap dolgoznod kell...

– Hát... igen – rebegte Lisete.

– Ezért a kedvedért... elhalasztjuk egy kicsit az együttalvást.

– Drága vagy – mondta Lisete, hangsúlyozottan ásított egy nagyot, majd Domingosra mosolygott. – Beülök egy taxiba...

– Odakísérlek a taxiállomáshoz.

Csókot váltottak, Lisete beszállt az egyik kocsiba, majd elfojtott ásítás kíséretében odavetette a sofőrnek a címét. Búcsút intett az építésznek, és hátradőlt az ülésen.

Amikor befordultak a következő sarkon, a lány megütögette a vezető vállát.

– Bocsánat, senhor, meggondoltam magam. Vigyen az egyetem központi épületéhez.

A vezető megvonta a vállát. Sok csodabogarat látott már a környéken; ez a csaj is nyilván közülük való. Piszkos is, büdös is egy kicsit, és az öltözéke is szörnyűséges. Pedig úgy amúgy első osztályú áru.

A visszapillantó tükör segítségével többször is végigpislogott az utasán, és éppen azt fontolgatta magában, hogy megkérdezi tőle, nem akar-e feljönni hozzá fürdeni, amikor véletlenül észrevette a lány zsebéből kiálló pisztolymarkolatot.

Lekapta a szemét a tükörről, és ettől kezdve már csak az utat figyelte.

42.

Lisete kiszállt a központi épületnél, és a falhoz támaszkodott. Megvárta, amíg a taxi elhúz az éjszakában, s visszanyomta a stukker kiálló markolatát a zsebébe. Volt ideje hozzászokni, hogy éjszakai munkái során nemegyszer ilyen és ehhez hasonló módszerekkel kell elhessegetnie magától a ragadós fiúkat. Lám csak, lám; ez is milyen gyorsan megértette, hogy jobb a békesség.

Végigfutott a szeme követzeten. Nem látott csatornafedelet. Elindult előre, és azon imádkozott magában, hogy megtalálja, amit keres. Csak nem ejtette át őket az a hogy is hívják fickó? Valami Leslie L. Lawrence, vagy kicsoda.

Elégedett nyögés szakadt ki belőle, amikor felfedezte a csatornatetőt. Ágas-bogas, dúslombú fa árnyékában rejtőzött, távol tartva magát az utcai fényektől.

Ezúttal meg azért kellett izgulnia, hogy fel tudja-e emelni. De hát miért is ne tudná? Ha ez az izé... Lawrence fel tudta emelni, akkor ő is képes lesz rá.

Az is volt. Bedugta az ujját a fémbe vágott, kicsi, kerek lyukba, majd addig ügyeskedett, amíg a tető megmoccant. Ezután stukkerja csövével dolgozott tovább. Bár izgult egy kicsit – nem akarta megrongálni a fegyverét –, szerencsére kellemesen alakult a dolog. A tető megemelkedett, és ő alácsúsztathatta a tenyerét.

Lisete körülnézett, s amikor nem látott semmi gyanúsat a környéken, rátette a lábát a mélybe vezető, vaspálcákból összehegesztett létrára. Az illat, amely odalentről áradt felé, közel sem kedvenc illatszerboltjára emlékeztette, de nem volt mit tennie, le kellett merülnie a mélybe.

Még egyszer kidugta a fejét a szabad levegőre, vett egy óriási lélegzetet, és visszahúzta a helyére a fedőt.

Elkezdett lefelé mászni a mélybe.

43.

Miután Lisete beült a taxiba és hazament, Domingos visszaballagott az építési területre. Látszólag csendes volt minden: a szomszéd házak csukott szemekkel várták a hajnalt. De Carvalho megállt az akna mellett, belenézett, majd hátraszólt a válla felett.

– Előjöhetnek.

A következő pillanatban mocorgás támadt a közeli téglarakások mögött, és előbb Calvao, majd Cruseiro bukkant fel a félhomályban.

– Csakhogy itt van, főnök – lelkendezett Calvao. – Már azt hittem, végképp beragadt valamelyik folyosóba.

– Jó lett volna, mi? Akkor most maga léphetne a helyemre.

Calvao a szívéhez kapott.

– Ilyet még csak ne is mondjon, főnök. Mi lenne velem maga nélkül?

– Egész jól elboldogulna – nyugtatta meg Domingos. – Bár még egy kis tapasztalat nem lenne kárára.

– Igenis, senhor. A tapasztalat sosem árthat.

– Hamarosan szerezhet belőle egy egész vödörrel. Kész van, Lionel?

– Én kész.

– Hát maga, Calvao?

– Mire, főnök?

– Lemegyünk a föld alá.

Calvao mintha icipicit elsápadt volna.

– Oda... le?

– Oda, Calvao. Meg kell néznünk valamit. És szükségem lenne a maga bölcsességére is.

Calvao megvakarta a feje búbját.

– Nem lenne jobb, főnök, ha én inkább idefent őrködnék? Ha esetleg erre tévedne valaki, megkérdezhetném tőle, hogy mit keres erre... meg ilyesmi. Én lennék a hátvéd.

Domingos a derekára erősítette a kötél végét.

– Maga jön utánam. A sort Lionel zárja. Oké?

Calvao megvonta a vállát.

– Úgyis meg kell egyszer halni, nem igaz?

– És ha megkérhetném rá, legalább addig fogja be a száját, amíg le nem értünk.

Így is történt.

44.

Már jó ideje odalent jártak; Lionelnek és Calvaónak fogalma sem volt róla, merre, amikor közeledő, csosszanó-koppanó lépéseket hallottak a távolból.

– Valaki jön, főnök – suttogta de Carvalho fülébe Calvao.

– Én is hallom.

– Mi legyen vele, senhor? – kérdezte Lionel Cruseiro. Fegyverként jókora csavarkulcsot szorongatott a kezében. – Lecsapjam?

– Egyelőre fogja vissza magát. Ez alighanem az egeres lesz.

– Milyen egeres?

– Viselkedjenek nyugodtan. Ártalmatlan a fickó.

A langaléta, kefehajú fickó úgy bukkant eléjük, mintha megrendelésre érkezett volna. Udvariasan lekapcsolta a sisaklámpáját, amikor észrevette őket.

– Jó estét, uraim. Micsoda meglepetés... Hiszen mi már ismerjük egymást.

– Nemrég találkoztunk – biccentett de Carvalho. – Csak nem lógott meg az egere?

– Ó, nem, már végeztem is a vizsgálatokkal. Visszaengedem a kicsit a családjához.

– Ezért kellett ismét begyalogolnia a labirintusba? Bármelyik csatornanyílásnál elereszthette volna.

A fickó tanácstalan képet vágott.

– Nem vagyok tisztában a csatornaegér tájékozódóképességével. Nem venném a lelkemre, ha nem találna vissza a szeretteihez. Ott eresztem el, ahol megfogtam. Az urak is ellenőrök?

– Valamennyien azok vagyunk – mondta de Carvalho a bajuszát pödörgetve.

– És a szép hölgyek?

– Az urak a váltás – morogta Domingos.

A pasas bólintott, és felkapcsolta a lámpáját.

– Bocsánat. Hát… jó volt önnel ismét összefutni. A régi barátoknak mindig örül az ember.

Megfordult, és menni próbált, ám de Carvalho hangja megállította.

– Hé… senhor… izé…

– Lawrence – segített a másik.

– Most is azt az izé… Kálimicsodát mondta fel? És a fordítás… burját, vagy micsoda?

A langaléta fickó nevetve megrázta a fejét.

– Ó, nem, senhor ezúttal nem. Ezúttal nem Kálidásza, hanem a Mahábhárata.

– Az is…?

– Költemény. Méghozzá jó hosszú. Egyszer el kellene olvasnia.

– És a fordítás… burját, vagy…

– Nem, nem, senhor. Ezúttal nem burját. A Mahábháratát még nem próbáltam burjátra fordítani. De most, hogy mondja…

– Akkor milyen nyelven…

– Kalmükül – mosolygott a fickó. – Fejben már jó nagy részt lefordítottam belőle. Őszintén szólva kicsit nehezen megy. De a kommentárok sem könnyűek.

– Azok…?

– Csahar nyelvre ültettem át őket. Köszönöm az érdeklődését, senhor. Igazán jólesik, hogy valaki figyelmet fordít a munkámra. Ha megadja a címét, elküldöm önnek a kalmük változatot és a csahar kommentárokat is.

De Carvalho búcsúüdvözletet intett.

– Köszönöm, senhor, majd a könyvtárból…

A magas fickó, a Lawrence nevű megfordult, és eltűnt a következő kanyar mögött.

Cruseiro és Calvao keresztet vetett.

Szabadíts meg minket a gonosztól, uram!

45.

Dr. Freeman, az igazságügyi szakértők vezetője lelkesen üdvözölte Lisetét.

– Gyere, kedvesem, gyere! Már azt hittem, nem is látlak, csak a fullajtáraidat küldözgeted hozzám. Foglalj helyet azon a széken.

Lisete ezen a kora délutánon világoskék blúzt és sárga nadrágot viselt, amely köztudottan olyan színösszeállítás, hogy hacsak nem az ördög felesége hordja magán, megdobogtatja még a legkérgesebb férfiszíveket is.

Lisete helyet foglalt.

Freeman doktor levette a szemüvegét, és megtörölgette a zsebkendőjével.

– Megkértem már valaha a kezedet, Lisete?

– Még nem, Ricardo bácsi – mosolygott Lisete apja régi barátjára.

– A fenébe is, ebből is látszik, hogy öregszem. Az az érzésem, Lisete, hogy nincs szebb nő nálad egész Lisszabonban.

– Ugyan már, Ricardo bácsi – irult-pirult Lisete. – Csak az udvariasság mondatja veled.

– Egyáltalán nem, Lisete, egyáltalán nem. Ki gondolta volna, hogy mi lesz abból a kis cserebogárból, aki nem is olyan régen még a térdemen mászkált, én meg a fenekét csipkedtem. Az ördögbe is, nem folytathatnánk ott a játékot, ahol akkor abbahagytuk?

– Azt hiszem, Ricardo bácsi, valamennyiünkkel elszaladt az idő.

– Te beszélsz időről, amikor a legszebb korban vagy?! Akkor mit mondjak én? Vén kecske lett belőlem, Lisete. Szóval, szépségem, a vizsgálati eredményekért jöttél, mi?

– Őszintén szólva.

– Nem is várhatom tőled, hogy egy ilyen öreg legényt, mint én, csak úgy, érdek nélkül meglátogass.
– Tudod, Ricardo bácsi, hogy ez nem így van.
– Dehogyis nincs így. És jól is van, hogy így van. No, akkor hát lássunk munkához. – Kutatni kezdett az asztalán tornyosuló papírhalomban, majd miután megtalálta, amit keresett – néhány papírlapot –, előbb Lisete lábaira pislogott, majd visszatért a papírokhoz. – Lássuk csak a medvét! Először is itt a tégla, amit behoztál. Bár ez nem az én szakterületem, kivertem a fickókból az eredményt. Nagy valószínűséggel a XVIII. századból való. Vagy még egy kicsikét korábbról. Nem tudták pontosan megállapítani.
– De a XVIII. századnál nem későbbi?
– Semmiképpen sem. Természetesen pontosítani lehet a dátumot a téglában lévő szerves anyagok vizsgálatával. Ezt a XVIII. századi időhatárt viszont e nélkül is jó szívvel mondhatom.
– Köszönöm. Nekem éppen megfelel.
– Akkor menjünk csak tovább. A bársonydarab. Hát ez furcsa valami. Ez is XVIII. századi. Csupán az a szokatlan benne, hogy épségben maradt. Ennyi idő alatt el kellett volna rothadnia. De ezen nincs nyoma a rothadásnak.
– Ez hogy lehet?
Ricardo bácsi felvonta a vállát.
– Több oka is lehet, Lisete. Ha jól tudom, a csatornákból hoztad fel. Ez viszont furcsa.
– Miért az?
– Mert arrafelé nedves a levegő. A nedvesség pedig árt a szövetnek.
– Csakhogy mi kifejezetten száraz helyen találtuk. És nem a csatornákban, hanem a labirintusban.
– Mi a különbség a kettő között?
– A csatorna nedves, a labirintus száraz. A labi-

rintust nem a víz elvezetésére készítették, sokkal inkább temetőnek és menedékhelynek.

Ricardo bácsi ismét vállat vont.

– Akkor bizonyára sajátos mikroklíma alakult ki ott, amely nem kedvez a rothadásnak, sokkal inkább mumifikál.

– Köszönöm Ricardo bácsi.

– Tehát ez is XVIII. századi. Akárcsak a kötéldarab. Viszont van ennél sokkal izgalmasabb is.

– A koponyák – sóhajtotta a lány.

– Úgy van, Lisete. Nos, ezeket is megvizsgáltuk.

Ekkor az következett, amit Lisete annyira utált a férfiakban. Tűkön ült, mennie kellett volna már, mégis szó nélkül végig kellett asszisztálnia azt a rövidnek aligha mondható folyamatot, amelynek során Ricardo bácsi kivett az asztalán álló díszdobozból egy szivart – már a válogatás is örökkévalóságnak tűnt –, megropogtatta az ujjai között, leharapta a végét, beleköpte a papírkosárba, és lassan, körülményesen meggyújtotta. Majd csak szipákolt és fújta a füstöt, miközben mennyei boldogság trónolt a képén.

Lisete pedig számolt magában. Kétszáznegyvennégynél tartott, amikor létrejött a tökéletes összhang a szivar és Ricardo bácsi között.

– Szóval – folytatta Ricardo bácsi –, a koponyák. A három koponya.

– A három koponya – bólintott Lisete.

– Antropológiai vizsgálatot is kértél, igaz?

– Igaz.

– Nos, egy antropológus meg is nézegette őket. Azt mondta, hogy szép kis trojka. Tudod, mi az?

– Lovas szán.

– Igen, de az a lényege, hogy három ló húzza. Néha három különböző színű. Ez benne a poén, hogy úgy mondjam.

Lisete szíve megdobbant.

– *Ez* esetben mi a poén?

– Az antropológusnő, valami Miranda... a másik nevét nem tudom, azt állítja, hogy a három koponya minden valószínűség szerint három nőtől származik. Egy feketétől, egy fehértől és egy ázsiaitól.

– Egy fekete, egy fehér, egy ázsiai...

– Ahogy mondod, Lisete.

– Koruk?

– Meg fogsz lepődni, de a XVIII. század közepe. Megtudhatnám, hogy mi az ördög ez az egész?

Lisete úgy gondolta, ha már ekkora szívességre kérte Ricardo bácsit, illik valamivel megjutalmaznia.

– Egy csatornatisztító találta a koponyákat – mondta.

– És a többi vacakot?

– Azt is, természetesen. Feltételeztük, hogy egy bűnügy áldozataira bukkantunk, és valószínűleg nem is tévedtünk. Csak éppen az a helyzet, hogy ez a bűnügy a XVIII. században történt, ami merőben megváltoztatja a hozzáállásunkat. Nem nyomozhatunk háromszáz éve elkövetett emberölések ügyében. Ez inkább a történészek dolga.

Ricardo bácsi fújt egy füstkarikát a mennyezet felé.

– Az ember azt hinné, hogy akkoriban nem is történtek gyilkosságok. Gondolod, hogy valami rituális dolog? A három fajtájú nő miatt gondolok erre.

Lisete megvonta a vállát.

– Ez már tényleg a történészek dolga, Ricardo bácsi.

Pedig dehogy az övék volt.

46.

Amint visszakapta a koponyákat, azonnal felhívta Afredo Morát. Nem szívesen hívta fel, mégis meg kellett tennie. Morával az volt a helyzet, hogy volt valaha közöttük valami, egy futó kis kaland, amely fájdalommentesen és gyorsan véget ért. Ugyanakkor Lisete azzal is tisztában volt, hogy a régi szerelem olyan, mint a hamu alatt izzó parázs. Lehet, hogy soha többé nem lesz láng belőle, lehet, hogy egészen a világ végéig a hamu alatt lapul, de az is lehet, hogy egyszerre csak újra fellángol. Lisete nem szerette volna, ha Mora félreérti a közeledését. Ezért úgy gondolta, legjobb, ha már az elején tiszta vizet önt a pohárba.

Csinos, kreol asszony nyitott ajtót Lisete csengetésére.

– Parancsol, senhorita?

Lisete felmutatta az igazolványát.

– Itthon van senhor Mora?

Az asszony elhűlve bámulta az igazolványt.

– A rendőrség... től? De hát... mit akar maga az én férjemtől?

Mielőtt Lisete válaszolhatott volna, feltűnt a háttérben az ismerős arc. Lisete kénytelen volt megállapítani, hogy Afredo még most is csinos, vonzó férfi.

– Téged keresnek, Afredo.

Mora a lányra pislogott.

– Lisete? Istenem... ez nem lehet igaz! Valóban te vagy az?

Megittak hármasban egy teát. Lisete úgy látta, hogy Afredo és felesége között – Judithnak hívták, és amerikai nő volt – tökéletes az összhang, és Morának sincs szándékában megfújdogálni a hamu alatt lapuló parazsat.

Amikor az asszony rövid időre magukra hagyta

őket, Lisete elmondta, mit szeretne a férfitól, aki mellesleg a csatornázási műveknél dolgozott. Mora meghallgatta, bólintott, és engedelmesen felvette a kabátját.

Így történt, hogy nem sokkal három óra után egy *Csatornázási művek* feliratú gépkocsi bukkant fel az egyetem előtt, megállt a tér szélén, s egy nő és egy férfi bújt ki belőle. Mindketten sárga sisakot és kék egyenruhát viseltek. Körülnéztek, majd egy sátrat vettek ki a kocsiból. A sátrat az egyik közeli fa alá vitték, ahol egy csatornalejárat fedlapja feketedett. A férfi a feljáró fölé állította a sátrat, majd mindketten eltűntek alatta. A forgalom természetesen zavartalanul folyt mellettük.

A férfi rövid idő múlva kibújt a sátorból, összecsukta, és berakta a kocsijába. Nekitámaszkodott az autónak, és az utca forgalmát figyelte. Különös tekintettel arra, hogy nem bukkan-e fel rendőrjárgány a környéken, vagy nem lát-e gyanús bámészkodókat.

Öt perc múlva elhajította a cigarettáját, odasétált a fedlaphoz, és mintha azt ellenőrizné, hogy jól helyezte-e vissza, kétszer is erősen rátaposott.

Aztán beült a kocsijába és elrobogott.

A fedőlap magától megmoccant, és a helyére billent.

De ezt már nem vette észre senki.

47.

Brandaõ és Faria nyomozók ezalatt megpróbáltak megbirkózni azzal a réges-régen elfeledett, ki tudja hova vezető ajtóval, amelyre Eulália Fontoura hívta fel a figyelmüket. A lány, akit már két késsel is megajándékozott a kísértet.

A dolog pedig úgy történt, hogy Faria végigjárta a tizenötös ház valamennyi lakóját aziránt érdeklődve, hogy van-e tudomásuk olyan ajtóról vagy lejáratról, akár elfalazott is lehet, amely a város alatti labirintusba vezet. A lakók többnyire friss jövevények voltak, nem is igen használták a pincéiket, így csak a fejüket rázták. Kivéve Eulália Fontourát.

Eulália a kezdeti rémület után, amelyet az okozott, hogy a gyilkos kísértet éppen őt szemelte ki valamire, aminek nem értette sem az okát, sem a lényegét, egyre inkább beleélte magát a jövendő áldozati bárány szerepébe. Biztos volt benne, hogy a kísértet nem véletlenül *neki* adta a fegyvereket. Már korábban kiszemelhette valamire; valószínűleg arra, hogy segítsen neki, vagy hogy a nyomába lépjen. És Eulália ettől félt a legjobban. Nem akart kísértet lenni; nem akarta sem magának, sem másoknak elvagdosni a torkát; kincseket sem akart; csupán azt szerette volna, hogy hagyják a maga életét élni, amibe természetesen vastagon bennfoglaltatott, hogy hagyják randevúzni azzal, akivel szeretne, és annyiszor, ahányszor csak jólesik. És ne kelljen attól rettegnie, hogy minden valamirevaló napja azzal zárul, hogy kimászik egy fiú ágyából, hazamegy, a lépcsőházban pedig egy kísértettel találkozik, aki alig használt késeket dugdos a kezébe.

És lehet, hogy ez még csak a kezdet – gondolta –, mert mi van akkor, ha ez a túlvilági lény egyszer csak lép egyet előre, és az ő torkának esik neki. Mire komolyabban is elgondolkodhatna rajta, hogy valójában mi is történt vele, már odalent gyalogol a kazamatákban, kezében a véres késsel, és ártatlanokra vadászik vele.

Brrr! – rázkódott össze. – Ugyanúgy, mint a vámpírok esetében. Mert az, ugye, köztudott, hogy akit megharap egy vámpír, az maga is azzá válik, és akkor nincs többé se kaja, se pia, se meleg ágyikó, irány egy koporsó, s amikor elüti az óra az éjfélt, elindulhat korgó hassal egy kis vérszivornyára. Hát ebből nem kér! Még akkor sem, ha a kísértet nem vámpír… Ámbár ki tudja? Ennek a megállapításához szakember kellene, mint például az az amerikai katona, aki egyszer, hajnaltálban azt mesélte neki, hogy arrafelé, ahol ő lakik, valahol Amerika déli részén, állati nagy mocsarak vannak, és úgy tenyésznek bennük a vámpírok és vérfarkasok, mint másutt a békák és a vadlibák. Ő maga is megfigyelt egyszer egy csapatot egy ködös hajnalon, amikor a bátyjával vadkacsázni voltak. Ott lapultak a bokor mögött, valami mocsár partján, és nem győztek maguk mögé pislogni, hogy nem látnak-e valahol támadókedvű krokodilt, amikor is Dan hirtelen megpillantotta a katonákat. Voltak vagy ötvenen, és fegyverrel a vállukon kimasíroztak a ködből, hogy egyenesen bemasírozzanak a mocsárba. A katonák a déli hadsereg egyenruháját viselték, csontkoponyájukon déli kalap ült, szemüregük előrenézett, mintha nem látnának semmi mást, csupán a mocsárba vezető utat. Még a cuppogást is hallották, amint begyalogoltak a trutymóba, majd eltűntek benne.

Este aztán, amikor másoknak is elmesélték a történteket, legnagyobb meglepetésükre nem keltettek akkora riadalmat, mint gondolták. Sőt tulajdonképpen semmilyet sem keltettek. Az öregek csak a pipájukat szortyogtatták, és azt mondogatták, hogy bizonyára Mosley őrnagy csapatával találkoztak. Mosley őrnagy és ötven embere a polgárháború legviharosabb napjaiban vonult át a mocsáron, s az északiaktól űzve olyan utat választott, amely iszonyatosan kockázatos volt. A láp azon részén akartak átvonulni, amelynek köztudottan nincs feneke. Aki arra merészkedik, az a halál fia. Hát Mosley őrnagy és az emberei is azok lettek. A halál fiai. Belesüllyedtek a mocsárba, és nem is kerültek elő soha többé. Élve. Holtan azonban igen.

Már senki nem emlékszik rá, hogy mikor, a nagyon öregek sem, de egyszer csak egy ködös éjszakán valaki megpillantotta őket. Ott bandukoltak a mocsárban, szigetről szigetre, mintha a kivezető utat keresnék. És néha meg is találták. Csakhogy akkor sem mentek tovább, hanem Mosley őrnagy megfúvatta a trombitásával a trombitáját, hátraarcot vezényelt, és ismét visszamasíroztak a mocsárba. Mintha attól a pillanattól kezdve már nem érdekelte volna őket a kivezető út.

Nos, ezekről és még egyéb rémséges figurákról mesélt Euláliának az amerikai katona, aki egy hajnalon úgy eltűnt mellőle, mintha ő is a mocsárba masírozott volna, pedig este még azt ígérte neki, hogy magával viszi Amerikába a mocsár mellé épült farmjukba. Csak aztán történhetett valami, mert még egy árva levelet sem küldött többé a lánynak. Eulália várta vagy egy hétig – szokatlanul hosszú ideig, ami azt is bizonyítja, hogy egy kicsit szerelmes is volt a katonába, és icipicit talán az ígéretének is hitt –, aztán vigasztalódott. Alighanem akkor jött az a dán mérnök, aki legókkal házalt, és akkor volt mérnök, amikor ő a második női pápa.

Szóval, amikor a két zsaru találkozott Euláliával, a lány éppen azon töprengett, hogy a vámpírrá válást elkerülendő, vajon kivel ossza meg a gondjait, kitől kérjen tanácsot. Isteni gondviselést látott hát a két tudakozódó zsaruban. Egyből visszaemlékezett arra a kinyithatatlan, rozsdás, undorító kinézetű vasajtóra, amely a pince mélységesen mély mélyében rejtőzött a kíváncsi tekintetek elől.

Már az is csoda volt, ahogy felfedezte. Kislánykorában történt, hogy összeszűrte a levet egy szomszéd házbeli sráccal, Luissal, és délutánonként vele lógott. Na, nem kell semmi komolyra gondolni, együttlétük alatt nem történt olyasmi, ami szüleit nyugtalaníthatta volna. Már persze, ha egyáltalán érdekelte volna őket, hogy mivel tölti az idejét Eulália, amikor ők nincsenek otthon. A francba is – gondolta –, tisztára meg vannak buggyanva a felnőttek, és ebben az ő ősei sem kivételek. Amikor kisebb volt, senki nem törődött vele, most meg, ahogy felnőtt, le nem másznának a nyakáról. Mintha bizony bármit is meg tudnának akadályozni, amit ő akar. Hiába kell otthon lennie tízkor vagy tizenegykor; bármikor felmehet bárkihez délután kettőkor is.

Az a lényeg, hogy akkor kopogtak be hozzájuk a zsaruk, amikor éppen azon törte a fejét, hogy mi az ördögöt csináljon. Már fürödni sem mert a kádban, mert éppen a minap látta a *Kopogó kísértet* sorozat valamelyik epizódját, amelyben a csaj beleült a fürdőkádjába, és a kezébe vette a szappant – persze tök pucéran, mivelhogy nem télikabátban fürdik az ember –, amikor is észrevette, hogy nem egyedül ücsörög a lében, hanem egy foszladozó hullával, aki igazából kísértet volt, és a falból jött elő, ahova ötven évvel ezelőtt dolgozta be egy pasas. A kísértet mindenkit ellenségének tekintett, aki csak a házban lakott. A fene vigye el, neki is megvan a maga kísértete a véres késeivel; még csak az hiányozna, hogy a kádba is utána menjen!

Ekkor kopogott be hozzá a két zsaru. A nagyobbikat Brandaõnak hívták, vállas, keménykötésű fickó, kissé bunkó ugyan, de elviselhető – nem annyira barom, mint az a svéd pofa, aki Elvisnek hitte magát –, a másik, Faria nevű – na, ez már kevésbé tetszett. Olyan volt a képe, mint a rókáé, és a lelke is valószínűleg rókalélek lehetett. De értették a dolgukat, annyi szent.

Először természetesen azt hitte, hogy még egyszer hallani szeretnék tőle a kísértettel kapcsolatos történeteit, de ezúttal nem ez volt a helyzet. A két zsaru másra volt kíváncsi.

– Maga régóta itt lakik már a házban, igaz, Eulália? – mézes-mázoskodott a rókaképű, hogy majd a hideg verte ki tőle.

– Ja – mondta ennek megfelelően nem túl bőbeszédűen.

– A haverom és én arra lennénk kíváncsiak, hogy hallott-e már arról, hogy a házak alatt kazamaták húzódnak?

– Mik? – kérdezte a lány.

– Járatok, alagutak, ahogy jobban tetszik.

– Ja.

– Ezt hogy értsem?

– Hát úgy, hogy hallottam.

– Mit hallott?

– Hogy temető van ott lent, meg kínzókamrák voltak valaha régen.

– Mást nem hallott?

– Mást nem. Meg hogy mindenfélék laknak arra.

– Mi mindenfélék?

– Szörnyek. Kétfejű emberek, óriási krokodilok. Tudja, hogy van az.

– Hogy van? – kíváncsiskodott Brandaõ.

– Úgy van – sóhajtott mélyet a lány –, hogy mondjuk, valaki szerez magának egy kis krokcsit.

– Mit? – húzta össze a szemét Brandaõ.

– Egy kiskrokodilt. Beteszi a fürdőkádjába, aranyos meg minden, de anyuci kiborul, és azt mondja: vagy én, vagy a krokodil.

– Ez jó – mondta Brandaõ. – És van olyan hülye, aki nem a krokodilt választja?

A lány ezen jót vihogott.

– Úgy látszik. Na, a pasas erre lehúzza a krokcsit a

kretyón. Az meg belejut a csatornába. És elkezdi enni a lenti szart – bocsánat, hulladékra gondoltam –, ami tele van vitaminokkal meg a vegyi üzemek illegális hormonkészítményeivel, amelyet egyszerűen csak a csatornába folyatnak. A krokodil ettől begerjed, és növekedni kezd. Akkora lesz, mint a Godzilla. Azt hallottam, hogy ilyenek vannak odalent.

– Kemény dolog lehet – bólintott Faria. – Szerencsére én még nem találkoztam velük.

A lány elhúzta a száját.

– Lehet, hogy egyelőre csak Amerikában vannak ilyenek, de előbb-utóbb nálunk is megjelennek.

– Minket az érdekelne, hogy le lehetne-e jutni valahogy ebből a házból a csatornákba?

– Ezt nem t'om – mondta a lány. – Még sosem hallottam, hogy valaki is lement volna.

– Nincs a pincében valami ajtó vagy csapóajtó, esetleg elfalazott járat...

Euláliának ekkor bevillant valami. Amikor gyerekkorában Luissal megtalálták a nagy, rozsdás vasajtót. Persze nem tudták, hogy hova vezet – zárva volt –, de azért jóízűen rémítgették egymást vele. Elképzelték, hogy odalent ördögök laknak, és csajokra vadásznak. Na nem olyan gyerekekre, mint Eulália, hanem igazi, kifejlett csajokra. Ha elkapják őket, leviszik a pokolba, és olyasmit csinálnak velük, amiről a gyerekeknek nem szabad beszélniük, sőt még gondolniuk sem szabad rá.

Eulália sóhajtott egyet.

– Hát... egy vasajtóról tudok.

– Igazán? – kérdezte felvillanyozódva Faria detektív. – És hova vezet?

– Be van zárva.

– Mindig?

– Tudtommal igen. Még soha nem nyitotta ki senki.

– A gondnok?
– Most éppen nincs gondnokunk. Elköltözött, hiszen jövőre lebontják az egész tizenötös disznóólat is.

A disznóól azért erősen túlzás volt, de hát Eulália a hasonlatok közül csupán az erőseket szerette.

Brandaõ összenézett Fariával.

– Lekísérne bennünket ahhoz az ajtóhoz, Eulália?

A lány kapva kapott az alkalmon. Hát persze, ezek a zsaruk majd segítenek rajta. Elkapják a csajt, és azután már nem kell félnie, hogy ismét kést kap a markába. Vagy a bordái közé.

Eulália magabiztos volt, ám ahogy lejutottak a pincébe, egyre veszített a magabiztosságából. A jó ég tudja, hány éve is annak, amikor utoljára itt járt Luissal. Lehet, hogy már ott sincs az az ajtó?

De ott volt.

48.

Eulália megbabonázva nézett a hatalmas, rozsdás ajtóra. Akárcsak a két zsaru. Brandaõ még el is fütyentette magát meglepetésében.

– Csoda vigye el, ez aztán a valami! Lehet vagy százéves.

– Vagy ezer – mondta a lány. – Felőlem akár annyi is lehet.

– Ezer talán nincs – mosolygott Brandaõ. – De azért nem tegnap készítették. Nézd csak meg, Faria.

Faria megnézte a vasajtót. Szép, díszes jószág volt; látszott rajta, hogy mester kovácsolta, bár a rajta díszelgő vasvirágok vastag rozsda- és koszréteg alatt lapultak. Brandaõ biztos volt benne, hogy ha leakasztanák, és elvinnék egy restaurátorhoz, sorban állnának érte a múzeumok.

Faria azonban nemcsak a virágokat, hanem a zárszerkezetet is megnézte. Megrángatta a kilincset, aztán széttárta a karját.

– Nincs bezárva.

Eulália eltátotta a száját.

– De mi megpróbáltuk… régen…

– Én is megpróbáltam – mosolygott Faria. – Mégsincs bezárva. Gyerünk Brandaõ, essünk neki!

Most már ketten próbálkoztak az ajtóval. Egyszerre nyomták kifelé, de a vaskolosszus meg sem moccant. A harmadik próbálkozás után Brandaõ feladta, és a lányhoz fordult.

– Nincs véletlenül otthon egy kalapácsotok?

– De van – mondta a lány.

– Gumikalapácsotok is van?

– Az is.

– Hozzál mindegyikből egyet.

Eulália kelletlenül lépegetett végig a pincén, kelletlenül mászott fel a lépcsőn, kelletlenül kereste meg a kalapácsokat. Úgy vonzotta valami a kinyithatatlan ajtóhoz, hogy egyetlen percre sem akart elszakadni tőle.

Tíz perc múlva visszaérkezett a zsarukhoz a két kalapáccsal.

– Arra azért kíváncsi lennék – mondta, Brandaõ kezébe nyomva őket.

– Mire?

– Hogy hogyan töri be velük a vasajtót.

– Sehogy – mondta Brandaõ.

– Akkor mit akar csinálni? Azért hozatta le velem a kalapácsokat, hogy…

– Kösz, hogy lehoztad, de most figyelj.

Brandaõ ekkor olyan tevékenységbe kezdett, amelyről Euláliának fogalma sem volt, hogy micsoda, és lassan kezdte azt hinni, hogy a zsaru megbugygyant. Segítségkérőn a másikra nézett, de azt láthatóan nem rendítette meg a társa.

Brandaõ letérdelt a földre, és ütni kezdte a gumikalapáccsal a kapu alját. Lassan ütötte, mintha nem akarta volna megsérteni a ramaty állapotban lévő vasvirágokat. Talán, ha nagyobbakat ütött volna, sorban letörtek volna a rozsdamarta virágfejek.

– Tudja ez, hogy mit csinál? – suttogta jó tíz perc múlva Faria fülébe a lány.

A zsaru bólintott.

– Tudja.

Brandaõ ezután a kapu jobb, majd a bal oldalával folytatta, majd egy ócska, legalább százéves ládára állva a tetejét vette tűz alá. Fél óráig kalapálta, míg abbahagyta.

– Most próbáld meg, Faria.

Faria a kapunak dőlt.

Fájdalmasan felnyikorgott valami, mintha kismacska vagy patkány szorult volna az ajtószárny alá. A hatalmas, rozsdás vasajtó engedett Faria nyomásának. Kelletlenül, de azért engedett.

Faria hátrafordította a fejét.

– Ehhez mit szólsz, kislány?

Eulália becsukta a száját.

Elhatározta, ha törik, ha szakad, lemegy a két zsaruval a föld alá.

Ez volt élete legrosszabb döntése.

49.

A kapu a zsaruk nyomásának engedelmeskedve háromnegyed részben kinyílott. Valószínűleg egy szemétkupac akadályozta meg, hogy teljesen kitáruljon, de ez végül is nem jelentett akadályt. A feltáruló nyíláson át is kényelmesen lesétálhatnak a föld alá.

Brandaõ mosolygott, és visszaadta a szerszámokat a lánynak.
– Köszönjük, hogy segítettél, Eulália. Nélküled aligha boldogultunk volna. Most azonban el kell köszönnünk egymástól…
– Nem – mondta a lány.
Faria felkapta a fejét.
– Hogyhogy nem?
– Magukkal megyek.
– Még csak az hiányozna.
Eulália igyekezett nyugodtan beszélni. Tudta, ha hisztériázni kezd, csak ront a helyzetén.
– Nem vagyok már kislány – mondta. – Tudom, mitől döglik a légy. És dögleszttem is őket rendesen. Azt is tudom, hogy nem a gólya hozza a gyereket.
Brandaõ megvakarta a feje búbját.
– Hogy jön ez ide?
– Úgy, hogy már felnőtt vagyok. És követelem, hogy úgy is bánjanak velem.
Brandaõ elnyomott egy feltörő mosolyt.
– Hiszen mi úgy bánunk veled. Ez nem is vitás. Csakhogy mi most nyomozunk. Ez a mi ügyünk.
– Meg az enyém – mondta a lány. – Elvégre én is benne vagyok nyakig.
A két zsaru összenézett.
– Ez rendőrségi ügy, Eulália – próbálkozott egyre idegesebben Faria. – Még egy felnőtt sem vehet részt a nyomozásunkban.
– Én mégis részt veszek benne. Tudni akarom, mi van odalent. Rólam és az életemről van szó.
– Márpedig…
– Akkor nem nyomoznak ki semmit. Semmi nem lesz itt, nem lesz francos nyomozás.
– Ezt vegyem fenyegetésnek? – kérdezte összehúzva a szemét Brandaõ.
– Felmegyek, és lecsődítek ide mindenkit – ígérte

a lány. – Az összes lakót. És felhívok minden újságot, hogy jöjjenek ide azonnal a riporterek. És a tévét is felhívom.

Brandaõ azon gondolkodott, hogy mi lenne, ha elvenné Euláliától a gumikalapácsot, és jól fejbe verné vele. A lány biztos elájulna, csakhogy ez egyszersmind a karrierje végét is jelentené. Arról nem is beszélve, hogy még a gumikalapács is veszélyes fegyver. Meglottyan valami Eulália agyában, és akkor vége.

Faria döntött gyorsabban.

– Jól van – mondta a lányhoz fordulva. – Velünk jöhetsz. Kivételt teszünk veled. Tudod, miért?

– Mert én vagyok az ügy főszereplője – nevetett a lány.

– Tévedsz – kacsintott rá Faria. – Én vagyok a liszszaboni fojtogató, és kizárólag odalent fojtogatok. Lejössz velem?

– Le én – vigyorgott a lány.

– A fene vigyen el, akkor gyere. De nem akarok odalent nyavalygást.

Akkor még el sem tudta volna képzelni, hogy rövidesen jobban nyavalyog majd, mint a lány.

50.

Elsőnek Brandaõ lépett be az ismeretlenbe. Előbb persze felvillantotta a lámpáját, mert odaát már nem volt villany.

– Hé! – szólt vissza pár pillanat múlva. – Várjatok egy kicsit. Valaki téglákat rakott az ajtó elé.

Zuhogás hallatszott, majd Brandaõ ismét visszadugta a fejét.

– Valaki be akarta falazni a nyílást. Vigyázzatok a lábatokra.

Euláliának ekkor szállt először inába a bátorsága. Ahogy megcsapta az orrát a labirintus nem kellemetlen, de azért mégiscsak állott szaga, visszahőkölt tőle. Ekkor gondolt rá először, hogy mi a fenét is szívózik itt; a végén még majd derékig süllyed a trutyiba, és egész este mást sem hallhat, mint az ősei „nemmegmondtam"-okkal teli sipákolását.

– Na, kislány? – kérdezte Brandaõ, mintha csak megérezte volna Eulália elbizonytalanodását. – Még mindig velünk akarsz jönni?

Talán az ördög volt az, talán egy kísértet, amely határozott fejbólintásra késztette Euláliát.

– Igen.

– Akkor gyerünk.

Eulália átbotladozott egy téglakupacon, miközben úgy belerúgott az egyik téglába, hogy majd kificamította a lábát.

– Mi van? – mordult rá Faria, a rókaképű. – Hasra ne ess itt nekem!

– Csak megpróbáltam odébb rúgni – hazudta Eulália.

Brandaõ a járatokat kóstolgatta az orruk előtt. Azt latolgatta magában, hogy nem kellene-e inkább visszafordulniuk, felszerelkezniük sisakkal, pótlámpákkal, kötéllel, csákánnyal, ki tudja még mivel, és csak aztán folytatni az utat. Csakhogy ez jó ideig eltartana, nekik pedig minden perc számít. Nem tudják, mit tervez Lisete – mert ekkor már mindketten meg voltak győződve róla, hogy Lisete keveri a kártyát. Csak még az nem volt egészen világos számukra, hogy miért.

Eulália okosabbnak tűnt, mint amilyennek látszott. Alighogy jó tízméternyire eltávolodtak az ajtótól, megtorpant, és a két zsarura nézett.

– Van kötelük?

Brandaõ jelentőségteljesen megköszörülte a torkát.

– Nincs. Nem tetszik talán a felszerelésünk?

– Tetszene, ha lenne – mondta Eulália. – Úgy hallottam, hogy a föld alatti kutatásokhoz kötél is szükséges.

– Ne nézz ostoba filmeket – legyintett Faria. – Ez itt nem az altamirai barlang, hanem egy csatornarendszer.

– Hány lámpájuk van összesen?

– Kettő – mondta Brandaõ. – És elég elem hozzá. Ha neked nincs, akár vissza is mehetsz.

– Hoztam egyet fentről – vonta meg a vállát Eulália. – Fegyverük, remélem, csak van!

Erre már a két zsaru nem is válaszolt. Eulália megszorongatta a kezében a gumikalapács nyelét. Remélhetőleg nem lesz rá szüksége. A vaskalapácsot ott hagyta valahol az ajtó előtt.

Brandaõ Fariához fordult.

– Most aztán merre?

Faria megvonta a vállát.

– Menjünk az orrunk után.

– Biztos, hogy visszatalálunk?

– Majd figyelem a járatokat.

Mintegy tizenöt perc elteltével aztán egyszerre csak rossz érzés tört az addig magabiztos Fariára. Az ördögbe ezekkel az egyforma falakkal! Hiszen az egyik járat éppen olyan, mint a másik. És akkor még itt vannak az oldaljáratok. Most már nem volt annyira biztos benne, hogy egyből visszatalálna-e az elhagyott ajtóhoz.

Óvatosan átpislantott a válla felett. A lány komor képpel battyogott mögöttük, kezében a gumikalapácsot szorongatva.

Eulália ekkor már megbánta, hogy leereszkedett a föld alá. Semmi olyat nem látott idelent, ami a romantikus kalandfilmek rejtélyes barlangjaira emlékeztette volna. Végeláthatatlan, sötéten ásító folyosórendszer húzódott az orruk előtt – még szerencse hogy száraz volt az alja és viszonylag tiszta. Jézusom, mi lenne, ha a város trutymójában kellene caplatniuk, és még az a veszély is fenyegetné őket, hogy egyszer csak előkerül egy vitaminokon hízott krokodil, és...

– Hé, Brandaõ!

Az elöl haladó zsaru megtorpant.

– Mi van?

Faria megvakargatta a feje búbját.

– Nincs ez valahogy jól.

– Micsoda?

– Alaposan eltértünk az iránytól.

– Milyen irányról beszélsz?

– Itt egy iránytű az óraszíjamon. Összevissza kanyarognak a járatok. Az az érzésem, hogy... nem lesz olyan könnyű visszatalálni az ajtónkhoz.

Brandaõ komor képpel nézett rá.

– Te vagy a fehér egér, nem? Te mondtad, hogy nincs olyan labirintus, amelyből ne találnád meg a kivezető utat.

– De most aggódom.

– A hétszentségit neki!

– Azt mondom, forduljunk vissza – szívta meg az orrát Faria. – Beszerzünk mindent, ami egy ilyen bulihoz kell, és visszajövünk. Akár már ma este is megtehetjük.

Eulália szívét rettegés töltötte el. A francba, a végén még itt dobja fel a talpát, ezekben a nyomorult folyosókban. Miért is volt olyan hülye, hogy a két idióta zsarura bízta magát?!

Hátrafordult, lámpája fényét végigfutatta azon a szakaszon, amelyet éppen maguk mögött hagytak.

Legnagyobb rémületére egy női arcot fogott be a

lámpa fénycsóvája. A nő ínye felhúzódott, amitől olyan rémítőn eltorzult az arc, hogy Eulália felsikoltott, s a lámpa is kiesett a kezéből.

Az éles sikoltás nagyjából azt a hatást gyakorolta a két zsarura, mint a váratlan bombatámadás egy békés kisvárosra. Brandaõ előrántotta a fegyverét, és hasra vágta magát, társa a vágat oldalához lapult. Eulália meg csak állt a járat közepén, mintha legyökeredzett volna a lába, és reszketett a félelemtől.

– Mi a franc az? – ordította Brandaõ. – Mi a franc ez, Faria?

– Honnan tudjam? – kiáltotta vissza a másik. – A kiscsaj visítozik.

A két zsaru lámpája célba vette a lányt. Eulália mindkét tenyerét a szájára szorította, és remegett, mint a Jeges-tenger vízébe esett eszkimó.

Brandaõ stukkerjával a kezében odaugrott hozzá, megrázta a vállát.

– Mi van, hé?

Eulália kinyújtotta a karját.

– Ott! Láttam vala... mit.

– Mit láttál, te... te...

– Egy nőt. Akarom mondani... csak a fejét.

Brandaõ a mutatott irányba nézett.

– Gurult?

– Micsoda?

– Hát a fej, te szerencsétlen!

– Nem... gurult – nyögte a lány. – A levegőben lebegett. Rávilágítottam a lámpámmal...

– A levegőben lebegett! A levegőben lebegett! – legyintett Brandaõ. – Ha valóban láttál valakit, csak a fejét láthattad, ha arra világítottál rá.

– Én valóban... láttam – erősködött a lány.

– Na és milyen volt?

– Borzalmas – rázkódott össze Eulália. – Vicsorgott.

– Hogyhogy vicsorgott?

– Hogy kell vicsorogni? Így ni!

Brandaõ gyorsan leintette.

– Ezt ne csináld még egyszer, mert rám is rám jön a frász.

Faria nem szólt semmit, csak tett néhány lépést arrafelé, amerre a lány mutatta. Hátrafelé, ahonnan jöttek. Tíz lépés után leguggolt, és a földre világított a lámpájával.

– Találtál valamit?

– Tele van lábnyommal a talaj. Mintha egy hadsereg menetelt volna erre. Azonkívül háromfelé ágazik az út.

– Mást nem látsz?

– Valami cérnafélét is látok. Nektek is látnotok kellene.

Brandaõ levilágított a földre. És valóban. Közvetlenül mellettük fehér szál futott valahonnan valahova, mintha valaki vékony ecsettel a földre húzott volna egy csíkot.

– És tényleg cérnaféle.

– Útjelző – mondta Faria. – Valaki gombolyítani kezdte a spulnit, hogy visszataláljon oda, ahonnan elindult.

– Oké! – könnyebbült meg Brandaõ. – Akkor nincs más dolgunk, mint hogy kövessük a fonalat. És máris kint vagyunk a vízből.

– Vízből?

– Csak jelképesen mondom.

– Értem én, csak nem tudom, hogy valóban kint vagyunk-e belőle. Ki tudja, honnan hová tart a cérna.

– Ezt hogy érted?

– Lehet, hogy nem kifelé, hanem éppenséggel befelé vezet bennünket.

– Hova befelé?

– Ez a kérdés.

Faria hirtelen megfordult.
– Valaki... itt jár mögöttünk.
Brandaõ elsápadt.
– Honnan veszed?
– Jó a hallásom.
Mielőtt a másik megakadályozhatta volna, Brandaõ tölcsért csinált a tenyeréből, és nagyot kiáltott.
– Hé! Van itt valaki?
Jelentéktelen kis visszhang támadt: éppen csak megkondultak körülöttük a falak, aztán a kondulás gyorsan el is enyészett.
– Senki – mondta aztán megkönnyebbülve.
– Vagy csak nem válaszol.
– Te ne szólj bele! Nem kellett volna velünk jönnöd.
– Most már én is tudom.
Akaratlanul csúszott ki Eulália száján, mintegy beismerve a vereségét. A francba, valóban nem kellett volna velük jönnie.
– Oké – bólintott Faria. – Menjünk vissza. Forduljunk meg, és kövessük a fonalat.
Brandaõ megvakarta a feje búbját.
– Lehet, hogy nem is olyan jó ötlet. Ki tudja, hova vezet?
– Talán a kincseskamrához – mondta Faria.
– Ki az a hülye, aki cérnát húz a kincseskamrához, hogy bárki megtalálhassa?
– Akkor mondj jobbat!
– Milyen kincseskamráról van szó? – tudakolta Eulália.
– Csak példaképpen említettem – igyekezett elterelni a figyelmet Simões mester kamrájáról Brandaõ. – Mondhattam volna akár kínzókamrát is.
Faria felkapta a fejét.
– Ismét lépteket hallok.
Brandaõ megrázta a fejét.

– Én nem hallok semmit.
– Én sem – mondta a lány.
– Akkor most mi legyen? Előremegyünk, vagy vissza?
– Merre van előre, és merre vissza?
– Nézd meg már az iránytűdet!
Faria megcsóválta a fejét.
– Összevissza forog.
– Az meg hogy lehet?
– A város van felettünk, haver. Csupa vas meg mágnes. Az lenne a csoda, ha nem forogna.
– A francba!
– Mi van már megint?
Faria aggodalommal látta, hogy Brandaõ kezében megremeg a lámpa.
– Láttál valamit?
Brandaõ kinyitotta a száját, majd becsukta.
– Lát… tam.
– Mit?
– Amit a… kiscsaj.
A „kiscsaj" a szája elé kapta a kezét.
– Jézusom!
– Mi a francot láttál?
– Egy… fejet.
– Hol?
– Hát a… levegőben.
Néma csend ülte meg a járatot. Eulália észre sem vette, hogy könnyek csepegnek a szeméből. Úgy félt, mint még soha életében.
– Csapdába… estünk – mondta.
Brandaõ mogorván pislogott rá.
– A kísértet csalt csapdába bennünket. Aki a késeket adta nekem. Engem akar, nem magukat. Maguk csak a… körítés.
Faria Brandaõ vállára tette a kezét.
– Mit gondolsz…

– Nem tudom – lihegte Brandaõ. – Nem volt teste, csak feje. Ott lebegett a… levegőben.

– Milyen… volt?

– Hát… elég borzalmas. Ebben is igaza volt a kiscsajnak. Vicsorgott. Méghozzá vérszomjasan. Te, Faria, talán nem kellene a cérnát követnünk. Lehet, hogy… ezzel csalja magához az…

– Az áldozatait? Ezt akarod mondani?

– Fogalmam sincs róla, mit akarok mondani, de egy biztos: minél hamarabb ki kell kerülnünk innen.

– Merre menjünk hát, haver?

A kérdés ott maradt a levegőben lebegve, mint a vicsorgó fej.

51.

Néhány percig még mentek valamerre – már nem tudták, merre van előre, merre hátra – a fonalat követve, aztán Brandaõ minden különösebb előzmény nélkül elkezdte ütni a fejét, majd kellemes bariton hangján kiáltozni kezdett.

– Miért is voltam ilyen hülye? Istenem, miért engedted, hogy ilyen hólyag legyek? Nem lett volna szabad lejönnöm ide.

Faria meghökkenve meredt rá. Jó néhányszor kerültek már ehhez helyzetbe az elmúlt évek során, de mindig kievickéltek belőle valahogy, és Brandaõ még sosem látszott ennyire kiborultnak, mint most. Úgy látszik, rosszat tett neki a fenyegető sötétség, és az a tudat, hogy a föld alatt vannak.

– Hé! – hallották hirtelen Eulália hangját. – Nézzenek csak ide!

Faria a lány felé fordította a lámpáját.

– Mit nézzek?

– Arra már nincs cérna. – A lány felemelte az elszakított fonalvéget. – Itt a vége.

– Nézz körül egy kicsit, hogy nem látsz-e...
– Egyedül nem megyek – rázta meg a fejét a lány. – Így is be vagyok szarva.
Brandaõ elkapta a vállát, és megszorította.
– Akkor gyere!
– Hé, hé! Ne szorongassa a vállam!
Brandaõ eleresztette, de a fonal folytatását csak nem találták meg. Ráadásul éppen háromfelé ágazott előttük a folyosó.
Brandaõ megrázta a fejét.
– Nincs tovább. Valóban ez a cérna vége. Látod?
A lány bólintott.
– Nem szakították el. Egyszerűen lefogyott a spulniról. Aki gombolyította, besétált valamelyik járatba.
– Akkor ez egy tiszta helyzet – mondta Brandaõ. – Előre nem mehetünk, csak visszafelé.
Visszatértek Fariához, aki a falhoz húzódva várt rájuk.
– Mire jutottatok?
– Elfogyott a cérna.
– Van egy jó hírem – vett mély lélegzetet Faria. – Már én is láttam.
A lány felvinnyogott a félelemtől.
– A fejet?
– Ha az.
– Miért... mi lenne?
– Talán nem is igazi fej. Idevetíti valaki elénk.
– Látsz valahol fénysugarat?
– Jól van, ne dumáljunk annyit, forduljunk inkább vissza. A fejről ráérünk eltársalogni odafent.
Amíg a fonalat követték, keveset beszéltek. De mindegyikük ugyanarra gondolt. Ki vette el vajon a józan eszüket, hogy lemerészkedtek a föld alá? Főleg így, megfelelő felszerelés nélkül. Brandaõ sóhajtott, és kénytelen volt önkritikát gyakorolni. A Lisete iránti gyűlölet egyszerűen elvakította őket. Azt

hitték, találnak valamit idelent, amivel kicsinálhatják a kellemetlen kolleginát, aki mást sem tesz, csak egyfolytában borsot tör az orruk alá. Nem, nem lett volna szabad fejest ugraniuk az ismeretlenbe. Majd odafent elkapják a nyomorult némbert. Majd odafent!

Egyelőre azonban idelent voltak, és... te jóságos isten!

Olyan hirtelen torpant meg, hogy Faria nekiütközött.

– Mi van, Brandaõ?

Brandaõ szótlanul a talajra mutatott.

Eulália sikkantott egy éleset, amit néhány tompa nyögés követett.

A fonál hirtelen eltűnt a szemük elől.

Faria lehajolt, és addig kutatott, amíg meg nem találta a végét.

– El... tépték – mondta.

– De az irány... az biztosan jó – morogta Brandaõ.

Faria feljebb emelte a lámpáját.

Melyik irány?

A lány felzokogott.

A folyosó ugyanúgy háromfelé ágazott előttük, mint ott, ahonnan a fonalat követve elindultak.

52.

Némán, döbbenten álltak, és moccanni sem mertek. Egyszeriben úgy érezték magukat, mintha egy elektronikus játék résztvevői lennének. Mintha ki kellene találniuk egy bonyolultan felépített labirintusból. Aki hamarabb kitalál, az a nyertes.

Csakhogy – ezt Faria gondolta – ezek a játékok még különböző akadályokkal is meg vannak tűzdelve. Például egy óriási szuperkígyóval, amely a száját tátogatja, és csak rád vár. Ha vigyázatlan vagy, és besétálsz a labirintusba, *game over*.

– Ki kell cserélnem az elemet a lámpámban – mondta Faria, mintha ez lenne a világ legfontosabb dolga.

– Máris kifogyott?

– Lehet, hogy lejárt szavatosságút vettem.

– Majd visszaviszed.

– Gondolod, hogy a pokolban is visszaveszik?

Eulália megragadta Faria karját.

– Kérem, ne! Ne beszéljenek így! Ki kell jutnunk, akárhogy is.

– Egyetértünk – bólintott Brandaõ. – Az a kérdés, hogyan?

– Nézzünk be a folyosókba – javasolta a lány.

– Melyikbe?

– Sorban mind a háromba.

– Én jobbat mondok – emelte fel az ujját Faria. – Mindegyikünk bemegy egybe. Tesz benne, mondjuk száz lépést, és visszafordul. Itt újra találkozunk, aztán megbeszéljük, mi a teendő.

– Nem lehetne, hogy együtt menjünk be, sorban…

Brandaõ megrázta a fejét.

– Ha kifogynak az elemek, sötétben maradunk. Még azelőtt meg kell találnunk a kijáratot. Másképpen szólva, nem érünk rá tökölődni. Enyém a jobb oldali járat, Fariáé a középső, a kiscsajé a harmadik. Indulás!

Eulália behunyta a szemét. Tuti, hogy álmodik. Hát persze hogy álmodik! Későn jött haza a svédtől, kurvára éhes volt, talált valamit a hűtőben, bezabált belőle, és most, tessék! Csak nyugi, mindjárt felébredek.

Kinyitotta a szemét, és újra csak három folyosó bejárata előtt találta magát a föld mélyén. Ismét sírni kezdett.

A két zsaru ügyet sem vetett rá. Besétáltak egy-egy járatba, és eltűntek a szeme elől.

Mivel nem tehetett mást, hiszen teljesen mindegy volt, hogy itt várja-e meg a kísértetasszonyt, vagy a folyosóban találkozik vele, elindult a járatban előre.

Addig ment, amíg bele nem botlott valamibe. De az is lehet, hogy elgáncsolta valaki. Mindenesetre fejjel előre berepült a sötétségbe, majd ott is maradt a földön. A lámpa kihullott a kezéből, és mindjárt ki is aludt.

Eulália biztos volt benne, hogy meghalt. Vagy azonnal meg fog halni. Mindjárt előbukkan a sötétségből a kísértetasszony és elvágja a torkát. Istenem, csak ne fájjon.

De nem jött senki. Addig próbálkozott aztán a felállással, amíg elérte a téglafalat, és szinte ugyanabban a pillanatban a lámpáját is megtalálta. Csak kicsit kellett megráznia ahhoz, hogy ismét felvillanjon a fénye.

Ahogy a fénypászma végigfutott a falon és a talajon, egy fekete csomagon állapodott meg.

Eulália sikított egyet, majd elhallgatott.

A fekete valami nem hulla volt, hanem egy táska.

Fekete, bőrből készült sporttáska.

Talán az ördög táskája.

53.

Faria nyomozó meghallotta a lány sikítását. Arra gondolt, hogy talán vékonyak a járatokat egymástól elválasztó falak, vagy összekötő járat húzódik az ő járata és a között, amelyikben Eulália bolyong. Megmagyarázhatatlan borzongás futott át rajta. Hátha soha többé nem látja meg a napvilágot. Hátha...

Mintha valami cirpegni vagy cincogni kezdett

volna a közelében. Villámgyorsan levilágított a lába elé, mert nem akart patkánycsapatba futni. Bár még egyetlen patkányt sem látott, amióta leereszkedtek a város alá, mégis ki tudja, nem laknak-e a járatokban akár ezerszámra is?

Bogarakat sem látott sehol. Hiába forgatta a lámpáját jobbra-balra, nem bukkantak fel sem csatornabogarak, sem svábbogarak a lámpa fénykörében.

Éppen azt latolgatta magában, hogy vissza kellene fordulnia, hiszen semmi jel nem mutatja, hogy a feneketlen sötétségbe vesző járat valaha is véget akarna érni, amikor furcsa jelenséget észlelt. Mintha homlokára és a kezére tapadt volna valami. Villámsebesen az arcához kapott. Úgy érezte, olyasféle ragacsos máz kenődött a képére, mint amikor gyerekkorában ráragadt a vattacukor.

Lepillantott a kezére. Úgy érezte, hogy azonnal megáll a szívverése. Ujjain vékony, furcsa szálakból álló, hártyaszerű képződményt pillantott meg, amely a pókhálóra hasonlított.

Faria zsaru arcán kiütött a verejték. Eddig sem fázott, sőt melege volt; ettől a pillanattól kezdve azonban forró katlanban érezte magát. Mintha egy föld alatti gőzfürdőbe tévedt volna.

Úristen! – zakatolt fejében a gondolat. – Pókhálóba keveredtem! Mindig is utáltam a pókokat, és most tessék! De hát hol vannak ezek az átkozottak?

Önkéntelenül is hátrálni kezdett; ekkor meg mintha hátulról támadtak volna rá a ragadós szálak. Érezte, hogy egyre vastagabb rétegben tapadnak a ruhájára, a kezére, a lábára és a lámpájára is. Olyannyira, hogy a lámpa fénye halványulni kezdett.

Ekkor már Faria is ordított. Már tudta, hogy miért sikoltozik a szomszédos vágatban a lány. Nyilván ő is belekeveredett ebbe az undorító, élő hálóba. Mert Faria biztos volt benne, hogy a pókháló, amely körülfogja, élő valami, nem holt anyag.

Megpróbált megfordulni és elfutni, de nem ment. A pókháló úgy megbénította, mintha kötelekkel kötözték volna meg. Hiába próbálta felemelni a lábát, meg sem moccant; hiába próbálta megmozdítani a kezét; mintha egy láthatatlan hipnotizőr vigyázz-állást parancsolt volna neki. Eleresztette a lámpáját, és az mégsem esett le a földre. Mintha erős ragasztóval az ujjaihoz ragasztották volna.

Faria ordított, ahogy a torkán kifért, miközben a mennyezet felé fordította a lámpa fényét.

Aztán elhallgatott. Úgy beléfagyott az ordítás, mint vízcsapba a januári víz.

Fent a feje felett, alig néhány méternyi távolságban tőle, a mennyezet és az oldalfal találkozásánál hatalmas, ember nagyságú pók lapult. Akkora, amekkorát még soha nem látott életében. Akkora, amekkorát még soha nem látott senki, amióta az ember csak megjelent a földgolyón. Akkora, amekkora a valóságban nem is létezik.

Itt mégis létezett. Mélyen a város alatt, ahova csak ritkán jut le világosság. Ahol a titkokkal teli sötétség uralkodik. S akkor Faria zsaru olyasmire gondolt, mint nemrégiben Eulália. Hogy ezt a hatalmas pókot nem természetes kiválasztódás révén hozta létre az evolúció; ez egy mutáns borzadály, amely csak a vegyi üzemek vagy gyógyszergyárak hanyagul a csatornákba eresztett szennyvizétől nőhetett ilyen baromi nagyra.

A pók megmoccant a mennyezeten. Feléje fordította a fejét, majd egy vastag, kötélszerű zsinóron mászni kezdett a fény felé.

Faria érezte, hogy éles fájdalom hasít a fejébe, aztán már nem emlékezett semmire.

54.

Eulália a falhoz lapult, úgy bámult a táskára. Már nem sikoltozott, sőt azt is megbánta, hogy eddig nem tudott uralkodni az idegein. Attól tartott, hogy sikoltásai idecsalják a táska gazdáját. Hátha itt lapul a közelben, talán éppen az ő beszélgetésüktől riadt meg, letette a cuccát a földre – talán nehéz volt neki –, és most valahol a sötétségben várakozik.

Megtörölgette a homlokát. A francba! A végén még nem is a kísértetasszony nyírja ki, hanem egy piti kis betörő, aki zsákmányát rejtegeti a föld alatt. Elvégre elképzelhető, hogy rablók és betörők is használják a járatokat. Elemelnek néhány kiló gyémántot, majd valamelyik levezetőnyíláson át lesüllyednek a város alá. A zsaruk ezalatt odafent fújják a sípjaikat; rohangálnak, mint a mérgezett egerek; a tettesek pedig jókat röhögnek a markukba. Elképzelik, hogy a zsaruk éppen azon tanakodnak, hogy vajon merre lehetnek, miközben ők itt bujkálnak alig egy-két méterrel a cipőjük talpa alatt.

Azzal is tisztában volt, hogy a rablók és a betörők ma már nem azok a sportszerű, fehér kesztyűs úriemberek, mint az ósdi filmekben. Azokban, ha lebuktak – mondjuk, éjszaka felébredt a ház gazdája –, feltartották a kezüket, és sorsukba beletörődve várták, hogy a háziasszony telefonjára értük jöjjön a rendőrség. Az újabb rablógeneráció már közel sem ilyen bugyuta. Ha lebuknak, nyomban a fegyverükért nyúlnak, és bárkit gondolkodás nélkül lepuffantanak, aki megpróbálja feltartóztatni őket.

Na már most – gondolta a lány –, más se hiányozna, mint hogy a kísértetasszony helyett egy közönséges, mezítlábas betörő vágja el a torkom.

Lekapcsolta a lámpáját, és tovább reszketett a sötétben. Ő aztán nem akadályozza meg a betörőt, hogy elvigye a zsákmányát. Csak jöjjön már végre valaki, és vigye a fenébe a táskát...

Sokáig várt – nem tudta, hogy meddig. Úgy érezte, évek múlhattak el már ebben a szörnyű várakozásban. Itt fog meghalni a sötétben, itt találnak rá száz év múlva a csontvázára.

Felkattintotta a lámpát. Lesz, ami lesz. Ha jön a rabló, megpróbál egyezkedni vele. Legfeljebb felajánlja neki saját magát, bár nem valószínű, hogy ilyen szakadtan kellene bárkinek is.

Aztán hirtelen arra késztette valami, hogy szedje össze magát. Szedje össze, és nézze meg, hogy mi az ördög van abban a táskában. Itt is hagyhatná, az igaz, de hátha olyat talál benne, aminek hasznát veheti. Talán egy térképet, amely megmutatja a kivezető utat. Meg kell nézni, mi van benne, nem is vitás.

Immár nem törődve sem rablóval, sem gyilkos kísértettel, odabotorkált a táskához, és letérdelt mellé. Egyszerű, fekete bőrtáska volt, és még csak be sem volt zárva. Egy ugyancsak fekete szíj szolgált arra, hogy összehúzzák vele a száját.

Eulália mintegy kábulatban cselekedve letérdelt, megragadta a szíjat és meglazította. Még csak szaporábban sem szedte tőle a levegőt.

Amikor már elég lazának érezte a táska száját, s valami fehérséget látott kivillanni a nyíláson, belenyúlt, majd kiemelte azt a gömbölyű valamit, amit legfelül talált a táskában.

Megnézte, aztán visítani kezdett. Szemei kidülledtek, keze-lába rángatódzott, mint a rémült bábfiguráké.

Pedig nem is volt olyan szörnyű, amit a kezében tartott. Csupán egy koponya feküdt a tenyerén, üres szemgödrét rámeresztve. Mintha szemrehányást érzett volna ebben a nagy ürességben.

Csak visított, visított, amíg azt nem érezte, hogy valaki hátulról megfogja a nyakát.

Akkor elájult.

55.

Brandaõ száz lépést tett előre a járatában, és éppen meg akart fordulni, amikor felfedezte az oldaljáratot. Bevilágított a lámpájával, de nem lett okosabb tőle. Szemernyi világosságot sem látott benne, amely kivezető nyílásra utalhatott volna.

Már visszafelé tartott az elágazások irányába, amikor újra csak rátört az önvád. Hogy lehetetett olyan barom, hogy gondolkodás nélkül megbízott Fariában; hogy lehetett olyan barom, hogy egyáltalán lemerészkedett ide, a föld alá? Hogy is gondolhatta józan ésszel, hogy eligazodnak majd idelent, ahol életükben még nem is jártak. Elvette az úristen az eszét, nem is vitás!

Ekkor hallotta meg előbb az ordítást, majd a sikításokat. Sikításfélét mintha már korábban is hallott volna, de nem vette komolyan. Bizonyára Eulália látott egeret, vagy ment neki a falnak. Vajon mi a fenéért kellett ezt a hisztis kis libát magukkal hozniuk? Csak feleslegesen hátráltatja őket, és... talán szerencsét sem hoz rájuk. Régen bezzeg tengerbe vetették az ilyeneket. Ha bajba került a legénység, a kapitány megállapította, hogy a hajón tartózkodó nők közül ki hozta rájuk a vészt, elkapták és zutty! – bele a tengerbe. Csakhogy, sajna, elmúltak azok a szép napok. A nők uralkodnak, és nem csak szexuális értelemben.

Az ordítás és sikoltozás mintha összefolyt volna. Brandaõ ekkor megértette, hogy valami nagy baj történhetett a másik két járatban. Vagy abban a járatban, amely a három járat kezdeténél ér véget.

Nekiiramodott, és futott, ahogy a lába bírta.

56.

Egészen addig loholt, amíg csak ki nem ért a járatból. A másik két folyosó bejárata feketén ásított; fénynek vagy mozgásnak nem volt nyoma. Brandaõ tanácstalanul ácsorgott, egyik kezében a lámpájával, másikban a stukkerével, és fogalma sem volt róla, mit csináljon. Hirtelenjében azt sem tudta, hogy melyik járatba ki ment be. Mintha arra emlékezett volna, hogy a kiscsaj nem is akart bemenni egyikbe sem. Eszerint mégiscsak bement. De vajon melyikbe?

Találomra odalépett a legközelebbihez, és félénken bekiáltott.

– Hahó!

Nem válaszolt senki.

– Hahó!

Erre sem. Brandaõ ekkor a másik járathoz lépett, és megismételte a kiáltozást. A második *hahóra* mintha gyenge válasz érkezett volna. Mintha valaki nyögött vagy morgott volna valamit.

Brandaõ két lehetőség között választhatott. Vagy megfutamodik, vagy az elveszettek keresésére indul. De ha megfutamodik, merre futamodjon? Arra, amerről jött, vagy menjen vissza a járatába? Esetleg valamelyik másik járattal próbálkozzék?

Ekkor ismét felhangzott Eulália sikítása. Brandaõ majd hanyatt esett rémületében. Mintha a fülébe sikoltozott volna a lány.

Gondolkodás nélkül bevetette magát a járatba. Futott vagy ötven métert, amikor végre megpillantotta Euláliát. A lány a járat közepén állt, tartott valamit a kezében, és nyögdécselve sikoltozott. Brandaõ biztos volt benne, hogy az utolsó percben érkezett. Ha kicsit később jön, a lány úgy bereked, hogy talán meg sem találta volna.

Mivel a lány háttal állt neki, elkapta a nyakát, és megpróbálta maga felé fordítani. Eulália azonban nem fordult meg. Ehelyett összecsuklott, mint egy rosszul összeszerelt állvány.

A lány kezéből valami Brandaõ cipőjére hullott. Bár nem volt könnyű egyszerre Euláliát is tartani, a revolverét is, és a lámpáját is, valahogy mégiscsak sikerült rávilágítania.

Nem kellett sokáig világítania, hogy felfogja: egy koponya fekszik a cipőjén.

Sóhajtott, odébb rúgta, leültette a lányt a földre, és a járat falához támasztotta a fejét.

Aztán a koponya fölé görnyedt.

57.

Amikor Eulália kinyitotta a szemét, nem tudta, hol van. Néhány pillanatig azt hitte, hogy lehúzott redőnyű szobában fekszik, egy dögkemény ágyon. Mivel nemegyszer ébredt már ismeretlen szobában, nem valami király fekvőhelyen, nem dúlta fel különösebben a dolog. Az már inkább, hogy egy árnyékot látott mozogni a közelében. Éppen azon töprengett, hogy megszólítsa-e, amikor az eszébe jutott minden. Mintha villámfény gyulladt volna a sötét éjszakába. Te jó isten, hiszen a föld alatt van! Ez pedig itt…

– Mielőtt visítani kezdenél, gondold meg a dolgot – hallott egy ismerős hangot. Az egyik zsaruét, Brandaõét. A következő másodpercben a fickó arcát is megpillantotta. Direkt világított rá a lámpájával, hogy a lány meggyőződhessen róla: valóban ő az.

– Na? Hogy tetszem? – kérdezte a zsaru.

– Mi tör… tént velem? – nyögte a lány.

– Elájultál.
– Valaki... hátulról...
– Az én voltam – morogta a zsaru. – Szóltam is, hogy én vagyok, de addigra már összecsúsztál.
– Hol... van?
– A koponyára gondolsz? Annyira megijedtél tőle? Hiszen csak egy koponya. Van még két másik is belőle.
– Jézusom!
– Ebben a táskában találtad, mi?
– Véletlenül vettem... észre.
– Nincs semmi baj. Három koponya volt a táskában.
– Ez valami... bűncselekmény? Úgy értem... gyilkosság...?
– Az is lehet – bólintott Brandaõ. – Semmi izgalom, kislány. Nincs semmi baj. Jó régiek a koponyák. Lehet, hogy több száz évesek. Bizonyára itt találta valaki őket a kazamatákban.
Eulália lassan magához tért.
– Azt mondja... régiek?
– Amennyire meg tudom állapítani.
– Vajon mit akarhatott velük...
– Jó kérdés. Talán el akarta adni őket. Ki tudja?
– A táska...
– Mi van vele?
– Egészen újnak látszik.
Brandaõ arra gondolt, hogy ez a kislány nem is olyan ostoba. A táska valóban új volt, alig néhány hónapja vették. Samuel és Samuel üzletében, fél mérföldnyire a rendőrség épületétől.
Brandaõ már azt is tudta, kié a táska.
Arról, hogy kié, a belsejébe varrt kis selyemszalag árulkodott.
Amelyre Lisete Alves neve volt ráhímezve.
Ezt, persze, a kiscsajnak nem kellett tudnia.

58.

– Hol van a társa…? – kérdezte bizonyos idő elteltével a lány.

– A másik járatban – mondta Brandaõ.

– Mintha… furcsa zajokat hallottam volna…

– Én is hallottam őket.

– Mintha a másik járatból…

– Jól van, gyerünk vissza.

– Itt hagyja a táskát?

– Elviszem a bejáratig, ott leteszem. Majd visszajövünk érte.

– Honnan?

Erre Brandaõ már nem tudott mit mondani.

Kiértek a járatukból, de nem látták sehol Fariát. Brandaõ megtörölgette a tenyerével az arcát. A fenébe is, érezte már jobban is magát. Ezek szerint az Alves lány is itt járt valahol… De mi a fészkes fenét jelentsen a három koponya? Lisete áldozatai talán? Nem, ez lehetetlen. Látszik rajtuk, hogy régiek. Ezeket nem ölhette meg Lisete.

Brandaõ tölcsért csinált a kezéből, és bekiáltott Faria járatába.

– Hé! Faria!

Csend volt odabent, az éjszaka csendje.

Vett egy mély lélegzetet, és a lány felé fordult.

– Velem jössz?

– Ühüm – dünnyögte a lány. – Nem akarok egyedül maradni.

– Jól van. Gyere szorosan mögöttem. Nálad van a gumikalapács?

– Ühüm. Eddig a zsebemben volt.

– Szorítsd a markodba! Ha valaki ránk támadna, üss rá akkorát, amekkorát csak bírsz. Aztán futás! Fuss, amerre a szemed lát!

– És aztán?
– Gyerünk! Ne fecséreljük feleslegesen az időt.
Belevesztek a járat sötétségébe.

59.

Lisete ötpercenként előhúzkodta a papírjait a zsebéből, és megszemlélte őket. Hol az egyiket, hol a másikat. A csatornarendszer tervrajzait tartotta a kezében, amelyeket a városi építési irodából szerzett meg. Az egyik papíron a hivatalos csatornahálózat térképe volt látható, a másikon pedig a labirintus járatainak kézzel rajzolt kusza hálózata. Ez utóbbit egy vállalkozó kedvű mérnök készítette 1932-ben. Sajnos közel sem volt teljes, mivel a mérnök képtelen volt bejutni minden járatba, lévén, hogy ahhoz minimum évtizedek kellettek volna.

Lisete már az első félórában rádöbbent: jó, ha minden második járat rajta van a térképen. A mellékfolyosókról már nem is beszélve.

Amikor meghallotta a közeledő lépteket, és az ezeket kísérő hangokat, nem akart hinni a fülének. Hárman voltak a közeledők: két féri és egy nő. A járat, amelyben a térképeit nézegette, élesen elkanyarodott, így csak akkor figyelt fel rájuk, amikor már csak alig néhány lépésnyire voltak tőle. Első gondolata az volt, hogy elhajítja a táskát, és elmenekül, aztán még idejében lefékezte magát.

Az egyik hangban Brandaõéra, a másikban Fariáéra ismert. A harmadikét, a nőét ismeretlennek vélte. Bár talán nem is nő volt az illető, hanem fiatal lány. Kissé affektálva beszél, s érződik rajta némi ijedtség. Hogy a fenébe csatlakozhatott a két zsaruhoz?

És vajon Brandaõ és Faria hogy kerülhettek a föld alá? Őt követték volna? A fenébe is, erre nem gondolt. A két kullancs a nyomába szegődött, és esze ágában sincs leszakadni róla. Vajon mit akarhatnak tőle? Valóban azt hiszik, hogy elkaphatják? Megmarkolta a sporttáska zsinórját, és futni kezdett vele. Léptei zaját beszívta a folyosó laza földje. Talán víz csoroghatott le odafentről, az puhította meg a mindeddig csontszáraz talajt.

Amikor megállt, ismeretlen járatban találta magát. Ördög vigye el, meg kellett volna néznie a térképet! Most aztán keresgélhet, és még örülhet, ha el tud igazodni...

A következő pillanatban úgy érezte, mintha valami megsimogatná az arcát. Lágy, puha szárny. A fenébe is, denevérek! Holtbiztos, hogy denevérek! Nem mintha félne tőlük, vagy mi, de azért szeretni sem szereti őket. Mindenesetre, jobb, mintha repülő sündisznók csapdosnának a járatokban.

Ez meg mi a fene? Mintha valaki ragacsot kent volna az arcára? Csak nem szarták le a denevérek? És egyenesen bele a képébe... Ilyen pofátlanok nem lehetnek...

Hirtelen a lábához kapott. Mintha azon is mászna valami. Óriási erőfeszítéssel megpróbált nem kiáltozni, nem sikoltozni, nem üvölteni... gyerünk, lássuk csak, mi ez?

Majdhogynem rosszul lett attól, amit látott. Valami undorító szörnyűség közepén találta magát, amelyről fogalma sem volt, micsoda. Mintha óriási pókhálóba keveredett volna, amelynek a szálai olyan vastagok voltak, mint a liánok az őserdőben. Mi a fene lehet ez?

Ekkor már minden porcikáját beborították a ragacsos szálak, s mennél jobban kapálódzott, annál jobban beléjük ragadt. Mint a légy a pókhálóba. Lehet, hogy ő is egy nagy légy, és valahol pókok milliárdjai lesnek rá?

Üvöltést hallott a távolból. Igen messziről jött a hang, így nem volt biztos benne, hogy valóban Faria üvölt-e.

Legszívesebben ő is sikoltozni kezdett volna. Érezte, hogy egyre reménytelenebbül beleragad abba az ocsmányságba, amely körülveszi. Észre sem vette, hogy mikor ejtette ki a táskát a kezéből, de ez már nem is volt fontos.

Sokkal fontosabb volt az élete.

60.

Sejtette, hogy perceken belül mozdulatlanságra kárhoztatja a pókháló, ezért gyorsan kellett cselekednie. Első gondolata az volt, hogy előkapja a stukkerét, és megpróbálja szétlőni a liánokat. Csakhogy liánból sok volt, s a revolveréhez is nehezen férhetett volna hozzá. Akkor talán a kése... Ez az! A kése!

Remegő kézzel tapogatódzott a kése után. Érezte, hogy a ragacsos valami egyre határozottabban szorítja le a kezét. Jaj, csak a kését érje el... csak érje el!

Elérte. Később már nem tudott visszaemlékezni rá, hogyan kapta a markába, hogyan nyitotta ki, és hogyan kezdte vele kaszabolni a testére fonódó szörnyűségct. Kaszabolta, kaszabolta, ameddig csak bele nem fáradt. Nem tarthatott soká ez a kétségbeesett ütközet – talán még egy percig sem – ő mégis örökkévalóságnak érezte.

És teljesen hiábavalónak. Hiába kaszabolta a liánokat, nem sok sikerrel járt. A késpenge ugyan belevágott egyikükbe-másikukba, de sok kárt nem tett bennük. Szerencséjére úgy esett a lámpája a földre, hogy megvilágította a járat falát.

Rá kellett döbbennie, hogy minden hiába: ebből a csapdából nem fog soha kiszabadulni. Anélkül hal meg, hogy megtudná, mibe mászott bele. Normális póknak nem lehet ilyen vastag szálú a hálója. Akkor meg mi ez? Óriáspókok élnek idelent, mint a horrorfilmekben?

Amint összevissza csapkodva megpróbált megszabadulni a pókhálótól, véletlenül a zsebébe csúszott a keze. Oda, ahonnan a kését kivette. Uramisten, hol a késem? Nyilván leejtettem a nagy kaszabolásban…

Ez meg micsoda? Öngyújtó és gyertya, amit arra az esetre hoztam magammal, ha valamilyen előre nem látható oknál fogva nem tudnám a zseblámpámat használni.

Fogalma sem volt róla, hogy mit tesz; agya már feladta a kontrollt végtagjai felett. Arról sem tudott, hogy abban a pillanatban, amikor egy liánszál a torkára fonódott, felkattintotta az öngyújtóját.

Arra riadt, hogy tűzhenger borít be mindent körülötte. Lángok lobogtak a szeme előtt, majd olyasféle sistergést hallott, mintha zsír égne. Csapkodni kezdett az arca előtt, hogy elhessegesse magától a lángokat, s nagy hessegetésében észre sem vette, hogy már szabad a keze és a lába is. A liánok egyszerűen leégtek róla.

Amint megszabadult kegyetlen ellenségétől, a nedves földre vetette magát. Meghempergőzött néhányszor, aztán felállt.

Sötét volt a járatban, csak a leejtett villanylámpa fénye pislogott egyre sápadtabban. Lisete végighúzta az arcán a kezét, de nem érezte, hogy megperzselődött volna a bőre. És a ruhája sem égett.

Anélkül hogy megvizsgálta volna, mi történt fogvatartójával, felkapta az elejtett zseblámpát, a táskáját, megfordult, és kifelé igyekezett a járatból.

Addig futott, amíg fényt nem látott villogni maga előtt. Gyorsan lekapcsolta a lámpáját, és csendben kilihegte magát. Még egyszer végigkutatta arca és keze minden négyzetcentiméterét, de nem érezte, hogy bárhol is megégett volna. És a ruháján sem talált égésnyomokat.

Lisete megtörölgette a homlokát... Lehet, hogy csak álmodtam a történteket? Lehet, hogy... meg sem történt, amit megtörténtnek hiszek? Ez esetben viszont mi volt velem? Hipnózisba estem, avagy... Hirtelen világosság gyulladt a fejében. Megvan! Bizonyára beszívott valami vegyi anyagot, amit azok a rohadékok a csatornába engedtek. Hallucinogén lehetett, ha ezt tette vele. Még szerencse, hogy ki tudott menekülni a járatból.

Csuklójára pislantott, hogy megnézze, mennyi az idő. Aztán rémülten felkiáltott. Közvetlenül az óraszíj felett a csuklóján vékonyka, rücskös kígyó tekergőzött.

Letépte magáról, és elhajította. Annak a pókhálószerű liánmezőnek egy kicsinyke darabja lehetett, amelyet leperzselt magáról. Akkor viszont nem volt se hipnózis, se álom, se hallucináció, ami történt vele.

Zseblámpa fénye villant alig tízméternyire tőle, s halvány világánál azt a lányt – Euláliát – pillantotta meg maga előtt, akinek a kísértet két alkalommal is tőrt nyomott a markába.

Arra már nem volt ideje, hogy a táskája után kotorásszon: ott hagyta a fal mellett, és elmenekült a fény elől.

Eulália pedig belebotlott a táskába, és sikoltozni kezdett.

61.

Lisete a falhoz lapulva figyelte a lányt. Hallotta meglepett nyögését, és kis sikkantását, amikor felfedezte a táskát. Lisete átkozta magát könnyelműségéért, amiért nem húzta olyan helyre, ahol nincs szem előtt. Csakhogy már nem maradt rá ideje. Ha sokat vacakolt volna a táskával, Eulália észreveszi.

Na és ha észreveszi? Elvégre szólhatna is neki... Ahogy látja, a lány meg van rémülve, nyilván belekeveredett valahogy a járatokba, és most nem találja a kivezető utat. Már-már azon volt, hogy elétoppan, de aztán elállt a szándékától. Elvégre a lány is nyakig benne ül ebben az ügyben. Az egyik lebontásra ítélt ház mellett lakik, és rendszeresen találkozik a kísértettel. Sőt a kísértet még meg is ajándékozza. Olyan tőrökkel, amelyekkel gyilkosságokat követtek el.

Csak óvatosan, Lisete, csak óvatosan. Segíteni akkor is ráérsz neki, ha megbizonyosodtál róla, hogy valóban eltévedt. Addig csak figyeld, hátha történik vele valami.

A lány abbahagyta a meglepett sikoltozást, és a táskához közeledett.

Lisete keze megrándult, hogy elkapja az orra elől, esetleg, ijesztésképpen a levegőbe lőjön egyet, de aztán meggondolta magát. Egy kőmennyezetbe nem egészséges dolog belelődözni. Arról már nem is beszélve, hogy ennél egyszerűbb módon is el tudná riasztani a lányt. Ha csak el nem riasztja ő maga saját magát. Ha kinyitja a táskát, megtalálja benne a koponyákat, és ha csak nincs acélból öntve a szíve, akkora balhét csinál, hogy megindulnak tőle a falak.

Ez is történt. A kiscsaj kinyitotta a táskát, és mintha a világ legtermészetesebb dolga lenne, kiemelte belőle a legfelső koponyát.

A feltörő sivalkodás megremegtette a falakat. Lisete azt hitte, Eulália elhajítja majd a gyászos relikviát, és futásnak ered. De nem ezt tette. Csak állt a folyosó közepén, kezében a koponyával, és visított, mint a leszúrt malac.

Ekkor kellett volna odaugrani hozzá, felkapni a táskát, és elinalni vele valamerre... csakhogy Lisete már meg volt félemlítve. Megfélemlítette a pókháló és a sötétség. Mi van, ha futás közben újabb hálóba gabalyodik, amelyben már ott lesz a pók is? Egy hatalmas, nyolclábú, franc se tudja, hány szemű pók? S akkor nem biztos, hogy újra sikerül neki, ami egyszer véletlenül sikerült.

A lány sivalkodásával egy időben futó léptek koppantak a folyosóban, majd nem sokkal ezután felbukkant az orra előtt Brandaõ.

Lisete a földre vetette magát. Szerencsére Brandaõ nem a járattal, hanem a táskával törődött. Felkapta a lány kezéből kihullott koponyát, és a táska fölé görnyedt.

Lisetének nem volt kétsége afelől, hogy Brandaõ szemét nem kerüli el a táskába varrt név. A fenébe is, miért is kellett ez az ostobaság? Miért nem tudja végre elfelejteni az anyját, aki a fejébe verte, hogy minden lány minden holmiján kell lennie valami ismertetőjelnek, amely megkülönbözteti másokétól. Istenem, mama, hát még a föld alatt sem hagysz békén?

Ott lapult alig néhány méternyire Brandaõtól, és a zsaru elégedett arcát figyelte. Ezek szerint megtalálta a nevét. Vigye el az ördög! Brandaõ már tudja, hogy itt járt a föld alatt, hogy koponyákra vadászott, s most arra gyanakszik, hogy ő is belekeveredett a gyilkosságokba. Hát hogyne... Hiszen már tudja róla, hogy ismeri Pirest, de Carvalhóval is jó viszonyban van...

Brandaõ ekkor felemelte a táskát, és Eulália kíséretében elindult vele a járat túlsó vége felé.

Lisete tenyerébe temette az arcát. Te jó isten, hogy lehettem ilyen ostoba... Addig kellett volna visszavennem a táskát, amíg a lány egyedül volt.

Azért csak követte őket. Egyszer néhány másodperc erejéig megkísértette a gondolat, hogy segítenie kellene nekik, hiszen nem biztos, hogy tudják, merre járnak, de aztán mégis inkább elmaradt mögöttük. Ha lemerészkedtek, bizonyára van elképzelésük róla, hogy mit akarnak csinálni. Bizonyára térképük is van. Azt ugyan nem értette, hogy a két zsaru miért cipelte magával Euláliát, de Brandaõ gondolkodásmódján néha nem könnyű eligazodni. Fariáén meg még kevésbé.

Egyszer csak belebotlott a táskájába. Rémülten pislogott körbe, de nem látott senkit a közelében. Lehet, hogy csapda? Lehet, hogy el akarják kapni? Itt lesnek rá valahol, és csak arra várnak...

Lapult néhány percig aztán egyszerre csak ismét meghallotta a lány sikítását. Messziről, nagyon messziről, és a sikoltást Brandaõ dörmögő káromkodása követte.

Felkapta a táskát, és futni kezdett vele.

A három koponya össze-összekoccant, és furcsa, pufogó hangon tiltakozott a méltatlan bánásmód ellen.

Lisete beharapta a szája szélét, és futott tovább.

62.

Brandaõ törtetett elöl, Eulália mögötte botladozott. Brandaõ többször is megállt, és belebömbölt a csendbe.

– Hé! Faria! Merre vagy?

Faria nem válaszolt. Vagy már nem volt a járatban, vagy nem volt abban a helyzetben, hogy válaszolni tudott volna. Brandaõ ez utóbbira gyanakodott.

Eulália is tett néhány tétova kísérletet, de Brandaõ leintette.

– Elég a kiabálásból. Vagy megtaláljuk anélkül is, vagy...

Néhány másodperc múlva észrevettek valamit, amiről nem tudták, micsoda. Még viszonylag nagy távolságban volt tőlük, de azért már feltűnt nekik. Mintha egy afrikai madárfajnak a fészke lett volna – egyiküknek sem jutott eszébe a neve, bár Brandaõ gyaníthatóan soha nem is tudta –, amely a faágakról lógatja le hosszú, hozzá képest óriási fészkét. Vagy mintha egy termetes darázsfészek lógott volna le a mennyezetről.

– Ott! – nyögte Eulália remegő hangon. – Ott... van... valami.

– Látom – bólintott Brandaõ elővéve zsebéből a pisztolyát. – Maradj a fal mellett.

– Jézusom... mi az?

– Ha tudnám, megmondanám.

Vett egy mély lélegzetet, aztán fegyverét előreszegezve közeledni kezdett a valami felé.

– Faria! Itt vagy, Faria?

Faria nem válaszolt. És a valami sem válaszolt.

– Mintha... csillár lenne – suttogta a lány.

Brandaõ nem tudta, micsoda a „valami", de arra esküdni mert volna, hogy nem az. Csillár az alagútban? Micsoda baromság ez?

Amint közelebb ért hozzá, megfigyelhette, hogy zsákszerű képződmény lóg le a mennyezetről, s a közepében feketedik valami. Mintha tüllcsapda fogott volna egy óriási rovart.

– Pókháló – suttogta a lány. – Jézusom, ez egy

nagy pókháló... És ott a pók a közepében. Jézusom, ez nem tetszik nekem...

Brandaõnak sem tetszett, de még mindig jobban tetszett, mintha ő maga lett volna benne.

– Ekkora pók nincs – ingatta meg a fejét.

– Hát... nincs – ismerte be a lány.

– A legnagyobb pók a madárpók. Ez pedig...

A lány akkorát visított, hogy Brandaõ majd frászt kapott tőle. Kis híja volt, hogy ki nem esett a lámpa a kezéből.

– Mi az istent csinálsz? Ha még egyszer...

– Én már tudom, micsoda... tudom – zokogta a lány. – Láttam a *Nyolcadik utas a halál*ban.

Ezt a filmet Brandaõ is látta. És azon nyomban vissza is emlékezett rá, hogy a nyolcadik utas, az alien, bebábozta az áldozatait. Ez is egy óriási báb, és a közepében bizonyára a társa, Faria csücsül...

– Faria! – tört ki belőle a rémület. – Az ott Faria!

– Az... lehetetlen! – nyögte a lány. – Ez egyszerűen lehetetlen!

Pedig nem volt az. A gombolyag közepén felhúzott lábakkal egy ember ült, aki nem lehetett más, csak Faria.

– Hé! Faria! Te vagy... az? – kérdezte Brandaõ. Úgy érezte, mintha mázsás súlyok hullottak volna a járat mennyezetéről a mellkasára. – Te vagy az?

Faria nem válaszolt, és még csak nem is bólintott. Brandaõ ekkor lepillantott a gubó alá. Aztán a szája elé kapta a kezét. Majdnem elhányta magát, pedig hosszú zsarupályafutása alatt elszokott tőle, hogy a hullák látványa komolyabban is megérintse.

Ez viszont alaposan megérintette. Az óriási gubó alatt merő vörös latyak volt minden, mintha Faria minden csepp vére ott gyülekezett volna össze. És a gubó eredetileg fehéresszürke anyaga is vörös színben játszott.

– Szirrrr! Csirr! – hallatszott hirtelen a fejük fölül.

Brandaõ felnézett, és azt hitte, rosszul lát. Nem messze tőlük jókora fekete valami ült a mennyezeten. Koromfekete volt a keze, a lába és a feje. Ha nem a mennyezeten ücsörgött volna, Brandaõ azt is hihette volna, hogy ember. Egy ember, fekete kerékpáros dresszben.

Brandaõ arra ébredt, hogy a lány a fülébe sikoltozik. Igyekezett célba venni a valamit, de az akkor már nem volt a mennyezeten. Leugrott a talajra, majd beleveszett a sötétségbe.

Brandaõnak csak nagy nehezen sikerült elkapnia a lányt. Eulália visított, és világgá akart rohanni.

– Itt maradsz, vagy lelőlek! – fenyegette meg.

– Kérem szépen – zokogta a lány. – Kérem szépen, én... ki akarok innen... menni. Én nem akarok... itt maradni. Én...

– Befogod végre a szád? – tudakolta Brandaõ.

– Én nem akarom, hogy... megöljenek.

– Pedig meg fognak, ha nem hagyod abban a nyivákolást. Nagy a gyanúm, hogy éppen én leszek az, aki megöl. Le akartál jönni, hát most itt vagy! Élvezd ki a nagy lehetőséget.

Ahogy kimondta, már meg is bánta. Eléggé be van szarva ő is, miért kell ijesztgetnie ezt a kis hülyét?

– Jól van, figyelj ide – hajolt a lányhoz. – Szedd össze magad. Ha kiborulunk, ő nyer.

– Ki... csoda?

– A pókember.

– Ő... volt?

– Valami hasonló. Biztos egy mutáns. Legközelebb lelövöm.

– Legközelebb??!

– Valószínű, hogy már nem bukkan fel többé. Megijedt tőlünk.

– És... ő? Faria... nyomozó?

Brandaõ a hálóra irányította a zseblámpáját, majd a lánynak nyújtotta a pisztolyát. Úgy, hogy közben egyetlen pillanatra sem vette le a szemét a tüllzsákról.

– Itt a stukkerom. Tudsz lőfegyverrel bánni?

– Ha megmutatja…

– Ez a csöve, ez meg itt a ravasza. Ha felbukkanna, irányítsd rá a csövet, és húzd meg a ravaszt.

– Maga… mit csinál?

– Te csak a pókembert figyeld.

Brandaõ a bebábozott Faria alá állt. Kissé meg kellett kerülnie, hogy az arcába nézhessen. Nem soká kellett kerülgetnie, hogy megbizonyosodjék róla: valóban Faria ül a háló közepén.

– Hé! Faria!

Aztán abba is hagyta. Faria arca halálsápadt volt, mintha nem lenne benne egyetlen csepp vér sem.

Nem is volt.

63.

Brandaõ kissé szédült, ugyan, de azért tartotta magát. Még egyszer körbejárta Fariát. Látta, hogy jókora seb van a nyakán, amelyen át elfolyt belőle az élet. Akárki is tette ezt a szörnyűséget vele, nem szívta ki a vérét. Márpedig ha igazi pók lett volna, kiszívta volna.

Ekkor az eszébe villant valami. Lisete Alves táskája. Az az eszeveszett nő lejött egy táskával a föld alá, lehozott magával három koponyát, és… esetleg lehozott magával egy fekete, kerékpáros ruhát is. Felvette, aztán vadászatra indult. Elkapta Fariát és megölte. Jézusom, de hát ki ez a nő? A legveszélyesebb gyilkos, akivel valaha is összetalálkozott. Talán póknak képzeli magát vagy micsoda… Uramisten, ki kell jutnia valahogy ebből a járatból.

– Visszamegyünk – mondta a lánynak. – Tudsz jönni?

– Tudok – nyögte Eulália. – Mit... látott?

Brandaõ a lányra nézett.

– Nem túlvilági lény. Nem vámpír vagy ilyesmi.

– Honnan... tudja?

– Nem szívta ki a vérét. Nyakon szúrta, úgy ölte meg.

– Most... mi lesz?

– Visszamegyünk a táskához. Magunkkal visszük.

– Hova?

– Ahova megyünk. Nem olyan bonyolult ez a labirintus. Ki lehet találni belőle.

– Maga... kitalál?

– Ki én! De most menjünk, keressük meg a táskát, szükségem lesz még rá.

Legszívesebben a falba verte volna a fejét, amiért nem kutatta azonnal át, amint megtalálta. Megelégedett a három koponyával, pedig alaposan át kellett volna kutatnia. Hátha van egy rejtett zsebe, amelyben a labirintus térképe lapul. De most majd négyzetcentiméterről négyzetcentiméterre végigvizsgálja. És megtalálja, ha beledöglik is.

Csakhogy volt egy kis bibi a dologban.

Nemhogy a rejtett zsebben őrzött labirintustérképet nem találta meg, hanem magát a táskát sem. Úgy eltűnt, mintha a föld nyelte volna el.

64.

Lisetének nem volt nehéz rábukkannia Simões mester kamrájára. Voltak pillanatai, amikor kissé elbizonytalanodott ugyan – amikor például Euláliával találkozott –, de aztán belepillantott a térképbe, és egyből kisimultak a dolgok. Most a jobb oldali járatot kell választania, itt a bal oldalit, ismét a jobbot, és máris ott van.

Bebújt a kamrába, és megvizsgálta a talaját. Amikor kijött belőle – ő jött ki utolsónak –, nem felejtett el egy kis port rugdosni maga mögé. Abból pedig akadt idelent bőven. Talán elmállott téglák pora volt, talán habarcsé.

A porban nem látszottak lábnyomok.

Bebújt az első kamrába, átbújt a bársonyfüggöny alatt, és szemügyre vette a láncokon lógó csontokat. Távozásuk óta csupán egy rövidebb csont hullott ki a középső, kötéllel átfogott kötegből.

Még a nyelvét is kidugta nagy igyekeztében, ahogy visszavarázsolta a koponyákat a csontkötegek tetejére.

Amint kész lett, kifújta magát. Visszafelé útján óvatosan kell mozognia, nem is vitás. A két zsaru itt bóklászik a lánnyal a járatokban. Nem lenne jó, ha elkapnák. Brandaõnak különösen könnyen jár a keze... Aztán itt van ez a pókháló is. A franc se tudja, mi is igazából. Lehet, hogy a társai és a lány is belefutottak? Minden lehetséges.

Azon töprengett, hogy nem kellene-e mégis a zsaruk segítségére sietni. Sajnos, nem teheti meg. A kiscsaj megtalálta a táskáját, Brandaõ rájött, hogy az övé, és ha közeledne hozzájuk, golyókkal várnák. Nincs mese, oldják meg maguk a problémáikat, ahogy tudják.

A csontokra, a függönyre, és a csontokat összetartó kötelekre nézett. A vizsgálatok szerint korabeliek. Csakhogy a bársonyfüggönynek már rég le kellett volna szakadnia, a kötélnek is... hacsak a mikroklíma...

Sóhajtott, és a másik kamra bejáratához lépett. Előbb a háta mögé pislogott, majd bedugta a fejét és a lámpáját a nyíláson.

Amit látott, megremegtette egész bensejét. Egy műhelyt látott maga előtt, feltehetően ötvösműhelyt. Szerszámokat, bútorokat, polcokat a falon. És rengeteg ékszert. Kelyheket, tőröket, hamutartókat. Valamennyit ezüstből.

Legszívesebben azonnal nekiállt volna, hogy kibontsa a nyílást, átbújjon rajta, és megtapogathassa a kincseket, de erőnek erejével visszafogta magát. Majd később. Most nem szabad hibáznia. Most nem. Ha hibázik, vége mindennek. Márpedig óriási hiba lenne, ha rájönnének, hogy ő már itt járt azelőtt, hogy együttesen kibontották a kamra bejáratát.

Arra is figyelnie kellene, hogy nem helyeztek-e el csapdát odabent. Amitől esetleg még meg is halhatna. Ha igaz ez a *három szűz varázslata* – márpedig miért ne lenne az, hiszen minden vizsgálat arra utal, hogy ezzel a középkori ostobasággal van dolga –, akkor az is lehet, hogy csapdákkal rakták teli a kamrát. Megnyílhatna alatta a föld, mérgezett nyilak röppenhetnének felé, óriási kőgolyó zúdulhatna le a mennyezetről – minden megtörténhetne, ami egy Indiana Jones filmben történni szokott. Nem, meg kell várnia, amíg biztonsággal bemehet a kamrába.

Sajnálkozó búcsúpillantást vetett a résre, visszatette a helyére a három téglát, amit kiemelt a falból, még rájuk is köpött. Nem babonából, csupán habarcs helyett. Mert a téglákról az elmúlt évszázadok lerágták a hajdani habarcsot.

Már a helyes úton járt a térképet követve, amikor rádöbbent, hogy jön vele valaki. Ott lohol a nyomában, és nem tud megszabadulni tőle. Szerencsére nem öltött alakot, láthatatlanul követte, s akármire is gondolt, nem volt képes megszabadulni tőle.

Igen, a lelkifurdalás követte, mint éhes farkas kiszemelt áldozatát. Hiába próbálta elhessegetni magától, nem sikerült. Nem használt sem szitok, sem feddő szó, sem közömbös vállvonogatás. A lelkifurdalás csak nem tágított a nyomából.

Mielőtt rátért volna arra a rövid, kissé kanyargós folyosóra, amely a szabadba vezetett, még egyszer megfontolta magában lelkiismerete szavait. Igen, valóban vissza kellene mennie, és megnézni, hogy mi történt odalent, segíteni nekik, ha tud, kivezetni őket a labirintusból. Csakhogy... Ha megkísérelné, valószínűleg megöletné magát. Itt lent, a folyosók sötétjében értette csak meg, hogy Faria és Brandaõ mennyire gyűlöli. Ha felbukkanna előttük, holtbiztos, hogy belépumpálnának néhány kiló ólmot. Nekik aztán nem lenne lelkifurdalásuk. És különben is, bármikor eltűnhetnek innen, ha akarnak. Bizonyára ismerik a kijáratot, hiszen nem tételezheti fel a két zsaruról, hogy térkép nélkül ereszkedtek le a mélybe. Vagy ha ők nem is, a kiscsaj biztosan tudja, merre járnak. A tinédzserektől kitelik, hogy füveznek egy kicsit a járatban, ha úgy tartja kedvük. Valószínűleg Euláliát is azért vitték magukkal, hogy az utat mutassa nekik.

Igazság szerint azon is el kellett volna gondolkodnia, hogy mi a csoda az a hálószerű valami, amibe belekeveredett, de erre aztán már végképp nem maradt ideje. És ereje sem. Mert ha gondolkodni kezd rajta, oda jutott volna, hogy meg kellett volna birkóznia a problémával: lehet, hogy természetfeletti lények, mutánsok, óriás pókok élnek idelent?

Megrázta a fejét, és ellökte magát a faltól. Nem, neki nem az a dolga, hogy a természetfelettivel szórakozzék. Az a dolga, hogy keresse meg azt a valakit, aki kísértetet játszik, gyilkol, és feltehetően Simões mester cuccait szúrta ki magának.

Arra nem akart gondolni, hogy talán a labirintusban eltemetett halottak élednek fel időről időre, hogy megpróbálják lezárni elintézetlen ügyeiket.

Összerázkódott, és kimászott az aknán át a szabadba.

65.

Domingosnak csupán arra maradt ideje, hogy úgy-ahogy megmosakodjék, és máris felcsengette senhor Pereirát. Éppen kezdte volna hatalmába keríteni az idegesség, hogy Pereira elkódorgott valahová, és talán vissza sem tér addig, amíg el nem jön az ismételt föld alá ereszkedés ideje, de aztán mégiscsak felvették a kagylót.

– A kádban ücsörgök – magyarázta Pereira. – Kissé büdös lettem odalent, ez az igazság. Mi a probléma, Domingos?

– Feltétlenül beszélnem kell önnel.

– Akkor jöjjön fel hozzám. Kimászom a kádból, és addigra talán Lucilla is felébred.

– Nem muszáj felzavarnia. De azért az sem baj, ha ő is jelen lesz.

– Valami komoly?

– Azonnal indulok.

Letette a kagylót, és megpödörgette a bajusza hegyét. Akárhogy is nézi, lassan közeledik az este. Akkor pedig…

Mire felért Pereirához, az már régen kint volt a kádból, és fel is öltözött. Lucilla asszony izgatottan feszengett a karosszékben. Amint Domingos belépett az ajtón, felpattant és odafutott hozzá. Domingos őszinte elképedésére átkarolta a nyakát, és cuppanós puszit nyomott a képére.

– Ezzel tartozom önnek, Domingos.

– No de… kérem… tartozott… nekem? – dünynyögte az építész, és piros lett a képe, mint a parázs. – Mivel… tartozott nekem?

– A maga közreműködése nélkül sosem találtuk volna meg Simões mester kamráját.

– Ez biztosan nem így van.

– Dehogyis nincs így! Ön is jól tudja, hogy így van. Az ön jelenléte a siker záloga volt. Istenem, én alig akarom elhinni… Tudja, kedves de Carvalho, hogy én… be kell vallanom, nem igazán hittem benne, hogy valaha is megtaláljuk. Őszintén szólva, csak legendának gondoltam. De most, hogy bebizonyosodott… nem is tudom, mit beszélek az örömtől!

Domingos óvatosan elhátrált a közeléből. Nem szokta meg, hogy félmeztelen nők a férjük jelenlétében csókolgassák. Mert Lucilla asszonyon csupán egy vékony, átlátszó köntös repdesett ide-oda. Senhor Pereira úgyszintén olyannyira lelkesnek látszott, hogy ügyet sem vetett rá, mit mutogat magából a felesége. Ő már alighanem Simões mester kincseit látta maga előtt.

Öt percbe tellett, amíg kiörvendezték magukat. Akkor aztán senhor Pereira elvágta a hálálkodás fonalát.

– Hm… Jobb lenne, szívem, ha hagynánk végre senhor de Carvalhót is szóhoz jutni. Feltételezem, hogy nyomós oka van rá, amiért felkeresett bennünket, Domingos.

Domingos megpödörgette a bajuszát.

– Feltétlenül beszélnem kell önnel… senhor Pereira.

– Úgy érti, jobb, ha a feleségem nem hallja?

– Ó, a világért sem – tiltakozott erőtlenül Domingos. – Nem erről van szó. Csak… feltétlenül meg kell valamit beszélnem önökkel.

– Hát akkor beszéljük meg – biztatta Pereira.

Domingos ismét pödört egyet a bajuszán.

– Be kell vallanom, senhor Pereira, hogy én is belestem a kincseskamrába.

– Igazán? – kérdezte Pereira. – És mit látott? Remélem, azt, amit én. Mert ha azt mondja, hogy ön nem látott semmit…

– Éppen ellenkezőleg. Azt hiszem, az a kamra… teli van régiséggel.

– Akkor meg mi a baj?

– Nehéz lesz hozzáférni – mondta Domingos. – Éppen ettől tartok.

– Nehéz lesz hozzáférni? – hökkent meg senhor Pereira összenézve a feleségével. – Ezt hogy érti? Arra gondol, hogy csapdák várnak ránk odalent? Olyan gödrök például, amelyeknek hegyes nyársak rejtőznek a fenekén?

– Egyáltalán nem ilyesmire gondolok – pödörgette a bajuszát az építész. – Sokkal inkább arra, hogy… összeomlik az egész. A külső és a belső kamra egyaránt.

Senhor Pereira arcán rémület hullámzott át.

– Összeomlik? Ez meg mi a szar?

– Elmagyarázom – biccentett Domingos. – Az a helyzet, hogy a kamrák mennyezete és a falak is igen rossz állapotban vannak.

Mintha jelentősen csökkent volna az eufória, amely eddig a szobát uralta. Lucilla asszony a fejét csóválgatta, és egy csipkés kendőt terített magára.

– Nincs semmi baj – mosolygott kényszeredetten Domingos. – A helyzet a következő. A kamrákat mesterségesen alakították ki, nem tartoznak szervesen a kazamatarendszerhez. A kazamaták nem omlanak be, mert téglákból rakták ki a falakat, azok pedig évszázadok alatt a betonnál is erősebb fallá olvadtak össze. Persze, nem mindenhol. Ahol mások voltak a hőmérsékleti viszonyok…

Senhor Pereira elkapta Domingos karját. Már egyáltalán nem volt barátságos a tekintete.

– Pokolba a hőmérsékleti viszonyokkal, Domingos! Engem csak az ősöm kamrája érdekel. És ha lehet, röviden tájékoztasson arról, mi várhat ránk odalent.

– Ránk omlik mindkét kamra – mondta Domingos. – Az előkamra is, és a kincseskamra is.

– Ez biztos?

– Van rá esélyünk.

– Mennyi?

– Mondjuk, ötven százalék.

– Tehát vagy ránk omlik, vagy nem. Következménye?

Domingos arcáról is eltűnt a mosoly, és megvonta a vállát.

– Látta a köveket a mennyezeten? Amikből kirakták? Cirka ötvenkilósak. Vagy még annál is nehezebbek. Simões mester nem fukarkodott a biztonsággal.

– Biztonsággal?! – hökkent meg senhor Pereira. – Hiszen éppen arról beszél, hogy a kamrák egyáltalán nem biztonságosak.

– Az építés idejében azok voltak. Simões mester valószínűleg a piramisok biztonságára gondolhatott. Azóta azonban történt egy s más, ami megváltoztatta a statikai viszonyokat.

– Éspedig?

– Egy jókora város épült a kamrái fölé. Autókkal, autóbuszokkal, villamosokkal. Képzelje csak el, ha a nagy piramis felett zajlana Kairó forgalma. Mi lett volna már belőle?

– Hm.

– Ha lezuhannak a kövek, agyonvernek valamennyiünket, Simões mester munkáiról már nem is beszélve. Az ezüstedényeknek sem tesz jót, ha mázsás kőtömbök hullanak rájuk.

Senhor Pereira sápadtan hallgatott. Mintha csak azt közölte volna vele az építész, hogy valamennyi ezüstkancsó, -fegyver és -edény oda van ragasztva a falakhoz, méghozzá olyan ragasztóval, amely eltávolíthatatlanná teszi őket.

Senhor Pereira pattintott egyet-kettőt az ujjával.

– Mit javasol, Domingos?

Az építész megpödörgette a bajuszát.

– Alá kell dúcolni őket.

Senhor Pereira eltátotta a száját.

– Aládúcolni? De hiszen az hetekig tart, ember! Nekem nincs türelmem addig várni!

Domingos sokadszorra is elmosolyodott.

– De nem akkor, ha a Carvalho-módszerrel dúcolunk.

– Ez mit jelent?

– Szakmai titok.

Pereira dühösen felpattant.

– Ne titokzatoskodjék itt nekem, Domingos! Én lemegyek, és…

– Figyeljen ide, senhor Pereira – csillapította az építész. – Van két emberem az építkezésen, velük egy óra alatt megcsinálom. Viszünk le alumíniumcsöveket, némi deszkát, megfelelő mennyiségű csavart, meg ami még kell.

Senhor Pereira csípőre tette a kezét.

– Ehhez természetesen az szükséges, hogy bemásszanak a kincseskamrába is, igaz? Csakhogy én azt nem engedem! Én akarok az első lenni.

– Ön lesz az első.

– Hogy lennék, amikor…

– Emlékezzék rá, senhor Pereira, hogy amikor Tutenhamon sírját felfedezték, lord Carnarvon, a mecénás lépett be elsőként a sírkamrába, pedig amikor a felfedezés megtörtént, még Londonban volt. És csak napok múlva érkezett a helyszínre. El tudja képzelni, hogy a többi kutató addig csak kártyázott vagy malmozott? Mert én nem. Megnézték a sírkamrát, aztán visszafalazták a nyílást. Amikor lord Carnarvon és a sajtó megérkezett, ismét kibontották. Így lesz ez a mi esetünkben is.

– Na és a... dúcolás? Mindenki észre fogja venni.

– Mire lehívjuk az újságírókat, eltüntetem. Megerősítem a köveket, és eltüntetem.

Senhor Pereira sóhajtott egyet.

– Nem tetszik ez nekem, Domingos. De ha nincs más megoldás...

Nem volt.

66.

Domingos visszatért a munkaterületre, és magához intette Calvaót és Cruseirót.

– Minden oké. Indulhat a hadművelet. Csak vigyázzanak a bontásnál.

Calvao és Cruseiro bólintott, és elhúzták a csíkot.

Domingos felhívta Lisetét. Hosszasan kicsengett a telefonja, de a lány nem vette fel a kagylót. Mármár le akarta tenni, amikor Lisete végre jelentkezett.

– Lisete Alves.

– Na végre. Hol vagy most?

– Éppen az imént fejeztem be a sétámat.

– Sétáltál?

– Ki kellett kicsit szellőztetnem a fejem. Te mit csináltál?

– Dolgoztunk látástól mikulásig. Engem nem azért fizetnek, hogy kincset keressek.

– Van valami probléma?

– Dehogy, csak... gondoltam egyet.

– Mit?
– Hát... hogyha otthon lennél, felugranék hozzád.
– Most??! Hiszen alig három óra, és indulnunk kell.
– Éppen azért. Három óra rengeteg idő.
A lány belekuncogott a telefonba.
– De nem nálam.
– Ó, az a szentséges...
– Mondtál valami?
– Á, semmit.
– Tudod, még meg kell fürödnöm...
– Nincs szükséged valakire, aki megmossa a hátad?
– Kérlek, Domingos... ne kínozz!
– Aki megcsiklandozza a bajuszával a nyakad?
– Domingos... kérlek...
– Aki a bajuszával megcsiklandozza... a...
– Istenem!
Halk sóhaj, és megszakadt a vonal.
Domingos elgondolkodva bámult maga elé.
Vajon miért nem mond igazat Lisete? Miért mondja, hogy sétálni ment, amikor biztos benne, hogy Lisete mostanában nem vesztegeti hiábavalóságokra az idejét.
Vajon miért?

67.

Mivel volt még ideje a megbeszélt időpontig bőven, úgy gondolta, ő maga is besegít a kollégáinak. Az alumíniumcsövek nem voltak túlságosan nehezek és hosszúak sem, így egy óra alatt valamennyit leeresztették az aknába. Domingos nyugtalankodott ugyan egy kicsit, hogy hátha valaki a szemközti házakból kifigyeli, mit csinálnak, de nem látott kíváncsi tekinteteket. Az emberek inkább becsukták az ablakaikat, és a televíziót bámulták. Ki az ördögöt érdekel egy áttekinthetetlen építkezés?

Már odalent volt minden; Calvao és Cruseiro megkapták a rajzokat és a sebtében felvázolt térképet is. Calvao megpróbált telefonálni odalentről a mobiljával, de az nem működött. Olyan süket volt, mint Eduardo bácsi, aki a Popocatépetl kitöréséről azt hitte, hogy csupán a leves futott ki a fazékból.

Calvao és Cruseiro meghökkenve bámulták a láncra felfüggesztett koponyákat és az összekötözött csonthalmokat. Mindketten keresztet vetettek, majd aggodalmas képpel néztek a főnökükre.

– Nem lesz ebből baj? – kérdezte az orra hegyét vakargatva Cruseiro. – A halottaktól sok jóra ne számíts.

– Ezek már ártalmatlanok – legyintett Domingos. – Egy páter megszentelte őket.

– Ez biztos?

– Magam láttam.

– Azért valahogy csak... odébb kellene tenni őket.

– Szereljék le a láncokat és a bársonyfüggönyt.

– Hova építsük a...

– Fel a mennyezetre és ide a falakhoz.

Calvao és Cruseiro munkához láttak.

Domingos úgy döntött, hogy sétál egy kicsit odakint a járatokban.

Nem volt jó döntés.

De nem ám.

68.

Erről akkor győződött meg igazán, amikor belefutott egy furcsa folyosóba. Azért volt furcsa, mert olyan egyenesen indult, mint a csalagút, néhány lépés után viszont élesen elfordult. Domingosnak mint építésznek felkeltette a kíváncsiságát, hogy vajon mi a fenéért kellettek ide ezek az éles kanyarok? Tett néhány lépést előre, hogy megpróbálja beleképzelni magát a hajdani építők helyébe.

A néhány méterből pár száz lépés lett. Domingos gyaloglás közben arra gondolt, hogy biztosan követ fogtak valahol a hajdaniak, azt kellett kerülgetniük. Ahogy a kőmező húzódik, úgy alakultak a járatok.

Cirrrr! Csíííík!

Ez nem patkány – csóválta meg a fejét rövid hallgatódzás után. – Ez valami más. De mi az ördög lehet?

Hirtelen fény villant előtte. Csak rövid ideig tartott a villanás, talán fél másodpercig sem, de ez is elég volt ahhoz, hogy megpillantson vele szemben valamit. Valami fényeset a járat közepén.

Nem törődve a semmibe vesző hangokkal, odalépett hozzá, és felemelte. Régi pénzdarab volt, alighanem a XVIII. századból.

A pénzt nézegette, és nem vette észre, hogy mi történik a feje felett a járat mennyezetén. Csak akkor döbbent rá, hogy nincs rendben valami a környezetében, amikor puha selymes esőféle hullott az arcára.

Te jó ég, ez meg mi az ördög? Önkéntelenül is felpillantott a feje fölé. Aztán azt hitte, káprázat játszik vele. Vastag, nedves liánkarokat látott leereszkedni, amelyek mintha őt keresték volna.

Pókháló! – döbbent belé a felismerés. – Óriási pókháló. Egy láthatatlan pók szövi…

Maga sem vette észre, hogy miközben megpróbál eltűnni a valami elől, egyfolytában kiabál. Egészen addig futott és kiáltozott, amíg a mohó pókháló el nem maradt mögötte.

69.

Calvao és Cruseiro éppen befejezték az állványok felállítását, amikor visszatért hozzájuk. Nem csodálkozott rajta, hogy furcsán néznek rá. Sejtette, hogy mi a bajuk.

– Csakhogy megérkezett, főnök – fontoskodott Calvao. – Az a helyzet ugyanis... hogy nem tetszik nekem valami.

– Jó magának – morogta de Carvalho –, ha csak egyvalami nem tetszik.

– Tudja, hogy gondolom, főnök. Hogy néz ki maga, főnök?

– Hogy nézek ki?

– Kissé... megviseltnek látszik.

– Nehéz arrafelé a levegő.

– Érdekes... én meg épp az imént mondtam Cruseirónak, hogy észre sem venni, hogy a föld alatt vagyunk.

– Nem tapasztaltak valami furcsát, amíg távol voltam?

– Mire gondol, senhor de Carvalho?

– Nem láttak pókhálót a kamra mennyezetén?

A két építő összenézett.

– Pókhálót? Nem, senhor. De nem is gondolnám, hogy errefelé lennének pókok. A pók nem föld alatti állat.

– Honnan tudja ezt maga?

– Olvastam, senhor.

Domingos megvizsgálta a kettes számú kamra – a kincseskamra falát. Nem látszott jele, hogy eltávolították volna a már egyszer kiemelt és visszarakott téglákat; emberei nem néztek be Simões mester kamrájába, lévén, hogy fogalmuk sem volt a létezéséről.

– Senhor... – kezdte újra Calvao. – Nem is tudom, hogyan mondjam... ön a főnök, mégis...
– Sehogy – mondta határozottan de Carvalho. – Ne mondja sehogy.
– Mit, senhor?
– Amit mondani akar.
– Ön tudja, hogy én mit akarok mondani?
– Tudom – bólintott Domingos.
– Én ezt nem értem.
Domingos megveregette Calvao vállát.
– Ismeri Shakespeare-t, Calvao?
– Az izé... költőre gondol, senhor?
– Őrá.
– Nem olyan nagyon... de azért egyszer láttam tőle valamit a színházban. Egy királyról szólt, már nem emlékszem, melyikről, mert az angoloknál annyi a király, mint másodosztályú meccsen a szabadrúgás, és a nevük is egyforma, de púpos volt a pasas, és mindenkit kinyírt, aki csak élt és mozgott a palotája környékén. A nőket meg... jobb erről nem is beszélni, senhor.
– Nem ismeri azt a mondatot, hogy Több dolgok vannak földön és égen, semmint bölcselmetek felfogni képes..., he?
– Momentán nem ugrik be, senhor.
– Lefordítom közérthetőbb nyelvre. Nagyjából úgy szól, hogyha sokat érdeklődsz olyan dolgok iránt, amikhez semmi közöd, és okosabb akarsz lenni a legöregebb thaiföldi elefántnál is, ne csodálkozz, ha kiverik az összes fogad, és csak egyet hagynak mutatóba, hogy ne felejtsd el, milyen a fogfájás. Világos?
Calvao tisztelgésre emelte a kezét.
– Mint a nap, senhor.
– További kérdés?
– Egy szál sincs, senhor.
Domingos bólintott.

– Öröm magukkal dolgozni.
Calvao mosolygott.
– Önnel is, senhor. És ami a fő... sokat lehet tanulni öntől.

70.

Lisete titokban abban reménykedett, hogy a kapitányságon találja Fariát és Brandaõt, de nem találta ott őket. Nem akart feltűnést kelteni, ezért csak úgy mellékesen kérdezte meg egyik kollégáját, hogy nem találkozott-e mostanában a kettő közül valamelyikkel, de nemleges választ kapott. A kapitányság különben élte a maga szokásos életét; nem tűnt fel senkinek, hogy Faria és Brandaõ nincsenek a fedélzeten.

Lisete nem tudta, mit csináljon. Menjen vissza, és próbálja megkeresni őket? Arra sajnos már nincs idő. Rövidesen le kell menniük a mélybe, hogy feltárják a kamrát. Te jó ég, mi a fenét vigyen magával? És elmondja-e a többieknek, hogy mi van odalent?

Töprengéséből Miguel bácsi szakította ki. Arra riadt, hogy főnöke és atyai barátja ott áll mellette, és a vállát veregeti.

– Hé! Ez nem a hálószobád Lisete, ahol kellemesen kialudhatod magad.

Lisete felpattant, és megdörzsölte a szemét.

– Csak... elgondolkodtam.

– Gyere be hozzám.

Lisete a kapitány nyomában beballagott a szobájába.

– Csukd be az ajtót.

Lisete becsukta.

Miguel bácsi mutatta, hogy üljön le, aztán maga is letelepedett.

– Nem tetszik itt nekem valami, Lisete.
– Micsoda, Miguel bácsi? – kérdezte a lány.
– Az, ami itt folyik. Hogy konkrét legyek, azt nem tetszik, ahogy Brandaõ, Faria és te viselkedtek egymással.
A lányt elöntötte a keserűség.
– Ezt ne nekem mondd, Miguel bácsi, hanem nekik.
A rendőrfőnök megrázta a fejét.
– Nekik is elmondom, bár már néhányszor elmondtam. Attól tartok, tennem kell valamit. Először is, hogy álltok a gyilkosságokkal?
– Nyomozok.
– Ennyi?
– Azt hiszem… rövidesen eredményt érek el.
– Rövidesen?
– Talán még ma.
– Közben pedig Pires ott rohad a sitten.
– Nem engedték még ki?
– Remélem, már igen. Különben, hol van Brandaõ és Faria?
Nehéz volt kimondania, mégiscsak kimondta. Nem szeretett hazudni, de ezúttal nem tehetett mást.
– Nem tudom, Miguel bácsi.
– Kerítsd elő őket. Este vagy legkésőbb holnap reggel összeülünk, és megbeszéljük a dolgokat. Ha addig nem lesz valami kézzelfogható eredmény, leveszem az ügyről az egész társaságot. Már képtelen vagyok visszatartani az újságírókat. Újabban a csatornázási műveket cseszteti, hogy vigyék le őket a csatornákba. Most menjél, Lisete, és ha a két fickó az utadba kerülne, add át nekik szívélyes üdvözletemet, és a meghívómat a reggeli találkozóra. Agyő, kislány!
Lisete felállt, és ment.

Különben kíváncsi lett volna rá, mit szólna Miguel bácsi, ha elmondaná neki, mikor és milyen körülmények között találkozott utoljára Brandaõval. Ha elmondaná, hogy nemrég ő is csak óriási szerencsével menekült ki egy mutáns pók hálójából, amely nagy valószínűséggel azóta már felfalta mind a két nyomozót és Eulália Fontourát is.

De nem mondta el neki.

71.

Egy órával a tervezett indulás előtt, de Carvalho felkereste senhora és senhor Pereirát. Lucilla asszony nem volt a láthatáron, Pereira pedig éppen egy habkönnyű bakancsot próbálgatott.

Pereira szorongva nyújtott kezet az építésznek.

– Már nyugtalankodtam maga miatt.

– Én is nyugtalan voltam – morogta Domingos.

Pereira lenyomta egy székre.

– Meséljen ember! Csak nincs valami baj a kamrával? Ha azt mondja nekem, hogy összedőlt, és maga alá temette Simões műhelyét…

– Nincs azzal semmi baj – próbálta megnyugtatni Domingos. – Az a helyzet…

Nyílott az ajtó, és senhora Sullivan lépett be rajta. Domingosra nézett, majd helyet foglalt egy fotelban.

– Sikerült felépítenünk az állványt – mondta de Carvalho immár mindkettőjüknek.

Senhor Pereira arcán szinte lángolt a kíváncsiság.

– Körülnézett a kamrában? – kérdezte.

– Nem én – mondta Domingos.

– Hogyhogy?

– Bent sem voltam.

Senhor Pereira hisztérikusan a fejéhez kapott.

– Mi az ördögöt csinált, ember?! Én megbíztam magában, maga pedig úgy eresztette be az embereit, hogy ott sem volt mellettük? Nem akarok senkit gyanúsítani, de az egy kincseskamra. Sehol a világon…

– Ne nyugtalankodjék, senhor Pereira.

– Már hogy a fenébe ne nyugtalankodnék? Nem lett volna szabad engednem, hogy azt tegye, ami az eszébe jut. Mi a biztosíték rá, hogy…

– Elég a hisztiből, Vitor! – szólt rá éles hangon az asszony. – Hagyd, hogy végigmondja. Szóval, mi történt odalent, senhor de Carvalho?

Domingos megpödörgette a bajusza hegyét.

– Nem kellett bemennünk a kamrába.

Pereira felugrott, és Domingos elé állt.

– Nem kellett bemenniük? Akkor meg mire volt jó ez a cirkusz? Órák óta tűkön ülök, nem tudok enni, inni, levegőt venni is alig, akkora a gyomrom, mint egy gyufásdoboz, maga pedig azt állítja, hogy minden csak vaklárma volt, és be sem mentek a kamrába… A jóistenit neki, de Carvalho…

– Kuss! – intette le kíméletlenül az asszony. – Halljuk, senhor de Carvalho, hogy mi történt!

– Csak az első kamrát kellett aládúcolnunk, senhora – mondta Domingos.

– Csak az első kamrát?

– A másodikat nem. Felesleges lett volna.

– Biztos ebben?

– Kibontottam a falat, senhora. Persze, nem az egészet, csupán néhány téglát vettem ki: egészen pontosan hárommal többet, mint az első alkalommal. Ez a nyílás már megfelelő nagyságú volt ahhoz, hogy alaposan bekukucskálhassak a kamra belsejébe.

– Jézusom! És mit látott? – kiáltotta Pereira. Kis híja volt, hogy el nem kapta Domingos ingét, és magához nem rántotta. Az utolsó pillanatban szerencsére visszakapta a kezét. Talán Domingos felé meredő bajusza csillapította le.

– Hát… sok mindent – morogta Domingos.

– Éspedig? Beszéljen már, ember!

– Igazi kincseskamrát – mondta Domingos. – Van ott sok kehely, kard, meg mit tudom én, mi. Őszintén szólva, engem elsősorban a tető érdekelt.

– Jézusom. Mondja akkor azt a rohadt tetőt! Mi van vele?

– Ép.

– Nem szakad le?

– Nem.

– Akkor meg mi a szarért kellett pánikot keltenie?

Domingos vett néhány mély lélegzetet.

– Mert jobb az óvatosság, senhor Pereira. Mi történt volna, ha valóban a nyakunkba szakadt volna a kamra teteje. Akkora kőtömbökből áll, hogy…

– Ezt egyszer már elmondta – szakította félbe türelmetlenül senhor Pereira.

– Az a lényeg, hogy nem kell aládúcolni.

– Akkor feleslegesen cipelték le az állványokat, feleslegesen másztak le az emberei…

– Azért nem egészen – csóválta meg a fejét az építész. – A külső kamrát alá kellett ugyanis dúcolnunk.

Senhor Pereira eltátotta a száját. Látszott rajta, annyira a kincseskamra bűvöletébe esett, hogy meg is feledkezett az előkamráról. Amelyben a három kivégzett szűz csontjait találták meg.

– Az első… igen, már emlékszem. Mi van vele?

– Nagyon rossz állapotban volt a mennyezete. Sikerült aládúcolnunk. A másik kamrába pedig – ismétlem –, be sem léptünk. Így valóban ön lesz az első, senhor Pereira, aki három évszázad után kezébe veheti őse alkotásait.

– Jézusom! – nyögte Pereira. – A végén még elsírom magam... pedig nem szoktam...

De Carvalho tapintatosan félrenézett, amíg senhor Pereira a szemét törölgette az öklével.

– Nincs véletlenül egy papír zsebkendőd... Lucilla?

– Nincs – mondta az asszony cigarettát dugva a szájába. – Nem tanított meg rá az anyád, hogy papír zsebkendő és óvszer nélkül tapodtat se mozdulj?

Senhor Pereira nem sokat vacakolt, még csöpögő orrát is megtörölgette az öklével.

– Hogyan sikerült...

– Az aládúcolás? Ragyogóan.

– Bocsásson meg, senhor de Carvalho, hogy az imént kissé türelmetlen voltam önnel – mentegetőzött a lassan magához tért Pereira. – Kérem, próbálja meg beleképzelni magát a helyembe. Simões mester, akiről mind ez idáig azt hitték... A kamra... amit álomnak vagy legendának véltek... Szóval, azt szeretném mondani, hogy amíg a föld alatt járt, meghívtam négy újságírót, ha nincs ellenére.

– Négy újságírót? Hova? – esett le Domingos álla.

– Le, a föld alá.

– Ma éjszakára?!

– Úgy van, senhor de Carvalho. Azt akarom, hogy ott legyenek, amikor feltárjuk a kincseskamrát.

– Erről nem volt szó! – tiltakozott az építész.

– Én vagyok a tulajdonos, én vagyok az örökös, én döntök bizonyos kérdésekben. Mit szól hozzá?

Domingos megpödörgette a bajusza hegyét, készen rá, hogy epés megjegyzések kíséretében orrba vágja senhor Pereirát, de aztán sikerült igen gyorsan jobb belátásra térítenie magát. Elvégre, miért is ne? Valóban ő az örökös, a kamrát egyébként is fel kellene tárni, az újságírók egyébként is elözönlenék a terepet, néhány órával előbb, vagy később, egyre megy.

– Semmit – mondta aztán megvonva a vállát. – Én csak a bontásért és az építésért vagyok felelős. A kamra feltárása az ön ügye. Csak éppen... gondolt már arra, senhor Pereira, hogy azoknak az embereknek le kell ereszkedniük a járatokba... esetleg undorító állatokkal találkozhatnak... csatornaegerekkel...

Pereira elmosolyodott.

– Én mindenre gondolok, senhor de Carvalho. Ezért engedelmével ötödiknek meghívom még Debbie Fishert.

– Ő... kicsoda?

– A National Geographic újságírónője. Számtalan filmet forgatott rovarokról, pókokról, csúszómászókról. Meg sem kottyan neki egy kis csatornaturkálás. Ha elmondom neki, miről van szó, biztosan eljön. Ő majd lelket önt belénk, ha egy egér vagy micsoda meghátrálásra akarna kényszeríteni bennünket.

– A többi? – nyelt egy nagyot Domingos.

– Sergio LaTorre, Maximiliano Ortega, Rob McNamara, és végül Sammy Holding. Ismerős nevek?

– Nem annyira – morogta zavartan Domingos.

– No persze az ön világa némiképpen különbözik az én világomtól... Óriási felfedezés küszöbén állunk, senhor de Carvalho! Azt akarom, hogy tudja meg mindenki. Azt akarom, hogy az ősöm végre méltó helyére kerüljön.

Domingos senhora Pereirára nézett. Az asszony ajka körül könnyű kis mosoly játszott. Nem volt ellenséges, nem volt lenéző, talán inkább irigy egy kicsit. Egy amerikai irigysége az európai történelem iránt. Egy olyan nép lányáé, amelynek a történelme akkor kezdődött, amikor a Római Birodalomnak már az emléke is jórészt elenyészett Európában.

Domingos felállt, és megvakargatta a feje búbját.

– Rendben van, senhor Pereira, ön tudja, mit csinál. A meghívott hölgyek és urak hoznak magukkal megfelelő öltözéket, vagy én gondoskodjam róluk?

– Csak lámpákról és sisakokról gondoskodjék, Domingos.

Domingos biccentett, és indult volna, de senhor Pereira ismét megállította.

– Azért ne rohanjon annyira. Nem iszik velem egy pohárka bort?

Domingos nemet intett.

– Ne nehezteljen meg rám, senhor Pereira, de most nem iszom. Világos fejre lesz szükségem odalent, és különben is… *legalább én* ne igyak előre a medve bőére.

– Örök hálára kötelezett, Domingos, amiért… segített megtalálni a kamrát…

– Várjuk csak ki a végét – sóhajtotta az építész.

Rosszat sejtett a lelke mélyén.

Nem is alaptalanul.

72.

Felhős volt az ég, csupán a neonfények világítottak az utcában. Az egyik magasház homlokzatáról jókora ágas-bogas növény szórta rájuk zöld fényét. Valami gyógynövény lehetett, még nem volt ideje megnézni, micsoda. Többször is elhatározta már, hogy közelebbről is megszemléli, de mindig közbejött valami. Hol Lisete, hol egy gyilkosság. Márpedig, ha fülig szerelmes az ember, ráadásul mindegyre meggyilkolnak valakit a közelében, nemigen van kedve és ideje gyógynövényreklámokat nézegetni.

A növény mindenesetre zöld fénnyel hintette be az építkezést.

Az orra előtt felbukkanó fiatal nő is olyan zöld volt, mintha a rétek tündére lett volna. Amikor megpillantotta Domingost, megtorpant, és gyanakodva nézett rá.

– Jó estét, senhor. Mit gondol, jó helyen járok?

Domingosnak leesett az álla a meglepetéstől. Mintha egy első osztályú hollywoodi szépség nézett volna rá egy plakátról. Néhány pillanatig megpróbált levegőhöz jutni, aztán amikor végre sikerült, megcsóválta a fejét.

– Nincs férfiember a földön, aki önnek azt mondaná, senhorita, hogy rossz helyen jár.

A fiatal nő felnevetett.

– Senhor de Carvalho?

– Honnan tudja?

– Senhor Pereira figyelmeztetett, hogy vigyázzak magával. Ön szörnyűséges nőcsábász. És a sikere érdekében beveti a bajuszát is. Őszintén mondom, nekem is tetszik.

Domingos a füle tövéig pirult.

– Nem is tudom, mit mondjak erre, senhorita. Ha nem tévedek, senhorita Fisher?

A lány rémülten kapta maga elé a kezét.

– Még csak az hiányozna! Az undorító Debbie a bogaraival. A bogaras Debbie. Jézusom!

– Akkor nem értem – rázta meg a fejét Domingos, és tényleg nem értette. – Kaptam egy listát senhor Pereirától, azon viszont csak egyetlen hölgy neve szerepelt. Senhorita Fisheré.

– Pedig rajta kell hogy legyek – erősködött a lány. – Sammy Holding vagyok.

– Ó, a fenébe is! – vörösödött el ismét Domingos. – Én meg azt hittem, hogy Sam Holding férfi...

– Sammy vagyok. Samantha.

– Bocsásson meg, senhorita.

– Hallom, mások is jönnek.

Két férfi lépegetett feléjük; óvatosan kerülgetve az itt-ott heverő téglákat. Domingos megcsóválta a fejét. A fenébe is, pedig kiadta az utasítást, hogy takarítsanak el a környékről minden szemetet. Valószínűleg néhány gyerek játszott itt a szomszéd házakból...

– Vigyázzanak a lábukra, senhores.

– Sergio LaTorre – mutatkozott be a köpcös, nagy fejű férfi, aki egy másik, ugyancsak köpcös, szemüveges pasas mellett lépkedett, majd megállt Domingossal szemben. – Ez itt Ortega barátom. Még nem biztos benne, hogy le mer-e szállni a pokol fenekére. Ön senhor de Carvalho? Valami nagyon-nagyon izgalmasat ígért nekünk ma estére Vitor Pereira barátunk. Márpedig ő meg szokta tartani a szavát. Csak nem bukkantak a gót királyok kincsére?

– Arra biztosan nem – mosolygott de Carvalho.

– Ön persze nem beszélhet, igaz?

Bőrkabátos, vékony, hullámos hajú fiatalember volt a következő. Rob McNamara.

– BBC – mondta bemutatkozás helyett a világcégek képviselőinek hanyag eleganciájával.

A többieket láthatóan nem hatotta meg a BBC neve. Ortega Domingoshoz fordult.

– Ez meg mit keres itt?

– Ő is meghívott, senhor.

– És mire hívták meg? Azt mesélik róla, hogy egyszer felküldték a Himalájába, hogy legalább néhány száz métert menjen felfelé, de addig is egy serpa vitte a hátán. Igaz ez, Rob? Igaz, hogy serpa vitt? Miért nem szamárra ültél? Az stílusosabb lett volna.

– Mert te nem voltál kéznél – mondta McNamara hideg mosollyal.

Domingos nem volt egészen tisztában vele, hogy mire számíthat. Csak ugratják egymást, vagy pillanatokon belül hullani kezdenek a pofonok, mint a katonák a waterlooi csatában. Szerencsére, mielőtt még elfajulhattak volna az események, megérkezett Lisete. Mivel őt senki nem ismerte, a bemutatkozás másodpercei tompítottak valamit az elhangzottak élén. Amikor pedig senhora Lucilla és senhor Pereira is megérkeztek, minden a helyére billent.

Egy közeli, nyitott ablakon kihallatszott egy televíziós csatorna időjelzése.

– Tíz óra. Híreket mondunk.

A Pereira házaspár mindenkit üdvözölt. Domingos ezalatt arra gondolt, hogy ha valaki a magasból figyelné őket, azt gondolhatná, hogy az udvarba ültetett salátabokrok beszélgetnek egymással. Valamennyien zöldek voltak a neonfénytől, mint a veteményeskertek díszei.

Senhor Pereira nem sok szót vesztegetett az előttük álló kalandra. Sejtetni viszont annál többet sejtetett.

– Elnézést kérek mindenkitől, hogy idecsábítottam, de arra gondoltam, hogy a sajtó területén dolgozó legközelebbi barátaimmal osztom meg először azt a felfedezést, amelyet a napokban tettem... tettünk. Hogy megmutathassam, miről van szó, egy veszélytelen kis kirándulást kell tennünk a város alatt húzódó kazamatákban, vagy hogy is nevezzem őket. Önök közül valamennyien jártak már barlangokban, így nem hiszem, hogy problémát jelentene a lenti séta. Arra kértem önöket, hogy öltözzenek könnyű, de nem kényes ruhába... látom, ez rendben is lenne... Talán senhorita Holding viselete túlságosan is könnyű...

– Neki ez a munkaruhája – jegyezte meg rosszmájúan Ortega.

Valamennyien Sammyre néztek. A lány kidugta a nyelvét. Ortega felnevetett.

– Senhorita Fisher még hiányzik – figyelmeztette őket de Carvalho.

– Tényleg, eddig észre sem vettem – kapott a fejéhez senhor Pereira.

– Ne aggódjék, Vitor, már itt is vagyok – hallatszott a közeli téglarakás mögül. Fekete kezeslábasba öltözött, vékony, vörös hajú, szemüveges nő bukkant ki az árnyékból. – Itt vagyok, csak meg kellett igazgatnom magamon ezt a göncöt.

Domingos szeme megpihent az asszonyon. Éjfekete, szorosan a testére simuló ruha, s az a furcsa szemüveg, amelyet az orrán táncoltat... Jézusom, hiszen ez egy óriási pókra emlékeztet!

– Á, hát maga is a meghívottak közé tartozik? – kérdezte Ortega. – Csak nem azt akarják ezzel a tudtomra adni, hogy kétfejű rákot, százlábú kígyót, harapós békát vagy egyéb szörnyűséget fedeztek fel odalent? Mert ha így van, én inkább fent maradok. Utálom a csúszómászókat, a bogarakat...

– Nem élőlényről van szó – igyekezett megnyugtatni az újságírót senhor Pereira.

– Akkor meg miről? Mégiscsak a gót királyok kincséről?

– Szeretném, ha odalent vágná gyomorszájon önöket a meglepetés ereje.

– Engem már gyomorszájon is vágott.

– Jó lenne, ha minél érzékletesebben írnák le a lapjaikban mindazt, amit odalent tapasztaltak. Senhor de Carvalho kiosztja önöknek a szükséges eszközöket.

Cirka negyedórába tellett, amíg mindenki megkapta, amit kívánt. Sisakokat, lámpákat, kesztyűket. Domingos a téglarakások mögé rejtett készletéből osztotta szét őket. Szerencsére a kölykök nem bukkantak rá; annak ellenére sem, hogy erre az éjszakára hazaküldte az éjjeliőrt.

– Azt javaslom, ne húzzuk az időt – mondta Debbie Fisher. – Remélem, Vitor, nem azért csődített ide bennünket, hogy odalent ünnepelje velünk a születésnapját.

– Majd legközelebb – nevetett Pereira. – Az ötlet mindenesetre meg van véve.

– Hé! Hadd kérdezzek már valamit! – emelte fel a kezét senhor Ortega. – Ha jól emlékszem, valahol a közelben több gyilkosság is történt. Nem vagyok bűnügyi riporter, így csak a kollégáim förmedvényeiből értesültem róla.

Senhor Pereira bólintott.

– Valóban… akadt errefelé az utóbbi időben némi kellemetlenség. De ez egy másik ügy.

Domingos lehorgasztotta a fejét. Aztán érezte, hogy valaki megfogja a kezét. Lisete állt mellette, és bocsánatkérő mosollyal nézett rá. Domingos nem tudta mire vélni a néma bocsánatkérést, de nem volt ideje beszédbe elegyedni a lánnyal, mert senhor Pereira az órájára nézett, és dühösen felmordult.

– Még öt percet várunk. Maximum.

– Mire? – kérdezte Debbie Fisher.

– Egy papra.

Nagyobb izgalmat akkor sem kelthetett volna, ha azt mondja, hogy egy boszorkányra várnak, aki azért késik, mert kifogyott az üzemanyag a söprűjéből.

– Papra? – hökkent meg Sergio LaTorre. – Minek ide pap?

– Jó, ha van – mondta sejtelmesen senhor Pereira.

– Kinek jó?

Debbie Fisher Pereirára bökött a mutatóujjával.

– Maga rejteget előlünk valamit, Vitor!

– Ugyan mit rejtegetnék?

– Akkor elhallgat előlünk valamit.

Senhor Pereira kénytelen volt megvakargatni az állát.

– Tényleg... kíváncsiak rá?

– Hogy az ördögbe ne lennénk kíváncsiak, amikor mi is érintettek vagyunk a dologban?!

– Biztonság kedvéért jön velünk – mondta senhor Pereira.

– Biztonság kedvéért? Nem tévesztette el a házszámot, Vitor? Manapság a biztonságot inkább kopaszra nyírt ruhásszekrények jelentik, semmint a papok.

– Lehetnek köztünk vallásosak – magyarázta Pereira. – Odalent pedig sírkamrák vannak, feltáratlan temetők, holtak csontjai...

– Ha eddig nem lett volna kedvem lemászni, akkor most biztosan meghozta a dumájával – mondta a mindeddig hallgató Ortega. – Egyre inkább az a meggyőződésem, hogy semmi keresnivalóm odalent.

– Azt hiszem félreértenek – mosolygott senhor Pereira. – Egyszerűen az a helyzet, hogy nem szeretnénk kegyeletsértést elkövetni. Manapság erre kényesek az emberek. Nem szeretnék konfliktust az egyházzal. Nem szeretném megsérteni senki érzékenységét. Éppen ezért Lucrecio atya megszentel mindent, amit lehet, így senki nem tehet nekem később szemrehányást, hogy profán igyekezetemmel megzavartam a holtak nyugalmát.

– Ez azt jelenti, hogy... sírkamrát tárunk fel, amelyben halottak is... lehetnek? – kérdezte Debbie Fisher.

– Előfordulhat.

– Hát ez cuki – csóválta meg a fejét Sammy Holding. – Csak éppen azt nem értem, mi a fenét keresek én itt?

– Én is ezt mondtam – csatlakozott hozzá gyorsan a szemüveges Ortega. – Nem lehetne, senhorita, hogy ön és én ne keressünk odalent semmit, itt fent viszont annál többet?

Sammy végignézett a pocakos, elhanyagolt külsejű Ortegán.

– Akkor inkább már a csontvázak.

– Csak nehogy később megbánja, amiért nem engem választott.

Ha Sammy Holding előre látta volna a jövőt, holtbiztos, hogy inkább Ortegát választotta volna.

73.

Vitor Pereira már éppen azon aggódott, hogy néhányan lelépnek közülük, és inkább egy meleg étterem meghitt sarkát választják, amikor befutott Lucrecio atya. Egészen pontosan csak egy csuha futott be, amely felül kapucniban végződött. Lucrecio atyából egy négyzetcentiméter sem látszott. A hátán viszont kis hátizsák lógott, mintha az előrelátó atya elemózsiát cipelt volna benne.

– Lucrecio atya már járt odalent – mondta magyarázatképpen senhor Pereira –, mondhatni, körülnézett a labirintusban. Egyébként bocsássanak meg neki, de... nem beszélhet. Némasági fogadalmat tett.

– Az meg mi? – tudakolta senhor LaTorre.

– Addig nem szólal meg, amíg nem járunk sikerrel.

– Hm. Kinek jó ez?

– Neki biztosan.

Lucrecio atya ekkor sorban meghajolt valamenynyiük előtt, majd szakavatott mozdulatokkal áldást osztott. Legtöbben kínosan vigyorogtak, McNamara azonban még arra sem vette a fáradságot, hogy biccentsen. Hideg tekintettel nézett a papra, aztán elfordította a fejét.

Debbie sóhajtott, és elkapta senhor Pereira karját.

– Most, hogy ilyen szépen kibeszélgettük magunkat az atyával, nem indulnánk? Nekem holnap reggel hétkor Madridba kell repülnöm.

– Máris indulunk – biccentett senhor Pereira. – Hiányzik még valakinek valami?

– Nekem a józan eszem – mondta Ortega. – Tuti, hogy elvesztettem valahol. Ha meglenne, inkább bebújnék senhorita Sammyvel egy kis szeparéba...

– Duguljon már el!

– Mi a következő lépés?

– Senhor de Carvalho vezeti a menetet.

Minden szem az építészre fordult.

De Carvalho zavartan megpödörgette a bajuszát.

– Jöjjenek utánam, kérem.

Oldalra lépett, majd megállt.

– Hova menjünk? – tudakolta senhorita Holding.

– Ide.

– Jézusom, mi van itt?

– Egy lejárat, senhorita.

– Csak nem azt akarja mondani, hogy kötélen kell lemásznunk a föld alá? Bocs, akkor én már itt sem vagyok.

– Meglátja, senhorita, kényelmes és biztonságos a lejutás. Olyan lesz, mintha hintázna.

– Mindig is utáltam hintázni. Sosem értettem a többi gyereket, hogy mi a fenét csípnek rajta.

– Meglátja, nem lesz probléma.

– Te jó ég! Remélem, nem szakad le!

– Esküdni mertem volna rá, hogy lépcsőn megyünk le – csóválgatta a fejét Ortega. – Biztos, hogy az én súlyomat is elbírja ez az izé?

– Több mázsát is elbír a kötél.

– Csak azért kérdezem, mert úgy érzem, legalább tíz tonnát nyom a félelem a szívemben. Jó, beismerem, parázok egy kicsit. Utálom a lyukakat, a barlangokat, a...

– Ki indul elsőnek? – kérdezte Rob McNamara.

– Én – mondta senhor Pereira. – Aztán a feleségem, és így tovább...

Domingos áldásos tevékenysége következtében jelentős változás állott be a leereszkedés módjában. Utasítására Calvao és Cruseiro kényelmes, háttámlás ülőkét ütöttek össze. Az ötlet viszont senhor Pereiráé volt, aki tartott tőle, hogy ha marad a régi módszer, a meghívott vendégeknek eszük ágában sem lesz leereszkedni a föld alá.

– Akkor hát indulok – mondta Pereira. Az akna fölé hajolt, mintha fejest akarna ugrani a mélybe. A következő pillanatban egy széles, faragott háttámlájú szék bukkant fel a zöld fényben.

– Ebben kell helyet foglalniuk, hölgyeim és uraim. Igaz, hogy kényelmes?

– Menjen már, jóember! – bíztatta Debbie Fisher. – Addig, amíg meg nem gondolom magam.

– Már itt sem vagyok – mosolygott senhor Pereira, és beleült a székbe. – Akkor hát... viszlát odalent!

Mire az utolsó szó elhangzott, már el is tűnt a szemük elől.

– Vajon mi mozgatja? – töprengett McNamara. – Hé, maga... építész! Mivel jár ez az izé itt?

Domingos megpödörgette a bajuszát. Nem tetszett neki a fickó modora, de arra gondolt, hogy orrba vágni a föld alatt is ráér.

– Villanymotorral – mondta aztán megnyugtató hangon.

– Hol a motor?

– Odalent.

– Nem hallom a hangját.

– A villanymotornak nincs hangja.
– Elég egyenetlen a haladási sebessége.
Amint újra felérkezett a szék, Domingos McNamarára mutatott.
– Most maga jön.
McNamara biccentett, széket fogott, és eltűnt a szemük elől.
A következő utas az atya volt.
– Nem venné le a hátizsákját, atyám?
Lucrecio atya nemet intett.
– Úgy kényelmesebb lenne.
Az atyát láthatóan nem érdekelte a kényelem.
– Tegye inkább az ölébe.
Az atya ismét megrázta a fejét.
Domingos megvonta a vállát.
– Akkor hát... indulhat, atyám.
Az atya is lesüllyedt a mélybe. Őt Lucilla asszony követte. Nem szólt egyetlen szót sem, csak mosolygott, és a sötétségbe merült.
A szék felérkezett, Domingos Ortegára bökött.
– Ön következik, senhor Ortega.
– Menjen inkább, LaTorre. Én elszívok még egy cigarettát.
– Azt már nem! – tiltakozott nagyon határozottan LaTorre. – Ha én le nem taszigálom, magától le nem megy. Gyerünk, Maximiliano!
Ortega az aknához lépett.
– Azt hiszem, ez életem legnagyobb ballépése.
Nem is tévedett.

74.

Leereszkedése azonban még így sem volt minden izgalmat nélkülöző. Nagy nehezen belepréselte magát a székbe, de a következő pillanatban már ki is akart szállni belőle.

– Szorítja a seggem – nyújtogatta a lábait az akna oldalfala felé. – Kényelmetlen. Inkább idefent maradok. Kérem, építész úr…

A szék elindult lefelé.

– Hé! Hé! Nem érti, amit mondtam? Beszorult a seggem, és ki akarok szállni belőle. Nem akarok lemenni…

Hirtelen elhallgatott a hangja.

– Hol a pap? – kérdezte LaTorre.

– Már odalent van.

– Kár. Meg akartam kérni rá, hogy öntsön utána egy kis szenteltvizet.

– Senhor LaTorre.

– Már itt is a szék? Nem ereszkedhetünk valami mélyre.

– Nyolc-tíz méter az egész.

– Azért ennyi föld is agyonnyomhatja az embert, ha ráomlik, nem?

Ő is eltűnt a sötétségben.

Sammy Holding félretolta Lisetét, és az aknához lépett.

– Én megyek. Most még van bátorságom hozzá. Lehet, hogy tíz másodperc múlva már nem lesz.

– Csak menjen – legyintett nagyvonalúan Lisete.

Öt perc múlva valamennyien lent voltak.

Magába zárta őket a kazamaták világa.

75.

Szerencsére nem sokáig tartott a sötétség. Néhányan bekapcsolták a sisaklámpáikat, néhány kézben pedig zseblámpa villogott.

– Kérem, hölgyeim és uraim – hallották senhor Pereira hangját. – Megkérhetném önöket, hogy ne világítsanak egymás szemébe?

– Jó ötlet – helyeselt senhor Ortega. – Máris vak vagyok, mint a bagoly.

– A bagoly nem vak, csak nem lát nappal – helyesbített Debbie Fisher.

– Hát mi a vak?

– Például a vakond.

– Na, akkor az vagyok én.

– A földre irányítsák a lámpáikat, egyenesen a lábuk elé.

– Hol a fenében vagyunk? – tudakolta Sammy Holding. – Egy kút fenekén?

– Leereszkedtünk egy aknán, és ez az akna feneke.

– Nekem máris klausztrofóbiám van – panaszkodott Ortega. – Mindjárt rosszul is leszek.

– Azonnal megyünk tovább. Csak néhány percet bírjanak ki még.

– Hé? Mire várunk?

– Rövid tájékoztatást szeretnék adni önöknek, hölgyeim és uraim arról, hogy tulajdonképpen miért is jöttünk ide.

– Én tudom – mondta Ortega.

– Miért?

– Mert elveszítettem a józan eszemet.

– Kérem, hölgyeim és uraim, őrizzük meg a komolyságunkat. Annál is inkább, mert... amit látni fognak, családunk büszkesége... és kérem, tiszteljenek meg azzal, hogy nem űznek gúnyt ősöm emlékéből.

– Én csak azt mondtam, hogy nem vagyok normális, amiért ide jöttem. Ez is sérti az ősét? Különben, ha nem vagyok indiszkrét, ki az ön őse?

– Simões mester – mondta büszkén senhor Pereira.

– Az ki?

– Figyeljenek ide, kérem.

Senhor Pereira beszélni kezdett. Igyekezett rövidre fogni a mondandóját, de még így is cirka negyedórába került, amíg végzett vele. Ezalatt részletesen elmagyarázta, kicsoda Simões mester; beszélt a Távora és Pombal márki közti viszonyról, a kivégzésekről, a kínzásokról, Simões mester művészetéről és a tőrökről, amelyekkel gyilkosságokat követtek el, és amelyek tulajdonképpen útmutatóul szolgáltak a kincseskamra felé.

Amikor befejezte, döbbent csend ülte meg a sötétséget. Csak néhány sisaklámpa fénye bolyongott árván a falakon.

– Ez… igaz? – nyögte LaTorre. – Nem tréfál velünk?

– Eszem ágában sincs tréfálkozni – csóválta meg a fejét senhor Pereira. – Hamarosan meggyőződhetnek róla, hogy mennyire komolyan beszélek. Simões mester a XVIII. század egyik művészóriása volt.

– Mivel magyarázza akkor, hogy még sosem hallottunk róla?

– Mert alig ismerjük a munkásságát. Valamennyi művét ebbe a kamrába rejtette, amelyet most ki fogunk bontani.

– Ez annyit jelent, hogy még nem is tudják, mi van benne?

– Csak sejtjük. Az az igazság, hogy néhány téglát már kibontottunk a kamra falából, és benéztünk a belsejébe.

– Hm. És mit láttak benne?

– Telis-tele van műremekekkel, hölgyeim és uraim. Simões mester csodálatos műveivel.

– Aranyból vannak? – kapta fel a fejét Ortega.

– Ezüstből. Az ősöm ezüstműves volt. De az ezüst is lehet olyan értékes, mint az arany.

– Ez kétségtelen – biccentett Ortega. – Senhor Pereira, ön máris felcsigázta az érdeklődésemet. Már nem is bánom annyira, hogy beleszorultam abba az izébe. Hol az a kamra?

– Éppen oda megyünk.

– Várjanak csak egy pillanatra! – A hideg tekintetű McNamara állította meg őket. – Én azért még tudni szeretnék valamit.

– Amit csak óhajt, senhor McNamara.

– Én, amint tudják, korábban bűnügyi riporter voltam. Nem szeretném riogatni önöket, de… hallottam, hogy egészen furcsa dolgok történtek az utóbbi időben errefelé.

– Merrefelé? – kérdezte Sammy.

– A lebontásra ítélt házakban.

– Azok hol vannak?

– Nagyjából a fejünk felett.

Valamennyien a mennyezetre néztek. A sok fénycsóva egymást kergette odafent.

– Mit ért furcsa dolgok alatt, Rob?

– Néhány gyilkosságot például.

– Úgy gondolja… mások is kiszúrták a maga kamráját, senhor Pereira?

Senhor Pereira nagyot nyelt.

– Azért a helyzet közel sem annyira drámai, hölgyeim és uraim.

– Néhány gyilkosság nem elég drámai önnek?

– Nem erről van szó. Egyáltalán nem biztos, hogy a gyilkosságok közvetlen összefüggésben állnak Simões ősöm tőreivel és a kamrával.

Néma csend ülte meg az akna alját, majd Sammy Holding enyhén remegő hangon megszólalt.

– Beszéljen őszintén, senhor Pereira… Lehetséges, hogy… a fáraó átkáról van szó?

– Ezt… hogy érti?

– Tudja maga jól, hogy hogyan értem.

– Őszintén mondom, szó sincs ilyesmiről. Sőt azt

hallottam, hogy ez még az egyiptológiában is többnyire csak legenda. Tutenhamon esetében is a szegény fiú átkára hivatkoznak, pedig semmi erre utaló feliratot nem találtak a sírkamrában.

– Azt rebesgetik, hogy a lebontásra ítélt házakban kísértetek járnak. Esetleg ők gyilkoltak... igaz ez?

– Hallott már valaha arról, Rob, hogy kísértetek gyilkoltak volna?

McNamara megrázta a fejét.

– Arról még nem. Inkább kísérteties körülményekről beszélhetnénk.

– Jól van – emelte fel a kezét Debbie Fisher. – Megkeressük a sírkamrát, a pap beszenteli, akkor mit csinálunk?

– Itt vannak a kamerák önöknél?

– Mit gondol, mi nyomja a hátam?

– Annyi felvételt csinálhatnak, amennyit csak akarnak. És megírhatják a riportjaikat. Önöké az elsőség. Mindenkinél előbb közölhetik a nagy felfedezést. Hölgyeim, uraim?

– Nekem tetszik az ötlet – mondta McNamara. – Bár jobban tetszene, ha néhány kísértet is előbukkanna valahonnan, és hagynák lefényképezni magukat.

– Ami nem létezik, azt nem lehet lefényképezni!

– Nem is igazi fotós maga, ember.

Sammy Holding ismét feltartotta a kezét. A félhomályban csak nehezen vették észre.

– Hé! Itt van még egy kéz!

– Sammy?

– És ha... a gyilkos lesben áll? Talán már itt is lapul néhány méternyire tőlünk? Vagy éppen köztünk bujkál?

– Ne pánikoljon, senhorita! – torkolta le LaTorre. – Túl sokan vagyunk ahhoz, hogy végezzen velünk.

– Hé! Senhor de Carvalho! Domingos!

– Itt vagyok, senhor Pereira!

– Kérem, ismertesse vendégeinkkel az óvatossági rendszabályokat.

Domingos mély lélegzetet vett, és lágy, megnyugtató hangon beszélni kezdett.

– Arra kérem önöket, hogy minden körülmények között maradjunk együtt. Libasorban haladunk, mindenki jegyezze meg, ki megy előtte, és ki jön mögötte. Sok oldaljárat mellett sétálunk el, senkinek eszébe ne jusson benézni valamelyikbe, ne adj' isten belemenni. Ha valakinek szükséges lenne... izé... megvárjuk. Azonkívül vigyázzanak a pókhálókra. Azt beszélik, hogy errefelé... furcsa pókhálók találhatók. A járatok mennyezetéről lógnak le, és...

– Furcsa pókhálók? Mennyire furcsák?

– Jó nagyok – mondta Domingos – Kifejezetten nagy pókhálók. Azonkívül... hm... ragadósak.

Mindenki felkapta a fejét. Még az is, aki eddig a nem különösképpen vonzó talajt nézegette.

– Ragadósak? Bizonyos értelemben minden pókháló ragadós.

De Carvalho minél gyorsabban túl akart lenni a póktémán, ezért igyekezett lezárni a beszélgetést.

– Ezek kifejezetten ragadós pókhálók. Ha valaki mégiscsak beleragadna... kiáltson.

Szándékával ellentétben a titokzatos pókháló mindenkinek magára vonta a figyelmét.

Senhor Ortega úgy emelgette a lábát, és olyan szerencsétlen ábrázattal pislogott jobbra-balra, mintha máris beleragadt volna egybe.

– Óriási pókhálók? Jézusom, és csak most mondja? Még csak ez hiányzott! Jézusom!

– Mitől van ennyire becsinálva? – érdeklődött Debbie Fisher. – A pókháló nem harap. Még az óriási sem.

– Nem is ettől félek én – sóhajtotta Ortega.
– Akkor mitől?
– Hogy az óriási pókhálóhoz óriási pók is tartozik.
Erre úgy látszik Debbie Fisher sem gondolt eddig, mert rögvest a szája szélébe harapott.
– Látott már valaki ilyen pókhálót? – kérdezte kissé ideges hangon.
Lisete hallgatott, és Domingosra nézett. Domingos sóhajtott, és megköszörülte a torkát.
– Én... láttam.
– És milyen volt?
– Nagy.
– Mekkora az a nagy?
– Mint egy... mint egy...
– Egy ember beleragadna?
Domingos megpödörgette a bajuszát.
– Feltétlenül.
– Ön... beleragadt?
– Majdnem.
– Szép kis hely – borzongott meg LaTorre is. – Megvizsgálta már valaki ezeket a dögöket? Remélem, nem mérgesek?
– Nem fogunk találkozni velük – ígérte senhor Pereira. – Amerre mi megyünk, arra nincsenek pókhálók. Különben is... attól, mert a háló nagy, a pók még lehet kicsi. Sok kicsi pók nagy hálót sző.
– Még valami? – kérdezte Sammy Holding. – Drakula, vérfarkas, Frankenstein fia?
– Induljunk el, mielőtt még halálra rémítgetnénk egymást. Mire kell még vigyáznunk? – tudakolta McNamara.
– Elsősorban arra, hogy el ne szakadjunk egymástól. Napokig is eltarthat amíg megtaláljuk, ha elveszne valaki.
– Megengedné, senhorita Sammy, hogy magába kapaszkodjak? – kérdezte Ortega.

– Kapaszkodjék az üdvhadseregbe – utasította vissza a lány. – Ha megpróbálkozna valamivel, belököm az első pókhálóba.

– Ez nem nagyon vicces, hallja-e!

– Maga kezdte.

– Kérem, kapcsolják fel a sisaklámpáikat. Mindenkié működik? Akkor rendben. Indulhatunk?

– Isten nevében, előre! – vezényelt Sammy Holding. – Maga, páter, nem mond erre semmit?

Lucrecio atya megvonta a vállát, és mutatta, hogy szerinte rendben van minden; egyelőre nincs szükségük sem szenteltvízre, sem az anyaszentegyház áldására.

Pedig lett volna.

76.

Tízpercnyi gyaloglás után kezdődtek a bajok. Nem juthattak még messzire a kürtőtől, máris háromszor-négyszer fordult velük a folyosó. Domingoson és Licetón kívül fogalmuk sem volt, merre járnak. Csak a lámpák fénye futkosott megnyugtató elevenséggel a falakon.

– Maguk nem érzik? – kérdezte hirtelen Ortega.

– Micsodát? – kérdezte LaTorre.

– Annak a súlyát, ami a fejünk felett van.

– Miért? Mi van felettünk?

– A város, barátom, az egész város. Százmillió tonna beton.

– Attól félsz, hogy épp most omlik be? Ha eddig kitartott, nem valószínű.

– Mindennek el kell kezdődnie egyszer. Az első szédülni kezdő dinoszaurusz is ezt mondhatta, amikor érezte, hogy egyre nehezebben lélegzik a vulkánok füstjétől mérgessé vált levegőből. – Miért éppen most dobnánk fel a talpunkat, hiszen eddig is voltak vulkánkitörések? Miért éppen az én időmben? Aztán szépen lefeküdt, és nem kérdezett többet.

– Mi a fene ez itt a lábam alatt?

– Ha nem cincog, és nem is harapott beléd, akkor nem patkány.

– De kígyó lehet.

– A kígyók nem cincognak.

– Hé! Nekem kialudt a lámpám!

Senhor Pereira megfordult, de nem állt meg.

– Kié aludt ki?

– Az enyém. Sammy Holding vagyok.

– Álljanak meg, kérem. Mindenki álljon meg. Hol van, senhorita Holding?

– Itt, az orra előtt.

– Maga az? Mutassa csak a sisakját... – Kattogás hallatszott, majd senhor Pereira mérges hangja. – Hát ez valóban felmondta a szolgálatot. Megnézné, Domingos? Húzódjanak, kérem, a falhoz, hogy senhor de Carvalho megnézhesse.

Domingos a lányhoz sétált. Sammy Holding a kezében tartotta a sisakját.

– Az imént pislákolt még egy kicsit.

– Biztos zárlatos – mondta McNamara.

Domingos kattintott néhányat rajta, megrázta, majd hátrakiáltott a válla felett.

– Adja csak ide a tartalék elemeket, senhor Pereira!

– Nálam nincsenek – mondta Pereira. – Nálam semmiféle elem nincs.

– De hiszen önnek adtam.

– Nekem? Mikor?

– Mielőtt leereszkedtünk volna.

Pereira a homlokára csapott.

– Ó, a fenébe is, tényleg. Letettem, mivel felérkezett a szék, és nekem segítenem kellett...

– Ez annyit jelent, hogy otthagyta? – érdeklődött LaTorre.

– Nincs semmi baj – igyekezett megnyugtatni őket Pereira. – A többieknek van lámpájuk. Ha megérkeztünk a kamrához, odaadom a sisakomat, senhorita, hogy jobban tudjon dolgozni.

– Baj van – mondta ekkor Maximiliano Ortega.

– Mi a fene? Bocsánat...

– Az én lámpám sem ég.

Mintha valahogy kezdett volna megsűrűsödni körülöttük a levegő.

– Hogyhogy nem ég?

– Egyszerűen nem ég.

– Mikor aludt ki?

– Éppen javasolni akartam a senhoritának, hogy kölcsönadom a sisakomat, ha belékapaszkodhatok, de ekkor az enyém is kialudt

– A te mocskos gondolataidtól még az elemek is kipurcannak.

– Domingos, kérem, nézze meg.

Domingos idegesen rágcsálta a bajusza végét. A sisakokat ő szerezte, az elemeket ő cserélte ki bennük. A kölcsönzőben direkt figyelmeztették rá, hogy kívánságra kicserélik ugyan az elemeket, de az jóval többe kerül, mintha a kedves kölcsönvevő maga cseréli ki. A munkadíj drágább, mint maga az elem. Ekkor vett három csomaggal – kettőt a sisakokba, egyet tartaléknak – és mindjárt ki is próbálta őket. A lámpák egyszerűen ragyogtak tőlük. A kölcsönzős szerint huszonvalahány órát képesek égni egyhuzamban.

– Mutassa a sisakját, kérem.

Néhány másodpercébe került csupán, hogy megállapítsa: ez az elem is kakukk. Annyi energia sincs benne, mint száz csendes nap után egy szélmalomban.

– Mi a helyzet, Domingos?

– Lemerült az elem.

– Csak úgy?

– Nem tudom, senhor Pereira.

– Magát bíztam meg vele, hogy... a jóistenit neki! Ön a felelős érte, de Carvalho!

– Én kicseréltem valamennyiben az elemet.

– Akkor miért nem égnek?

Akárhogy is volt, Domingos nem tagadhatta le a felelősségét. Úgy látszik, lejárt szavatosságú elemet sóztak a nyakába, vagy történt velük valami.

– Rossz hírem van – mondta ekkor McNamara. – Nem akarok senkit megrémíteni, de az enyém is kialudt.

Domingos felnézett a mennyezetre, majd le, a lába elé. Már csak itt-ott futkározott egy-egy sápadt fény, jelezve, hogy hamarosan a többi elemet is eléri a végzete.

Domingos lekapta a fejéről a sisakját, s amíg még látott valamit, megvizsgálta az elemet. Az ő lámpájában is már éppen csak pislákolt a körte. Ahogy megpiszkálta az elemecskét, egyszerre csak rátört a rémület.

– Mi a fene van már, de Carvalho?

– Az enyém is kialudt.

Senhor Pereira kezében zseblámpa villant.

– Nézze meg, mi van vele.

Domingos megnézegette az elemet, aztán a zsebébe dugta. Ügyet sem vetett az izgatottan zsibongókra, Pereirához fordult.

– Mondhatok magának valamit?

– Az bizony jó lenne. Ha feleslegesen csődítettem ide ezeket a jóembereket...

Domingos megfogta a karját.

– Figyeljen ide, senhor Pereira. A sisakkölcsönzőben cseréltem ki az elemeket, érti?

– Értem, de akkor…
– Vadonatúj elemeket vettem a sisakokba.
– Változatlanul azt kérdezem…
– *Ezek* az elemek nem *azok* az elemek.
– Mit beszél?
– Nem ezeket az elemeket helyeztem bele a sisakokba, amelyek most benne vannak. Nem ezeket a szarokat.
Pereira megtörölgette a homlokát. Arcára kiült a vakrémület. Olyannyira, hogy Lucilla asszony szükségét érezte, hogy felbukkanjon mellette. Az ő hangja is csak némileg volt nyugodtabb mint a férjéé.
– Mit mond, Domingos?
– Valaki kicserélte a sisaklámpa elemeit.
– Honnan a fenéből veszi ezt?
– Onnan, hogy emlékszem azokra, amelyeket én vettem. Azok píros színűek voltak. Ezek pedig sárgák.
Mivel valamennyien hallották a szóváltást, levették a sisakjukat, és megnézték benne az elemeket.
– Van valakinek piros színű elem a sisakjában?
Nem volt. Mindannyiukéban sárga volt piros helyett. És már alig égett valakié. Ott szorongtak a sötét járatban, egymás hegyén-hátán, mint megriadt vakondok.
– Ön azt állítja, hogy valaki kicserélte az elemeket?
– Igenis, ezt állítom!
Senhor Pereira ismét megsimogatta csapzott, homlokába hulló haját.
– Most már… emlékszem.
– Mire? – kérdezte a felesége.
– Senhor Domingos… ön valóban adott nekem egy csomagot, hogy tegyem bele a hátizsákomba. Én bele is tettem volna, de ekkor feljött a szék, és

én odamentem... amikor visszajöttem, már nem volt ott a csomag!

– Hol nem volt?

– Ahova tettem. Emlékszem rá, hogy egy téglára helyeztem. Amikor valaki megfogta aztán a széket, visszamentem a téglához, de már nem volt rajta a csomag. Azt hittem, ön vette el.

– Azért megkérdezhette volna.

– Sajnálom. A székkel voltam elfoglalva.

– Hé, emberek! Most mi legyen? – kérdezte senhor Ortega. – Én csak annyit mondhatok, hogy csendben és lapulva, mint a párduc, közeledik felém a pánik. És ha pánikba esem, akkor üvölteni szoktam. Esetenként még a szám is habzik. Nem szép látvány.

– Én pedig... sikítani fogok – fenyegetődzött fátyolos hangon Sammy Holding.

Senhor Pereira igyekezett úrrá lenni a helyzeten. Tapsolt néhányat, mire csend lett a járatban.

– Hölgyeim és uraim, elnézést kérek ezért a kis közjátékért, úgy látszik még a mi tökéletes szervezésünkbe is csúszhat hiba... egy kis homokszem, amely a fogaskerekek közé hullott. Az a helyzet, hogy rossz elemek kerültek a lámpáinkba. Van valaki, akinek ég a sisaklámpája?

Nem volt.

– Hát ez bizony... pech. De nem akkora, hogy vissza kelljen fordulnunk. Többünknél van erős elemlámpa, a sisaklámpákra amúgy is csak biztonsági okokból lett volna szükség. Hogy neki ne menjenek a falnak.

– Most akkor nyugodtan nekimehetünk?

– Dehogyis, senhorita. Majd mi bevilágítjuk az utat.

– Én vissza szeretnék fordulni – nyafogott Ortega. – Amilyen gyorsan csak lehet.

– Én is – csatlakozott hozzá LaTorre.

– Talán valóban jobb lenne – nyalta meg a szája szélét Sammy Holding. – Majd valamelyik másik nap... ha már kicserélték az elemeket, és... mindannyiunknak megfelelő lesz...

– Nyugodtan továbbmehetünk – erősködött senhor Pereira. – Ez az elemmizéria csak bosszantó és múló epizód.

– Nekem pisilnem kell – mondta hirtelen Ortega.

– Tartsa egy kicsit vissza.

– Nem tudom. Ha pisilnem kell, akkor azonnal kell. Nem tudom visszatartani.

– Jól van, ott a fal.

– De én így nem tudok. Nem tudok, ha figyelnek.

– Senki nem figyeli önt, senhor Ortega. Különben is félhomály van...

– Én akkor sem tudok, ha tudom, hogy nem látnak; de az a tudat, hogy tudják, hogy pisilek, oda vezet, hogy nem tudok pisilni.

– Hé! Nincs itt valahol egy pszichológus?

– Csak pap.

– És az is néma.

– Hé, atyám? Nem tudna segíteni a barátomon?

– Én azonnal bepisilek. Nincs sisaklámpám és bepisilek. Kezdetnek nem is olyan rossz. Talán sikerül addig végeznem, amíg rám tör a pánikroham.

Senhor Pereira kétségbeesve forgatta a lámpáját A kézilámpa erős fénnyel ragyogott; nem látszott rajta, hogy ki akarna aludni.

– Itt kell lennie valahol egy oldaljáratnak.

– Jobb kéz felől – mondta Domingos.

Senhor Pereira addig forgatta a lámpát, amíg meg nem pillantotta az oldaljárat száját.

– Itt is van. Látja, senhor Ortega?

– Az a fekete?

– Ne menjen nagyon messzire. Van esetleg még valaki...?

Nem volt.

– Milyen hosszú a járat? – kérdezte Ortega.

– Ne tegyen többet két-három lépésnél. Így is tökéletes biztonságban lesz tőlünk. Adjam oda a lámpám?

– Nem szükséges, hiszen mindkét kezem el lesz foglalva. Megtennék, hogy nem figyelnek rám?

– Senki nem fog magára figyelni, csak menjen már.

Senhor Ortega eltűnt a sötét pacni közepén.

Pereira behunyta a szemét. Felesége, aki immár nem tágított mellőle, bátorítón megszorította a kezét.

– Csak nyugalom, Vitor, minden rendben lesz.

De nem lett rendben semmi.

Sőt a bajok fekete hollói csak tovább gyülekeztek felettük.

77.

Tíz perc is elmúlhatott már, de senhor Ortega még mindig nem került elő.

– Meddig pisil ez az ember? – fakadt ki türelmét veszítve McNamara.

– Teli lehetett a hólyagja.

– Ez már akkor is sok.

Pereira is megsokallta a dolgot, mert ideges léptekkel odasétált a bejárathoz, és bekiáltott rajta.

– Senhor Ortega! Mi a helyzet? Végzett már?

A zseblámpa sugara végigfutott a falakon, a talajon, de nem látták sehol senhor Ortegát.

– Te jó isten! – kapta a szájához a kezét Sammy – Ez eltűnt!

– Talán beljebb ment – találgatta McNamara. – Menjünk mi is utána, gyerünk!

– Várjanak csak! – intette le őket LaTorre, akinek láthatóan nem volt ínyére, hogy bemerészkedjenek a sötétség világába. – Nézzék már meg alaposan a falat.

– Miért?

– Na mit gondol?

Akárhogy is nézték, nem látták nyomát, hogy senhor Ortega megtette volna, amire készült. Sőt láthatóan nem tette meg.

– Most akkor mi lesz?

Ebben a pillanatban rettenetes ordítás hangzott fel a sötétség mélyén. Olyan rettenetes, amilyet talán még nem is hallottak életükben. Mintha valakinek elvágták volna a torkát, és azt is rozsdás, életlen késsel.

– Höörrrrbrrr! Hörrberrr!

Domingos, Pereira és Lisete egyszerre kapták elő a stukkerjaikat.

– A falhoz! – ordította senhor Pereira. – Mindenki a falhoz!

Senki nem engedelmeskedett. Az újságírók rémült kiáltozás és visítás közepette kirohantak az oldaljárat száján, és eltűntek a sötétségben. Senhora Lucillát úgy megtaszította valaki, hogy a földre zuhant, és Domingosnak kellett felemelnie.

– Vigyázzanak, jön valaki.

Domingos lámpájának fénykörében hirtelen felbukkant egy emberi lény.

Csak hosszasabb vizsgálódásra sikerült megállapítani róla, hogy senhor Ortega az. Nadrágja elején nagy vizes folt éktelenkedett, ami jelentősen megkönnyítette az azonosítást. Arca vérben fürdött, szemei úgy visszahúzódtak az üregükbe, mintha így tiltakoznának a számukra felkínált látnivaló ellen.

Pereira, Domingos, Lucilla asszony és Lisete

odafutottak hozzá, óvakodtak azonban megérinteni.

– Ön az... senhor Ortega?

A férfi rájuk nézett.

– Ezt kérdezem én is. Biztos, hogy én vagyok? És még élek?

– Nagyon úgy néz ki.

Ortega a háta mögé mutatott.

– Mert ott van valaki... aki már nem él.

– Hol, és kicsoda?

– Menjenek csak... addig megpróbálom rendbe szedni magam. Azt hiszem... a nehezén túl vagyok. Úgy elkapott a pánik, hogy nekiszaladtam a falnak, és eleredt az orrom vére. Így megy ez sajnos nálam... szerencsére már túl vagyok a pánikrohamon.

– Itt... vannak? – Debbie Fisher bukkant fel mögöttük. – Már azt hittem... valami nagy baj történt.

– A többiek? – kérdezte Pereira.

– Nem tudom. Valaki nekilökött a falnak... Talán a páter lehetett.

– Mi most kissé előremegyünk a járatban...

– Én is magukkal megyek. Szó sem lehet róla, hogy itt maradjak.

Ortega kiáltása azonban megállította őket.

– Vigyázzanak... bele ne ragadjanak. Én is... majdnem...

– Ott! – mutatott előre senhor Pereira. – Ott mintha lenne valami.

Volt is. Ahogy óvatosan a mennyezetről lecsüngő csomag felé közeledtek, világos lett minden, mintha kisütött volna a nap. Lámpa sem kellett hozzá, hogy rájöjjenek, mi lóg előttük.

Egy óriási pókháló, benne a pók zsákmányával.

78.

Amint megpillantották a zsákmány arcát, egyszerűen összeomlottak. Domingos halálsápadtan a bajuszát húzogatta, Lisete a könnyeivel küszködött, senhora Lucilla a férje vállára támaszkodott, senhor Pereirának pedig úgy kimeredtek a szemei, mintha helyet akarnának cserélni egymással.

Egyedül Debbie Fisher nem rémült meg.

– Ideadná a lámpáját, kérem? – fordult Domingoshoz.

Domingos a kezébe nyomta.

Debbie Fisher cirka másfél méternyire megközelítette a hálót.

– Ekkora pókháló nincs a világon – mondta nyugodt hangon.

– Akkor ez mi? – suttogta Lucilla Pereira.

– Őszintén szólva, fogalmam sincs róla. Mindenesetre csupa ragacs.

– Gondolja, hogy... élőlény?

Debbie Fisher csak a fejét csóválgatta.

– Nem tudom. Hálónak látszik. De talán... gomba is lehet.

– Gomba?

– Ne kalapos gombára gondoljanak. Inkább olyan penészekre, amelyek hosszú szálakból állnak.

Pereira akkor Domingoshoz fordult.

– Ön már találkozott vele, senhor de Carvalho. Azt állította, hogy megtámadta önt.

– Ezt nem állítottam – tiltakozott Domingos. – Inkább csak belefutottam.

– Lehetséges, hogy úgy működik, mint a rovarevő növények? Élő csapda? Arra vár, hogy beleragadjon valaki?

Lisetének minden erejét össze kellett szednie, hogy tiszta és hideg fejjel megszemlélhesse Faria holttestét. Zsaru volt, tudta mit kell néznie. Nem volt nehéz felfedeznie Faria nyakán a nyílt sebet, hiszen a megalvadt vércsíkok térképként mutatták, hogy hol szállt ki az élet a kollégájából.

– Nézzék csak – mutatott a sebre. – Látják?

– Mi az? – tudakolta Ortega. – Könyörgök, mondják meg, mi az!

– Kiszívta az áldozata vérét.

– Jézusom... én azonnal rosszul leszek! Ki akarok menni innét!

– Valamennyien azt akarjuk. Ahhoz azonban, hogy kijuthassunk, jól tesszük, ha alaposabban is megnézzük a hálót.

– Azt akarja mondani, hogy mi is belekerülhetünk egybe?

– Például.

– Én mindjárt... mindjárt... Végül is kicsoda ez a pasas?

– Zsaru – mondta Lucilla asszony. – Senhorita Lisete kollégája.

Ortega eltátotta a száját.

– Zsa... ru? És maga is... zsaru? Mit keresnek zsaruk itt a labirintusban? Jézusom, itt történik valami... valami, amihez nekem semmi közöm. Én fel akarok menni...

– Faria nyomozó – mondta Lisete. – Úgy hívták.

– Mit keresett idelent? – kérdezte Debbie.

– Nem tudom.

– Az ön kollégája, nem?

– Ennek ellenére fogalmam sincs róla.

– De azt csak tudja, hogy ön mit keres itt?

– Megpróbálok segíteni önöknek.

– Nekünk? Mi az ördögért kell *nekünk* segíteni? – háborgott Ortega. – Mi csak egy kincseskamrát akartunk feltárni... Jézusom, maguk tényleg eltitkolnak előlünk valamit! Lecsaltak ide, a város alá...

maguk meg akarnak etetni bennünket ezekkel az izékkel...

– Fogja már be a száját! – szólt rá Debbie Fisher. – Van itt valaki, akitől választ kaphatnék néhány kérdésre?

– Mi a kérdése? – kérdezte senhor Pereira.

– Hogy mire megy ki a játék? Gyilkosságok, zsaruk, emberevő gombák...

– Esküszöm önnek, senhorita, hogy fogalmam sem volt erről az izéről.

– Szép kis alak maga, senhor Pereira! – támadt rá dühödten Ortega. – Vérszívó pókhálók lógnak a folyosók mennyezetéről, maga pedig képes ártatlan embereket halálos veszélybe sodorni. De ezt még megkeserüli! Olyan pert akasztok a nyakába, hogy belezöldül...

– Ha sikerül élve a felszínre jutnia – mondta szárazon Debbie Fisher.

79.

Mielőtt Ortega tovább jajveszékelhetett volna, Debbie még egyszer megvizsgálta a hálót. Olyan közelről nézegette, hogy az orra hegye majd a vastag szálakhoz ért.

– Legyen óvatos, senhorita Fisher – figyelmeztette senhor Pereira.

– Amint látom, nem élőlény.

– Akkor micsoda?

– Ez az, amit nem tudok. Biztos vagyok benne, hogy nem ez az izé ölte meg a zsarut. Csak megfogta. Vagy meg sem fogta, csupán éléskamrának használja valaki.

– Édes Istenem! – jajgatott Ortega. – Kicsoda?

– Ez a kérdés. Van önnél gyufa, senhor de Carvalho, vagy van valakinél?

– Nálam van.
– Mit akar csinálni, Debbie? – kapott a lány keze után Ortega. – Csak nem akarja felgyújtani?
– Meg szeretném nézni, ég-e.
– És ha ezzel idecsalja a háló gazdáját? Hátha megérzi az égő háló szagát.
Bár Domingos öngyújtója már lány kezében volt, Debbie habozott. Nem is volt ostobaság, amit Ortega mondott.
– Akkor akár mehetünk is – szólalt meg senhorita Lucilla. – Itt már nincs dolgunk. Hol vannak a többiek?
Ekkor döbbentek csak rá, hogy a háló és a holttest feletti rémületükben a többiekről meg is feledkeztek.
– Ki hiányzik egyáltalán? – tudakolta senhor Pereira.
– LaTorre barátom, például – nyögte a lassan magához térni látszó Ortega.
– McNamara is hiányzik.
– És Sammy Holding.
– És a pap.
Kiderült, hogy négyen futottak világgá, és most ki tudja, hol járnak?
– Semmi vész – igyekezett nyugodtnak látszani Domingos. – Az a fő, hogy nem tévedtünk el. Egy mellékjáratban vagyunk; szépen megfordulunk, és visszamegyünk a mi járatunkba.
– Aztán? – idegeskedett Ortega.
– Megkeressük a többieket.
– Aztán?
– Egyelőre maradjunk ennél – javasolta Debbie. – Remélem, legalább ez nem jelent majd problémát.
Dehogynem jelentett.
Nagyobbat, mint gondolta volna.

80.

– Kinél van lámpa? – tudakolta Debbie Fisher, mielőtt végleg hátat fordítottak volna a hálónak és a holttestnek. Lisete ugyan javasolni szerette volna, hogy vegyék ki a hálóból Fariát, de aztán lebeszélte magát róla. Magukkal nem vihetik, annak pedig semmi értelme, hogy kiveszik, aztán itt hagyják.

Kiderült, hogy mindenkinél van kisebb-nagyobb zseblámpa, Debbie-t és Ortegát kivéve.

Ahogy kifelé haladtak a járatból, önkéntelenül is kiáltozni kezdtek.

Debbie ugyan megpróbálta lecsendesíteni őket, de nem sikerült. Mintha minden félelmüket a kiáltozásban oldották volna fel. Csupán Lisete és Domingos hallgattak.

Másfél perc múlva kint voltak az oldaljáratból.

– Hé! – kiáltotta tölcsért csinálva a kezéből Pereira. – Hé, mindannyiuk! Hol bujkálnak, hölgyeim és uraim?

Akármerre is jártak, biztosan nem voltak hallótávolságban. Olyan halk válasz sem érkezett a kiáltozásukra, mint a szú percegése.

– Ezek alaposan elrohantak – csóválta meg a fejét Ortega. – Lehet, hogy már odafent vannak?

Senhor Pereira megcsóválta a fejét. Erős kétségei voltak afelől, hogy a menekülők olyan könnyen megtalálták volna az aknát.

– Inkább eltévedtek.

– Hogy futhattak olyan messzire?

– Ja, barátom, a félelem a legerősebb hajtóanyag.

– Bocsássanak meg – torpant meg hirtelen Ortega. – Csak egy pillanatra.

– Jézusom – morogta Lucilla asszony. – Már megint?

– Elnézést, csak egy pillanat…

– Két lépésnél ne menjen messzebbre.

Ortega belesüllyedt a sötétségbe.

Mintegy másfél percnyi csend után aztán olyan kétségbeesett üvöltés csapott ki a járatból, hogy majd a földre taszította őket. Az üvöltés megbénította a lábukat, mint az indiánok nyílmérge a vízidisznót.

Mielőtt eltűnődhettek volna rajta, vajon mi történhetett Ortegával, az újságíró már meg is jelent a nyílásban. Nem volt véres, nem volt halott; attól a kis nedvességtől eltekintve, amely már korábban is a nadrágja elején szégyenkezett, nem látszott rajta, hogy bármi baj érte volna. Csupán az arcán húzódott egy vékonyka koszcsík.

– Ott! Ott! – üvöltötte, ahogy a torkán kifért. – Ott!

Valamennyien a nyílásra meresztették a szemüket. És a stukkercsövek is arra irányultak. A sötét gombócban azonban nem bukkant fel semmi.

– Mi van ott? – ragadta meg senhor Ortega karját Pereira. – Térjen már magához, jóember! Mi van ott?

– Úristen! Jézusom! – zihálta Ortega. – Én ilyet még nem is láttam... Úgy megrémültem... hát ez... én nem tudom... de lassan hinni kezdek benne, hogy kísértetekkel van teli ez a rohadt járat. Istenem, hol a pap?

– Lelépett – mondta Debbie.

Pereira megszorította Ortega karját.

– Ne rémítgesse itt a hölgyeket! Mit látott, Ortega?

Ortega még mindig a levegőt kapkodta, s csak akkor volt képes válaszolni, amikor valamelyest megnyugodott.

– Egy fejet... láttam.

– Milyen fejet?

– Egy... majdnem emberfejet.
– Majdnem?
– Hasonlított rá, de mégsem az volt. Volt orra, meg minden... szája is, és a szeme... hm... abból csak egyet láttam.
– Félszemű?
– Egyszemű.
– Hogy egyszemű?
– Úgy láttam, hogy a szeme... az orra felett volt, a homloka közepén.
– Hogy láthatta a sötétben?
– Világított. Mint a halloween-fejek. Magasan fent lebegett a levegőben. És véres volt a szája.
– Milyen magasan?
– Fogalmam sincs róla. Nem tudtam megítélni a sötétben. Még jó, hogy a micsodámat megtaláltam.
– A testét nem látta?
Ortega csuklott egyet.
– Nem volt teste.
Senhor Pereira meghökkent.
– Hogyhogy nem volt?
– Csak egy szörnyűséges fej lebegett a levegőben. Holtbiztos, hogy ő szőtte a hálót.
Senhor Pereira ekkor döntött.
– Visszamegyünk – mondta határozottan. – Felmegyünk a felszínre. Itt olyan események történnek...
– Ki fognak röhögni bennünket – tárta szét a karját Debbie Fisher. – Óriási pókháló; vérszívó; egyszemű, lebegő fej...
– Ez a legkevesebb – legyintett Pereira. – A kamra megvan, azt később is megtalálom. Most már én is azt mondom, hogy akkor tesszük a legbölcsebben...
Ismét felhangzott egy elkeseredett, félelemmel teli ordítás. Ezúttal azonban nem Ortega volt a tet-

tes. Hiszen ő ott állt mellettük enyhén vizes nadrágjában, és reszketett mint a nyárfalevél.

– Ez... Sergio – suttogta nyakára szorítva a kezét. – Ez a barátom... Sergio LaTorre. Istenem, Sergio!

Domingos előrenyújtotta a nyakát, és belehallgatott a sötétségbe.

– Onnan jön a hang! – mutatott aztán az éjszaka legközepébe.

– Az merre van? – kérdezte Pereira.

– A kamra felé.

– Jézusom, de hát mit keres arra?

– Megrémült, és futott valamerre. Fogalma sem lehet róla, merre a kijárat.

– Akkor most mit csináljunk?

A közben elhalt ordítás ismét megerősödött. LaTorre torkaszakadtából üvöltött. Mintha nyúzták volna.

– Én... odamegyek – lihegte Ortega. – Dögöljek meg, de nem hagyhatom Sergiót. Mutassák meg az utat...

– Csak nyugalom – kapta el Ortega kezét senhor Pereira. – A kamra felé menjünk?

– Tökéletesen mindegy – sóhajtotta Debbie. – Azt hiszem, sehol sem vagyunk biztonságban.

– Vezetne bennünket, Domingos?

De Carvalho bólintott. Megfogta Lisete kezét, és maga után húzta.

– Senhorita Fisher és senhor Ortega menjenek senhor de Carvalho mögött... Világítson előre, Domingos!

– Nem kellene előbb megkeresnünk a többieket?

– Hiszen azt tesszük, drágám. Senhor LaTorréról legalább azt tudjuk, merre jár.

Pereira megállapítása öt perccel később már tévedésnek bizonyult. Pedig az üvöltés csak másodpercekre szünetelt. Olyan elkeseredett, fájdalmas, kínnal teli volt, hogy senhora Lucilla a fülére szorította a tenyerét.

Több járat mellett is elhaladtak, de a kiáltások még mindig elölről hangzottak.

– Lehetetlen, hogy ilyen messzire jutott volna – rázta meg a fejét Debbie.

Mintha LaTorre igazat akart volna adni neki, immár a hátuk mögül hangzott az üvöltése.

Domingos megtorpant, és tanácstalanul a háta mögé világított, ott azonban nem látott mást, csak a mögötte igyekvők bizonytalanul imbolygó csoportját.

– Egy... oldaljáratból jön a hang – mondta Lisete.

– De melyikből?

Ez volt a kérdés. Legalább öt-hat oldaljárat mellett húztak el a hangot követve. Lehet, hogy irányt tévesztettek? Az ordítás ott kavargott körülöttük; faltól falnak ütődve, mint a gumilabda.

– Maradjon mindenki csendben! – csillapította őket Domingos. – Csak néhány pillanatra, kérem!

Így már egészen a közelükben érezték az ordító LaTorrét. Mintha alig néhány méternyire tőlük kiáltozott volna.

– Ez az – mutatott Lucilla asszony a legközelebbi oldaljárat koromfekete szájára. – Innen jön.

– Biztos benne? – kérdezte Debbie.

– Én már semmiben sem vagyok biztos – legyintett az asszony.

Domingos heves bólogatással erősítette meg Lucilla asszony gyanúját.

– Valóban innen... *jött*.

Múlt időt használt, mert a kiáltások elhallgattak. Óriási nyögés fejezte be a műsort, mintha a kiáltozó ezzel a végső, elkeseredett nyögéssel a lelkét is kifújta volna magából.

Úgy látszik, valamennyien erre gondoltak, mert

senkinek nem akaródzott megszólalni. Végül is Domingos egyik kezében a lámpájával, másikban a revolverével elindult a bejárat felé.

– Maguk maradjanak itt.

– Abból nem eszik – vakkantotta Ortega. – Magával megyek, akármi is lesz. Meg akarom nézni Sergiót.

Néhány másodperc múlva megláthatta.

Nem volt benne sok köszönet.

81.

Sergio LaTorre hatalmas, talán még a korábbinál is nagyobb, átlátszó tüllháló közepében ücsörgött. A háló a mennyezetről lógott lefelé, és csak isten volt a megmondhatója, hogyan került bele LaTorre. Mindenesetre ott ült a közepében, nyitott szemmel, kék ajkakkal. Rájuk nézett, de nem őket látta. Talán már a révészt figyelte, amint a part felé közeledett, hogy átvihesse azon a folyón, amelyik az élők világát a halottakétól elválasztja.

Ott lihegtek a háló alatt. LaTorre felettük trónolt; borzalmasan nyitott szemével, borzalmasan eltorzult arcával.

Senhor Ortega ekkor jajgatni kezdett. Elcsuklott a hangja, egyetlen értelmes szó sem jött ki belőle, csupán szívettépő, idegeket borzoló jajgatás.

– Jaaaaaj! Jaaaaaj! Jaaaaaj!

Senhor Pereira Domingoshoz fordult.

– Kivegyük belőle?

– Hogyan?

– El kellene vágni a háló tartózsinórját.

A hálót ugyanis csak egyetlen, karvastagságú szál tartotta.

– Lehetetlen feljutni oda.

– És ha egymás nyakába ülnénk?
Debbie ezalatt a hálóban ücsörgő férfi arcát tanulmányozta.
– Meghalt – mondta aztán. – Van gyakorlatom benne. Orvosira is jártam.
– Megölték?
– Nem látok vért.
– Lehet, hogy kiszívta?
– Kicsoda?
– A fej… a véres szájú…
– Maga tényleg elhiszi…
Debbie hangja idegesen csattant.
– És ez? – mutatott vádlón a hálóra. – Ezt se higgyem el? És LaTorrét sem? Akkor már azt is elhihetem. Démonok járnak idelent, és most éppen ránk vadásznak. Csak azt ne mondja, Pereira, hogy maga ezt nem tudta!
– Pedig nem tudtam, higgye el. Ha tudtam volna…
Domingos megpödörgette a bajuszát.
– Ezen kár vitatkoznunk. Igyekezzünk inkább kifelé.
– Nem hagyhatjuk itt… Sergiót – tiltakozott Ortega. – Magunkkal kell vinnünk.
– Majd visszajövünk érte.
– Hátha még él.
– Legyen nyugodt, már nem.
Lucilla asszony felsikoltott.
– És a többiek?! Őket aztán végképp nem hagyhatjuk itt!
– Jól van – mondta Domingos. – Visszamegyünk a járatunkba. Kiáltozunk, és a levegőbe lövünk.
– A levegőbe?
– Akárhova. Ha hallótávolságban vannak…
– Gyerünk már, ember!
Éppen kiértek volna az oldaljáratból, amikor valaki énekelni kezdett odakint. Közvetlenül a bejárat

előtt. Halk, remegő hangon, mintha egy iskolai rendezvényen énekelne, szülei és osztálytársai szüleinek biztató tekintetétől kísérve. Olyan valaki, aki jól tudja, hogy annyi hangja sincsen, mint egy náthás egérnek, csupán az osztályfőnök osztotta rá a kellemetlen feladatot.

– Csitt! – tette az ujját a szájára Domingos. – Valaki énekel.

– Én is hallom. Talán Sammy Holding.

Debbie megrázta a fejét.

– Ez nem Sammy.

– Akkor kicsoda?

– Megnézem.

Domingos még idejében elkapta a karját.

– Meg ne moccanjon. Majd én.

Előrenyújtotta a stukkert, és a járat szájához lépett. Odakint olyan sűrű volt a sötétség, mint az afrikai éjszakában. És a sötétség mélyén mozgott valaki.

– Beleesett a pókhálóba... hej... haj. Beleesett a pókhálóba, hej... haj... – énekelte vagy inkább dünnyögte az árnyék. – Beleesett a pókhálóba és... meghalt... hej, haj.

Domingos rávilágított a lámpájával.

Az ismeretlen, vékony, fiatal nő a szeme elé kapta a kezét.

– Ne, kérem, ne! – vinnyogta. – Ne öljön meg... ne szívja ki a vérem.

– Ne féljen, senhorita! – nyújtotta felé a kezét az építész. – Nem akarjuk bántani... Jézusom, ki maga? Mintha ismerős lenne.

– Ne öljön meg... kérem! Nagyon kérem. Én már nagyon megbántam, hogy ide jöttem, én nem... Én csak kíváncsi voltam...

– Eulália! – kiáltotta Domingos, és majdhogynem leejtette a lámpáját megrendülésében. – Eulália!

Lisete félrelökte, és a lányhoz futott. Eulália rá-emelte a tekintetét, majd erejét veszítve Lisete karjába omlott.

A zseblámpák fénye reménytelenül futkosott faltól falig.

Mintha egy lezárt kriptából keresett volna egérutat magának.

82.

Néhány perc kellett csupán hozzá, és Eulália olyannyira magához tért, hogy képes volt elmondani, mi történt vele.

– Hol van Brandaõ és… – Lisete Fariát is meg akarta kérdezni, de még idejében elharapta a mondatát.

Eulália szétmaszatolta a könnyeket koszos arcán.

– Faria… meghalt. Brandaõ… is. Faria egyszer csak eltűnt, majd… megtaláltuk. Megölte…

– Kicsoda?

Eulália mélyet sóhajtott.

– A… pók.

Debbie Fisher felkapta a fejét.

– Milyen pók?

A lány önkéntelenül is közelebb húzódott Domingoshoz.

– Azt hiszem… az ő arca… világít a levegőben.

– Nem! – csattant fel ekkor senhor Ortega. – Én ezt nem akarom hallani! Fel akarok ébredni! Kérem, csípjen meg valaki. Ez még álomnak is szörnyű, nemhogy valóságnak…

Debbie Fisher leintette Ortega jajveszékelését, és a lányhoz húzódott.

– Én Debbie vagyok, Eulália. Egy nagy szerkesztőségben dolgozom, ahol természetfilmeket készítünk, és állatokról szóló könyveket adunk ki. Engem különösképpen érdekel ennek az alagútrendszernek az állatvilága. Tudsz nekem ebben segíteni?

Debbie számítása bevált. A száraz, szakszerűnek tűnő szövegtől Eulália valahogy megnyugodott. Hiszen itt van valaki, aki ért a pókokhoz. Talán ő majd magyarázatot ad rá...

– Segítek... ha tudok.

– Köszönöm, Eulália. Most már nem kell félned. Van fegyverünk...

– Fariának is és Brandaõnak is volt.

– Ők csak ketten voltak. Mi többen vagyunk. Engem elsősorban a pók izgat. A két szemeddel láttad, vagy csak elképzelted, hogy létezik? Azt gondoltad, ha hálót látsz, méghozzá nagy hálót, akkor nagy póknak is kell lennie valahol?

– A két szememmel... láttam.

– Hm. És hol?

– A... falon. És a mennyezeten is. De előbb az arcot pillantottam meg. Nagyon megijedtem tőle.

– Milyen arc volt, Eulália?

– Egy... ember arca.

– Egy egyszemű emberé?

Eulália hevesen megrázta a fejét.

– Két szeme... volt, és... nem volt teste.

– A szája? Véres volt a szája?

– Azt hiszem, nem.

– Értem. És mit csinált?

– Csak lebegett a levegőben.

– Biztos vagy benne?

– Egészen... biztos. Nem tartozott hozzá test. Ha tartozott volna, láttam volna. És követett, amerre mentem.

– Mivel világítottál?

– Ő világított.

– Nem támadott meg?

– Nem. Csak jött utánam, és... egyszer csak eltűnt.

– És a pók?
– A mennyezeten… ült. Fekete volt, és… igazi pók volt. Akkora, mint egy ember. És sziszegett. Nem is tudtam eddig, hogy a póknak is van hangja.
– Hogy vetted észre, ha sötét volt körülötted?
– Brandaõ világított. Ez azután volt, hogy Fariát elkapta. És én… többször is láttam.
– Mit, Eulália?
– Fariát. Mindig máshol… volt.
– Mindig máshol? Hol?
– Más járatban. Többször is belefutottunk. És Faria mindig bent ült a hálóban, és már nem volt vére. Ekkor Brandaõ nagyon kiborult. Amikor legutoljára… Én mondtam neki, hogy ne menjen sehova, de ő… meglátta a falon a pókot, és… revolverrel… de aztán elejtette a lámpáját.
– Magától?
Eulália megrázta a fejét.
– Nem tudom. Lehet, hogy a pók vette el tőle.
– Azután?
– Brandaõ rám ordított, hogy fussak, ahogy csak tudok. Én nem akartam… otthagyni… féltem, hogy egyedül maradok, de Brandaõ… csak tovább kiáltozott. Ekkor elfutottam.
– Aztán találkoztál velünk.
A lány hevesen megrázta a fejét.
– Még… láttam Brandaõt.
– Hol?
A lány a gyomrára szorította a kezét.
– A… hálóban. Futottam, és… nem tudtam merre. Akkor már rég nem tudtam, merre járok. Azt gondoltam, valahogy csak kijutok a járatból. És akkor… hirtelen ott volt előttem a háló.
Lisete magához húzta a lány fejét.
– Szegény kicsikém.
Eulália azonban a történtek ellenére sem zuhant

teljesen össze. Sőt, ahogy múlott az idő, mintha bátorságot merített volna a többiek jelenlétéből.

– Ott láttam magam előtt a hálót, és... Brandaõ volt benne.

– Hogy láttad a sötétben?

– Égett a lámpája. A zseblámpája.

– Hol volt a lámpa?

– A... kezében. Már nem emlékszem, hogyan, de kivettem belőle. És lekapcsoltam. Takarékoskodni akartam az elemmel.

– Megvan még a lámpád?

– Itt van a... zsebemben. Ha egyenesen vezetett az út, nem használtam.

– Brandaõ is biztosan halott volt?

– Nem... tudom. Mintha még pislogott volna.

– Láttál vért körülötte?

Eulália bólintott.

– Csak először láttam vért.

– Először?

– Többször is találkoztam vele... akárcsak Fariával.

– Pihenj meg egy kicsit... aztán továbbmegyünk.

Eulália Debbie-re pislogott.

– Gondolja, hogy... kijutunk innen...?

Debbie Fisher mosolyt erőltetett az arcára.

– Hát persze hogy kijutunk. Hogy is gondolhattál olyanra, hogy nem? Akármekkora is az a pók, az ember mégis hatalmasabb nála. Sokkal több esze van. Meglásd, csapdába csaljuk.

– Fariának és Brandaõnak is sok esze volt... és emberek voltak.

– Ez igaz, csakhogy őket megbénította a meglepetés. Mi már tudjuk, mi vár ránk, és nem is vagyunk felkészületlenek. A mi lábunk nem bénul már meg, ha megjelenik egy arc a levegőben, vagy egy pók a mennyezeten. – Oldaltáskájába nyúlt, és félig kihúzta belőle a flakonos dezodorját. – Tudod, mi ez? Idegméreg. Úgy lehullik tőle a falról, mint az őszi légy. Szedd össze magad, kicsim.

Visszatolta a dezodort, aztán arra gondolt, hogy vajon valóban lesz-e erejük megküzdeni az óriáspókkal.

És valóban okosabbak-e nála?

83.

Lisete Euláliát pátyolgatta, Debbie Fisher pedig magához húzta Domingost és Pereirát.

– Akármi is ez a pók, nem akarta megölni.

– Ezt hogy érti? – hökkent meg Pereira.

– Nem akarta megölni a lányt. Ha akarta volna, megtehette volna. Az az érzésem, hogy csak játszott vele, mint macska az egérrel. Tudják, mit mondanak az okosok, hogy miért játszik a macska az egérrel?

– Mert játékos természetű – találgatta Lucilla.

– Egyáltalán nem ezért. Állítólag az egér félelmében cukrot választ ki, ez bekerül a vérébe, a macska pedig imádja az édes vért.

– A francba! – háborgott Pereira. – Eddig is utáltam a macskákat, ettől nem fogom megszeretni őket, az biztos!

– Ne emberi mércével mérjen. A macska csak azt teszi, amire a természet megtanította. És talán a pók is.

– Gondolja, hogy igazi pók?

– Megpróbálok megbarátkozni a gondolattal. Még mindig könnyebben megy, mintha arra gondolnék, hogy talán egy pókká változott szellem. Mindenesetre az a lényeg, hogy valamiért nem ölte meg a lányt, csak játszadozott vele. Hol az egyik halottat akasztotta elé, hol a másikat.

– Vajon miért?

Debbie Fisher megvonta a vállát.

– Ezt kellene kitalálnunk.

Domingos a lány válltáskájára bökött.

– Tényleg van magánál…

– Dezodor spray – mondta halkan Debbie. – Nem akartam, hogy…

– Tehát védtelenek vagyunk – suttogta Lucilla asszony.

– Annyira azért nem – morogta Domingos. – Van fegyverünk, és közel sem félünk annyira, mint a zsaruk és a kislány.

– Maga csak a saját nevében beszéljen. – helyesbített Ortega. – Én igenis nagyon félek. Sőt kifejezetten meg vagyok rémülve. Követelem, hogy mutassák meg nekem a kijáratot.

– Előbb a többiek után kell néznünk.

– A francot! – tört ki a felháborodás Ortegából. – A nagy büdös francot! Amilyen gyorsan csak lehet, ki kell húznunk innét! Aztán majd jöhet a rendőrség, ha van kedve hozzá, de én akkor már nem akarok a közelben lenni.

– Csak nyugalom – intette Domingos. – Előbb meg kell határoznunk az irányt.

Ortega meghökkent.

– Meghatározni? Ez meg mi a szar? Mintha azt mondta volna, hogy ismeri az utat.

Domingos megsimogatta a bajuszát.

– Ismerem is. Csak…

– Mi ez a csak?

– Nem vagyok egészen biztos benne.

– Eddig biztos volt!

– Eddig sem voltam egészen biztos, csupán… biztosabb, mint eddig.

Senhor Ortega a fejéhez kapott.

– Jóistenem, hogy lehettem ilyen barom, hogy

amatőrökkel szálltam le a pokolra? Akkor mit tud maga, ember?

Domingos megcsavargatta a bajusza végét.

– A kamrához eltalálok.

– És akkor mi van?

– Onnan már holtbiztos, hogy elérjük a feljáratot.

– Ilyen nincs! – rázogatta a fejét Ortega. – Megölték a barátomat, remeg kezem-lábam, hányingerem van, nem tudok pisilni sem rendesen, egy lyukban reszketek valahol Lisszabon alatt, és akkor egy elfuserált építész azt mondja nekem, hogy nem találja a kijáratot…

Domingoson átfutott ugyan a vágy, hogy jó volna a falhoz kenni Ortegát, mint lekvárt a kenyérre, de aztán eltekintett tőle. Elvégre Ortegának valahol igaza van. Lecsalták az alagútba, ahol kiderült, hogy akik lecsalták, magabiztos kutatók helyett közönséges hülyék. Hasonló esetben ő maga is jogosan fel lenne háborodva.

Pereira Domingoshoz fordult.

– Biztos, hogy megtalálja a kamrát?

– Holtbiztos.

– Azt azért nem értem, hogy ha a kamrához odatalál, miért nem találja meg a kijáratot, hiszen az éppen az ellenkező irányban van, mint amerről jöttünk, azaz csak vissza kellene fordulnunk.

Domingos elkapta a karját, és megszorította.

– Jól van… akkor beszéljünk őszintén. Valamenynyien tudni akarják, hogy miért nem megyünk viszszafelé?

Minden szem Domingos felé fordult.

– Mondja már, ne totojázzon! – biztatta Debbie.

– Igenis tudni akarom! – recsegte Ortega. – Tudni akarom!

Domingos biccentett.

– Jól van. Akkor nézzenek ide.

Megfordult, és a háta mögé világított.

Néhány másodpercig senki nem tudott megszólalni. Mintha Domingos lámpájának éles fénye némaságra kárhoztatta volna őket.

Aztán egyszerre csak megjött a hangjuk. Ortega ordítani kezdett; senhor Pereira összevissza kiáltozott; Lucilla asszony néhányszor felsikkantott; Debbie és Lisete viszont csak sóhajtozott, akárcsak a kislány, Eulália.

Nem messze tőlük, alig húsz-huszonöt méternyire, hatalmas pókháló feszült a falak között, elzárva előlük a menekülés útját. Ez a pókháló nem rovarcsapda formájú volt, inkább közönséges pókhálóra hasonlított, bár nem volt olyan finom szövésű. A tartószálak túl vastagok voltak benne, mint az erdei fák liánjai, csak a háló közepén függött egy vékony falú zsák. Mintha hatalmas, hamuszürke virág nőtt volna eszelős gyorsasággal a járat közepén, amelynek egyetlen hatalmas bibéje volt: a finoman szövött zsák.

És a zsákban egy ember ült.

Lábát felhúzva, mintha kényelmetlen helyzetében elszunyókált volna.

Domingos és Lisete esküdni mertek volna rá, hogy Brandaõ zsaru ül holtan a háló közepében.

84.

Néhány perc múlva magukhoz tértek, és már beszélni is tudtak egymáshoz.

– Mikor... került ez ide? – nyögte senhor Pereira. – Arról jöttünk... nem?

– Arról – bólintott Domingos.

– Akkor még... nem volt ott.

– Ha ott lett volna, nem jöhettünk volna abból az irányból.
– Mikor történhetett...?
– Cirka félórája, hogy ideérkeztünk a járat elé.
– Eszerint az elmúlt félórában... szőtte a hálót.
– Amíg mi az oldaljáratban... voltunk.
Lisete erőt vett magán, és közelebb merészkedett a hálóhoz. Nem is kellett nagyon közel mennie hozzá, hogy meggyőződhessen róla: valóban Brandaõ ül a tüllzsákban.
– Bran... daõ? – nyögte Pereira.
Lisete bólintott.
– A többiek?
– Ez a kérdés – mondta Domingos. – Ha már ott volt a háló, amikor kirohantak az oldaljáratból, csak a kamra felé menekülhettek.
– Gondolják, hogy szándékosan szakították el bennünket egymástól?
– Egy biztos – mondta Domingos. – Arra nem mehetünk. Egyetlen út maradt számunkra: a kamra felé.
– Nem lehetne valahogy megkerülni, és... megkeresni a kijáratot?
– Annyira nem ismerem a folyosókat.
– Akkor mi a francot ismer maga? – békétlenkedett Ortega.
– Mi lenne, ha... legalább nem idegesítene bennünket, senhor Ortega? – kezdte elveszíteni a türelmét Pereira is.
Debbie Fisher csípőre tette a kezét, és a hálót fürkészte.
– Terel bennünket – mondta aztán halkan.
Valamennyiükbe belefagyott a szó.
– Terel? – nyögte némi szünet után Ortega.
Debbie bólintott.
– Irányít bennünket. Ha nem akarja, hogy számá-

ra nem megfelelő járatban folytassuk az utat, akadályt épít elénk. Vagy éppen mögénk, mint ezúttal.

– Gondolja hogy a másik hálót azért szőtte oda...

– Hogy jöjjünk ki *abból* a járatból, és *ebben* folytassuk az utat.

– Jézusom, hova? – kezdett megrémülni Lucilla asszony is.

– Az éléskamrájába – nyögte Ortega. – A frizsiderébe. Hát nem látják, vagy nem értik meg, hogy végünk? Egy szörnyeteg hatalmába kerültünk. Már rég fente ránk a fogát, pontosabban magukra. Én csak véletlenül keveredtem az elesége közé. De azért engem is megzabál. És ez a maguk lelkén szárad.

– Eszerint tudatos lény – morogta Lucilla asszony. – Olyannyira az, hogy kicserélte az elemeket a sisaklámpáinkban.

– Egy pók?

Domingos kénytelen volt rádöbbenni, hogy a póknak van sütnivalója. És kiváló a stratégiája. Egyenesen a kincseskamra felé terelgeti őket. De vajon miért éppen oda? Ott van talán a fészke?

Ortega elkapta Domingos karját.

– Maga tudta! – mondta vádlón. – Maga tudta!

– Mit tudtam én? – hökkent meg Domingos.

– Tudott erről az átkozott gyilkosról. Ne is tagadja, hogy tudott!

Domingos hallgatott.

– Azért hozta le a papot. Azért akart szenteltvizet szóratni a járatba. Maga tud valamit. De már én is tudom. Valaki el van temetve a kincseskamrában... igaz? A fáraó átka mégiscsak létezik. Ez egy gonosz lélek, aki meg akarja védeni tőlünk a kamrát. Ne is tagadja, de Carvalho. Maga képes volt belerángatni bennünket ebbe a szörnyű helyzetbe. Hol az a... nyomorult pap?

– Ahol a többiek – morogta Pereira.

Ortega a sötétségbe bökött.

– Meg kell keresnünk. Nem a kamra érdekel engem, hanem a pap. Ha valaki segíthet rajtunk, akkor ő az. Egyedül ő.

Domingos felemelte a lámpáját.

– Induljunk, mielőtt még ebből is kifogyna a szufla.

Néhány percnyi hallgatag gyaloglás után egy oldalfolyosóhoz érkeztek. A járat várakozón ásított feléjük, mintha csak le akarta volna nyelni őket. Önkéntelenül is megtorpantak, és a sötét lyukra bámultak.

– Csak előre! – vezényelt Domingos. – Mindig csak előre!

Debbie azonban nem mozdult. Szemüvegén megcsillant Domingos ismét felkapcsolt lámpájának a fénye.

– Most meggyőződhetünk róla – mondta.

– Miről? – nyögte Ortega.

– Az elméletünk helyességéről.

– Istenem, hogy tud ilyen szakszerűen beszélni? És ez mi a csodát jelent?

– Hogy valóban terelget-e bennünket.

Ortega ekkor értette csak meg, mire céloz Debbie.

– Istenem, csak nem akar...

Debbie kirántotta Domingos kezéből a lámpát.

– Adja már ide egy pillanatra!

Domingos el akarta kapni, de a lány egyszerűen kifordult a kezéből. Megperdült, és beugrott a járatba.

– Ez megbolondult! – nyögte Ortega. – Istenem, ez tényleg megbuggyant. Menjünk már, a francba is, hagyjuk itt ezt a hülye tyúkot.

Lisete fegyverével a kezében Debbie után indult.

Debbie viszont ekkor már jött is vissza. Arca kiismerhetetlen volt: nem látszott rajta sem csalódás, sem rémület. Levette a szemüvegét, és megtörölgette.

– Meg akarják nézni? – kérdezte, mintha a szemüvegét akarná felajánlani a kukkoláshoz.

– Ott… van? – nyögte Lisete.

Debbie bólintott.

– Ott.

– A… háló?

Debbie Fisher ismét bólintott.

– És Rob McNamara ül a közepében.

85.

Rob McNamarára már senki nem volt kíváncsi. Talán még az anyja sem lett volna az, ha velük van.

– Biztos? – suttogta Lisete.

– Biztos.

– Hogy… halt meg?

– Kiszívta a vérét.

Ortega lába olyannyira elgyengült, hogy az újságíró lekuporodott a földre.

– Nem hiszem, hogy… tovább tudnék menni.

– Pedig kell – mondta Domingos bátorítón megveregetve a vállát. – Ha itt marad, megöli.

– És ha nem maradok itt?

– Talán még van esélyünk. Bezárkózhatunk a kamrába. Megtalálhatjuk a pátert.

– Kérem… segítene valaki?

Domingos lehajolt, és felsegítette a földről az újságírót.

– Ön valóban hisz benne, hogy van esélyünk a megmenekülésre?

– Valóban – bólintott Domingos.

– Biztos, hogy megtalálja a kamrát?
– Kilencvenkilenc százalékig.
– És ha nem?
Domingos megpödörgette a bajusza hegyét.
– Akkor az isten irgalmazzon nekünk.

86.

Némán, egymás nyomában lépkedve rótták a végtelennek tűnő, sötét folyosókat. Domingos rájuk parancsolt, hogy csak akkor kapcsolják be a lámpájukat – akinél egyáltalán van –, ha engedélyt ad rá. Mivel nem szólt ellene senki, ezzel hallgatólagosan elismerték az építészt a vezetőjüknek. Még senhor Pereira vagy a felesége sem tiltakozott, pedig igazság szerint az övék lett volna a rendelkezés joga.

– Gondolja, hogy a többiek… meghaltak? – kérdezte néhány percnyi gyaloglás után Ortega. – Jézusom, hogy nekem milyen szerencsém volt.

– Azt hiszi? – kérdezte rosszmájúan Debbie.

– Magának könnyű – legyintett Ortega. – Maga megszokta, hogy fák tetején meg barlangokban töltse élete legszebb pillanatait. Sosem gondolt még rá, hogy mennyivel jobb lenne meleg paplan alatt egy vagány fickóval…

– Mint például ön?

– Hát, ha nem lennék ennyire kiborulva, felajánlhatnám a szolgálataimat.

– De magához tért, ember! Az imént még meg akart halni!

Ortega megvonta a vállát.

– Nem veszi észre, hogy most is meg akarok? Azért dumálok annyit, hogy kibeszéljem magamból a félelmet. Pedig lelkem mélyén tisztában vagyok vele, hogy fecseghetek, amennyit csak akarok, innen nincs kiút.

– Istenem, mennyire utálom a vészmadarakat!

Ortega megigazgatta a sisakját.

– Örülök, hogy ilyen könnyedén veszi a dolgokat. Bárcsak engem is hasonlóan erős lélekkel ajándékoztak volna meg az istenek.

– Hé! Álljanak már meg egy kicsit.

Megtorpantak, és várakozva néztek a papírjai fölé hajló Domingosra.

– Mi a hézag? – kérdezte Ortega.

– Ellenőrzöm, hogy jó felé megyünk-e?

– Na és jó felé megyünk?

– Türelem, türelem…

Domingos tovább nézegette a papírokat.

– Nos, Domingos? – sürgette senhor Pereira.

– Azt hiszem, ez a helyes irány. Őszintén szólva kissé megkeveredtem. Lisete… itt vannak a tőrök?

– Te jó isten! – nyögte senhor Pereira. – Csak nem kezdjük az egészet elölről? Mondtam magának, hogy rajzolja le a kések ábráit egy papírra…

– Hiszen lerajzoltam.

– Akkor meg mi van? Mi a különbség a papír és az eredeti között?

– Úgy valahogy… könnyebbnek látszott az irány meghatározása.

– Majd Lucilla segít magának. Lucilla agya olyan, mint a viasz. Úgy beleragad minden, mint a légy a mézbe. Igaz, Lucilla?

Lucilla nem válaszolt, így aztán senhor Pereira még egyszer megkérdezte.

– Igaz, darling?

Lucilla erre sem válaszolt.

Lisete csak akkor riadt fel baljós gondolataiból, amikor a fülébe csapott senhor Pereira oroszlánordítása.

– Lucilla! Hol vagy, Lucilla?!

Valamennyien felkapták a fejüket, és egymást kezdték vizsgálgatni, mintha mindenki a másikban sejtené senhor Pereira feleségét.

– Lucilla? Hol vagy, Lucilla?

– Az imént még itt volt – csodálkozott senhorita Fisher. – Itt volt az orrom előtt.

– Nem látta... hova ment?

Debbie tanácstalanul felvonta a vállát.

– Közben... megigazítottam a cipőmet... mert töri a lábamat. Lehet, hogy akkor...

– Miért nem figyelt rá, a jóistenit neki? Lucilla, hol vagy Lucilla?

Nekiesett a körülötte tipródóknak, és megpróbálta a falhoz taszigálni őket. Domingos azonban odaugrott hozzá, elkapta, és lefogta a karját.

– Nyughasson már, Pereira! Hova a fenébe rohan?

– Megkeresem Lucillát, és...

– Hol keresi?

– Lucilla, édesem, drágám...

Lisete is segített Domingosnak, így néhány percnyi küzdelem után sikerült a falhoz szorítaniuk Pereirát.

A nyúlánk, jóképű férfi arcát nemcsak a Domingos lámpájából kiáradó fény, a mellette settenkedő árnyékok, hanem a mérhetetlen fájdalom is eltorzította. Szeméből potyogtak a könnyek, orrából gyanúsan csillogó patakocskák folydogáltak.

– Lucilla, drágám...!

– Figyeljen ide, Pereira! – kiabálta Domingos a férfi fülébe. – Csak néhány pillanatra figyeljen ide, kérem. Próbáljon meg gondolkodni!

– Lucilla! Hol vagy, Luc...

– Kérem, kérem, senhor Pereira. Segíteni szeretnénk önnek. Ha nem hagyja, valamennyien itt pusztulunk. Maga fogja megölni őt!

Ez utóbbi mondatnak sikerült valahogy beszivárognia senhor Pereira agyába.

– Én... megölni? Én csak... kiszabadítani...

– Honnan, Pereira? Ha ész nélkül belerohan a sötétségbe...

– Istenem, magának... könnyű, de az én helyzetemben... Lucilla! Drágám!

– Megkeressük a feleségét – ígérte Domingos. – Esküszöm, hogy megtaláljuk.

– Nekem az nem elég...

– Élve találjuk meg. Csak adjon egy percet!

Senhor Pereira bólintott.

– Jól van... egy perc... csak egy...

Domingos a másik ötre nézett.

– Látta valaki senhora Sullivant...?

– Én... azt hiszem...

Eulália nyöszörögte, akiről eddig mindenki megfeledkezett.

Senhor Pereira megpróbált odaugrani a lányhoz, de Domingos megakadályozta benne.

– Mit látott, Eulália?

A lány nagyot nyelt.

– Senhora Sullivan... előttem ment, és megbotlott. Ez akkor volt, amikor az egyik... oldaljárathoz értünk.

Domingos bólintott. Amióta elhagyták azt az oldaljáratot, amelyben megtalálták McNamara holttestét, három másik járat mellett is elhaladtak. Azt hitte, valamennyien észrevették őket, csak éppen senkinek nem akaródzott felhívni rájuk a figyelmet. Az oldaljáratokat jobb elkerülni; eddig még nem hoztak szerencsét, bár szerencséről egyébként sem nagyon lehet beszélni itt, a föld alatt.

– Az egyik oldaljárat szája előtt látta, Eulália?

– Azt hiszem... igen.

– Csak azt hiszi?

A lány a tenyerébe hajtotta a fejét. Domingos biztos volt benne, hogy megpróbálja maga elé idézni azt a pillanatot, amikor elérték az oldalfolyosót.

– Senhor de Carvalho... lámpája éppen ránk világított.

– Eszerint megfordultam – dünnyögte Domingos. – És mégsem emlékszem rá. Aztán mit látott?

– Semmit – sóhajtotta a lány. – Amikor ismét felvillant a fény... már nem láttam őt.

– Az oldaljárat! – kiáltotta senhor Pereira. – Csakis az oldaljáratba mehetett be!

– Vajon miért? – találgatta Debbie, és megtörölgette a szemüvegét. – Miért nem szólt...?

– Elrabolták! – ordította senhor Pereira. – Hát nem értik? Lucilla nem ment volna be a járatba anélkül, hogy ne figyelmeztetett volna bennünket. Elrabolta a rohadék! Jézusom... ha a kezébe került...

Ismét megpróbált elrohanni a többiek mellett, de Domingos ismét belékapaszkodott.

– Csillapodjék, Pereira. Hiszen mi is megyünk. Ne aggódjék, még idejében odaérünk.

De nem érkeztek idejében.

87.

Úgy lopakodtak a legközelebbi oldaljárat felé, mintha attól tartottak volna, hogy a könyörtelen lény megneszeli jövetelüket, és azon nyomban végez Lucilla asszonnyal. Már persze csak akkor, ha már nem végzett eddig is vele. Amint elérték az oldaljáratot, Domingos kénytelen volt ismét visszatartani a berontani készülő Pereirát.

– Csak óvatosan. Én megyek elöl a lámpámmal, senhor Pereira...

Pereirának azonban ezúttal már nem tudott parancsolni. Hatalmas lendülettel a falhoz kente Domingost, letaposta az útjába álló Lisetét – a többieknek csak annyi idejük maradt, hogy a falhoz lapuljanak. Senhor Pereira egyik kezében revolverrel, másikban a lámpájával bevetette magát az oldaljáratba.

Domingos megrázta a fejét, aztán szó nélkül követte. Szíve szerint figyelmeztette volna a többieket, hogy feltétlenül maradjanak kívül a járaton, de már nem volt ideje rá. Ott loholt Pereira nyomában, bár őszintén szólva nem tudta, hogy miért. Ha az asszonyt valóban a pók rabolta el, akkor úgyis hiába minden.

Márpedig nagyon úgy nézett ki a dolog. Senhor Pereira üvöltése nem sok jót ígért.

– Istenem… itt van! Itt van! Ááááááá! Áááááá! Ez nem igaz! Ugye, Lucillám, nem igaz? Szépséges tündérem, ugye nem igaz?

Egymás sarkát taposva rohantak a járatban Domingos el-eltűnő sziluettjét követve. Közben hol a falnak csapódtak, hol egymásnak. Az üvöltözés megzavarodott denevérként repkedett körülöttük.

– Lucillám, drága kincsem! Miért, Lucilla, miért? Nem hagyhatsz itt, Lucillám! Ha te meghalsz, én is meghalok. Agyonlövöm magam…

Ekkor pillantották meg a hálót. A mennyezetről csüngött lefelé, s a tüllzsákszerű valami közepén ott sötétlett egy emberi test.

Senhor Pereira egyfolytában üvöltött, és a háló felé kapkodott.

– Kiszabadítalak, kincsem… kiszabadítalak, vagy én is veled halok!

Domingos elkapta a vállát.

– Nyugodjék meg… Pereira!

– Hogy nyugodjak meg, amikor a feleségem…

Domingos úgy megrázta, hogy majd lerepült tőle a feje.

– Ez nem a maga felesége, ember! Ez nem senhora Sullivan! Ez nem ő!

Senhor Pereira megmerevedett. Mindkét karja beledermedt a levegőbe, amint a háló felé kapaszkodott.

– Nem a fele... ségem? Ak... kor... ki...?

– Nézze meg maga is! Várjon, odavilágítok, és világítson oda ön is!

Három lámpa fénye is egyszerre fonta körbe a halottat.

Valóban nem senhora Sullivan kuporgott a hálóban.

88.

Senhor Pereira, mintha villámcsapás érte volna, a földre zuhant. Ott is maradt a piszkos talajon. Csak éppen feltérdelt, és két kezét összefonva a halott felé nyújtotta, mintha egy valamikori szent mumiája lett volna.

– Hála neked, Istenem! Hála neked!

Lisete és Debbie megpróbált a halott arcába nézni. Amikor végre sikerült, Debbie összerázkódott.

– Sammy az. Sammy Holding.

Lisete szeméből kibukott két óriási könnycsepp.

– Istenem, istenem...

– Sammy az – ismételte meglepően nyugodt hangon Debbie. – Miss Holding.

Domingos elkapta Pereira karját.

– Álljon fel már, ember!

Senhor Pereira meglepően gyorsan feltápászkodott.

– Bocsássanak meg... azt sem tudom, mit beszélek. Természetesen borzasztóan sajnálom, hogy senhorita Holding...

– Ezzel nem megyünk semmire – vágott közbe éles hangon Debbie. – Semmire sem megyünk a sajnálkozásával.

Pereira ekkor rádöbbent, hogy a felesége még nem menekült meg; csupán az orruk előtt fityegő hálóba csomagoltak mást, nem őt.

– Lucilla, istenem, Lucilla! – folytatta a siránkozást. – Elrabolta Lucillát! Követelem, hogy keressük meg! Őt is ilyen sorsra szánja...

Domingos behunyta a szemét.

– Hol keressük?

– Például... ebben a járatban.

– Nem tudunk továbbmenni benne.

– Gyújtsuk fel, vagy szabdaljuk szét a hálót!

Domingos megrázta a fejét.

– Lehet, hogy csak... eltévedt a felesége. Talán valóban befordult az egyik oldalfolyosóba, amikor aztán észrevette, hogy egyedül maradt... visszafordult, és most bennünket keres.

Debbie a hálóban ücsörgő halott lányra mutatott.

– Mi legyen vele?

– Várjanak még egy kicsit – kérte Lisete.

Amennyire tudta, szemügyre vette a halottat. Többször is be kellett hunynia közben a szemét. Bár zsaru volt, látott már halottat éppen eleget, Sammy halála mégis alaposan megrázta. Nem sokkal ezelőtt még beszélgetett ezzel a gyönyörű lánnyal, most pedig...

– Mi a helyzet? – dörmögte a fülébe Domingos.

– Nem tudom – sóhajtotta Lisete. – Nem látok vért.

– Megfojtották?

– Sajnos a nyakát sem látom.

– Elvégre mindegy. Majd kiderül.

– Gondolod, hogy mi is értesülünk még az eredményről?
– Reménykedjünk benne.
Ortega oldalba bökte Domingost.
– Mi legyen... főnök?
Domingos hátára rántotta a hátizsákját.
– El kell érnünk a kamrát, amilyen gyorsan csak lehet.
Ortega megcsóválta a fejét.
– Már csak... ketten vagyunk életben a kollégák közül.
– És a pap.
– Ő nem kolléga, és nem is biztos, hogy életben van.
Pedig életben volt.

89.

Kifordultak az oldaljáratból, és folytatták az útjukat Simões mester kamrája felé. Fáradt karaván, amely a rablók zaklatta sivatagon átkelve, hosszas szomjúhozás és éhezés után már csak nyugalomra, egy jó kulacs vízre, és pár szem datolyára vágyik.
– Én megölöm magam – mondta egyszer csak vérfagyasztó nyugalommal Pereira.
– Ne ostobáskodjék, kérem – rémült meg Domingos, készen rá, hogy szükség esetén fejbe verje a lámpájával senhor Pereirát. – Ezzel ne tréfáljon.
– Egyáltalán nem tréfálok – erősítette meg a szándékát Pereira. – Mit sem ér az életem a feleségem nélkül. Ha ő meghalt, én sem akarok tovább élni.
– Egyáltalán nem biztos, hogy...
– Érzem – mondta Pereira.
– Ugyan már... mit érez?
– Őt. A lelkét érzem.
– Megértem önt, hogy fél és nyugtalan...

– Meghalt.
– Ne mondjon már ilyet, hiszen…
– Itt van mellettem.
– Hol?
– Itt. Láthatatlanul. És fogja a kezem. Érzem, hogy megszorította. És azt akarja… hogy menjek utána. Lucillám, kincsem… megyek. Meglátod, megyek…!
Domingos ekkor ütött. Nem nagyon fogta vissza magát, ezért aztán senhor Pereira, pedig amúgy erős fizikumú férfi volt, kissé megemelkedett, és krumpliszsákként dőlt el a fal mentén.
– Van nálad bilincs, Lisete? Add ide!
Villámgyorsan rátette a bilincset Pereira csuklójára, és összecsattantotta.
– Vedd ki a fegyvert a zsebéből.
Lisete kivette.
– Tedd a táskádba. Ez a pasas ön- és közveszélyes. Nem jó, ha valakinek szellemek fogdossák a mancsát, miközben töltött stukkert szorongat a másik kezével a zsebében.
– És ha tényleg…?
– Miről beszélsz?
– Ha valóban… meghalt Lucilla is, és valóban…
– Már te is, Lisete?
– Egyszerűen meg vagyok zavarodva.
– Akárcsak én – morogta Debbie Fisher. – Soha nem hittem szellemekben, démonokban, most pedig…
– Én befogom a pofám – mondta Ortega. – A végén még szarba kerülök miatta.
– Mi miatt?
– Amiért most azt mondanám… hogy nem hiszek bennük. Nem akarok sötét jövőképet festeni, mégis… tegyük fel, hogy elkapnak és megölnek. Nem vonzó perspektíva, de ez is benne van a buliban.

Jön a pók, kinyiffant, vagy kiengedi a vérem, vagy megissza – váljék egészségére –, aztán beakaszt száradni a hálójába, hogy kétszersültet csináljon belőlem. A lelkem eközben lemegy a pokolba a démonok közé. Az ottani főnök pedig – mert főnökök mindenütt vannak – maga elé hívat, és a fejemre olvassa, hogy ekkor és ekkor köptem a démonokra és az ördögökre. – Hát, ha nem hittél bennük édes fiam, mondja majd, rövidesen módod lesz meggyőződnöd róla, hogy létezünk-e – ezzel pattint egyet az ujjával, s a sameszai beletaszítanak egy üst fortyogó szurokba. Na ezért vagyok óvatos, és ezt ajánlom maguknak is.

– Én tudom, hogy léteznek – mondta Eulália. – Csak rövid időre elfeledkeztem róluk. Azért is jöttem le ide.

– Gyerünk – vezényelt megrázva a fejét Domingos. – Egyedüli reményünk a kamra.

Senhor Pereira mintha varázsütésre tenné, kinyitotta a szemét.

– Ott vár rám Lucilla – mondta ragyogó szemmel. – Ott lesz a kamrában. Tudom.

– Honnan... tudja?

– Ő mondta. Az imént itt volt, és azt ígérte, hogy ott lesz a kamrában. Jézusom, mi van a kezemen?

– Bilincs – mondta Domingos. – És ott is marad mindaddig, amíg meg nem nyugszik.

– Már nyugodt vagyok.

– Majd a kamrában leveszem – ígérte az építész. – Ha Lucilla asszony előkerül.

Megpödörgette a bajusza hegyét, és arra gondolt, hogy igazán lakhatna itt a járatokban a sok rossz mellett egy jó szellem is, amely segítene nekik elűzni a Gonoszt.

Ha volt is ilyen, egyelőre nem mutatkozott.

90.

Elvonultak néhány oldalfolyosó mellett, de már egyiküknek sem akaródzott felhívni rájuk a többiek figyelmét. Tudták, hogy az oldaljáratokban ott lapul a pók, vagy ha ő maga nem is, legalább a hálója, és megakadályozná őket, hogy továbbhaladjanak benne. A pók tereli őket. Arra kell menniük, amerre ő akarja.

– Tud nekünk valami vigasztalót mondani, senhor Domingos? – kérdezte vagy fél óra elmúltával Ortega. – Az az érzésem, hogy máris a pokolban vagyunk; az ördögök azt a büntetést szabták ránk, hogy addig járjunk itt a járatokban, amíg csak el nem jön a világ vége, és ki nem derül, hogy végérvényesen hova kerülünk.

– Ebben lehet valami – helyeselt Debbie. – Már nekem is kezd seprőnyéllé merevedni a lábam.

Domingos előrevilágított a lámpájával. Először egy széles keresztfolyosót pillantott meg, majd egy törött deszkadarabot.

Akkorát fújtatott, hogy ha velük szemben is ott feszült volna egy pókháló, talán azt is elfújta volna.

– Ott van! – mutatott a félhomályba. – Ott van!

Ortega a szeme fölé ernyőzte a kezét.

– Én nem látok semmit.

– Azt a deszkát sem látja?

– Azt látom. Csak azt nem tudom…

– Ő a galamb.

– Micsoda?!

– Noé galambja. Remélem, tudja mi az.

– Kedves barátom, kapásból állíthatom, hogy legalább olyan mélységű a biblikus műveltségem, mint az öné.

– Ennek szívből örülök. Szóval, a deszka azt jelzi nekünk, hogy jó helyen járunk. Azoknak a rögzítőelemeknek a darabja ugyanis, amelyekkel megerősítettük az előkamra tetejét.

– Ezek szerint önök már belakták azt, amit velünk akarnak felfedeztetni?

– Eszünk ágában sem volt. Csupán arról van szó, hogy Simões mester kamrája két részből áll. Egy előkamrából és magából a kamrából. Amikor felfedeztük őket, szerencsére észrevettem, hogy az előkamrának igencsak labilis a teteje.

– Labilis?

– Minden pillanatban beszakadhat. Ezért senhor Pereira szíves engedelmével aládúcoltattam.

Debbie bólintott.

– Jól tette. Még csak az hiányozna, hogy mindazokon túl, amiken keresztülmentünk, még egy kamra mennyezete is a fejünkre pottyanjon.

– Attól nem kell tartaniuk. Látják? Ott a kamra.

Domingos megállt, és a többiek is megálltak. Akik még nem látták, feszült figyelemmel vizsgálták a falban sötétlő lyukat, amely alig különbözött az oldaljáratoktól, amelyektől immár óvakodtak.

– Egy újabb lyuk – sóhajtotta Ortega. – Istenem, egy újabb lyuk!

– Mégis, mire számított? – tudakolta Debbie.

– Őszintén szólva, nem tudom. Őszintén szólva, azt sem tudom, miért vagyok itt. De egy biztos: ha innen egyszer kiszabadulok, még a kulcslyukakat is betömetem a házamban.

Domingos megkönnyebbülve a falhoz dőlt.

– Akkor hát... megérkeztünk.

– Isten hozott bennünket – morogta Debbie. – Szóval ez itt a bejárat...? Megengedi, hogy csináljak róla néhány felvételt?

– A frászt engedi meg! – kiáltott rá hisztérikus hangon Ortega. – Bújjunk be minél előbb a kamrába! Az a rohadék a nyomunkban lohol!

– Vagy a kamrában vár ránk – mondta nyugodtan a lány.

Ortega megcsóválta a fejét.

– Maga egy cseppet sem ideges?

– Nem látszik rajtam?

– Olyan az arca, mint egy faszenté.

– Amiért nem hisztériázom, azért még lehetek ideges. És az is vagyok. Ennek ellenére azért jöttem le a föld alá, hogy riportot készítsek egy felfedezésről – senhor Pereira szerint az évszázad régészeti felfedezéséről –, és én meg is teszem.

Ebben a pillanatban senhor Pereirát ismét megszállta valami. Ortega szerint az ördög, Lisete szerint csak a fájdalom. Bármelyik is volt, éppen elég erőt kölcsönzött neki ahhoz, hogy támadásba lendüljön. Nekiugrott Euláliának, aki félig tátott szájjal bámulta az egyáltalán nem bizalomgerjesztő lyukat a falban, megtaszította, és közben elgáncsolta. Eulália felvisított, és végigzuhant a talajon. Senhor Pereira éhes farkasként hörgött-morgott, lábát a lány nyakára tette.

– Be akarok menni! – szegezte le Domingoshoz fordulva. – Ha nem veszik le rólam a bilincset, megölöm a lányt.

Alighanem rá is nehezedett Eulália torkára, mert hirtelen megszűnt a visítása. Már csak köhögött és nyögdécselt Pereira bakancsának vastag talpa alatt.

– Öhhh! Segí... Öhhh!

Lisete előkapta a revolverét, de Domingos lefogta a karját.

– Csak nyugalom. – Felemelte mindkét karját, és a béke jelét mutatta Pereirának. – Jól van, leveszem magáról a bilincset. Mit akar csinálni?

– Bemegyek a kamrába.

– Mi is be akarunk menni.

– Vegyék már le rólam ezt a szart! Hátha Lucilla... istenem... hátha a segítségemre szorul.
– Vegye le a lábát Eulália nyakáról!
– Megígéri...
– Persze hogy meg. Lisete!
A lány lekapta a bilincset senhor Pereiráról. A férfi erre visszahúzta a lábát. Eulália köhögött, és a torkát tapogatta.
– Jézusom... már meg is dagadt a torkom.
Pereira bocsánatkérőn simogatta meg a lány karját.
– Nagyon sajnálom, Eulália... Meg kellett tennem. Sajnálom.
Mosolygott, megfordult, és bevetette magát a nyíláson. Lisete utána mozdult, de Domingos leintette.
– Hagyd csak, úgyis visszajön.
– Hátha valóban bent van a felesége?
– Kizárt dolog.
– Honnan tudod?
– Onnan, hogy ha bent lenne, már rég meghallotta volna a hangunkat.
– Vajon hol lehet a pap?
Ortega szíve szerint azt válaszolta volna rá, hogy bizonyára egy hálóban, dc inkább nem mondott semmit.
– Nem filmez, senhorita?
Debbie biccentett egyet.
– Folyamatosan azt csinálom.
– Hol a gépe?
– Jó helyen. Nem hallott még arról, hogy ma már egy kabátgombba is belefér egy jó kis gép. Nem szeretem, ha figyelik, amint dolgozom.
Domingos biztos lehetett benne, hogy Debbie, amióta csak leereszkedtek a mélybe, egyfolytában dolgozik. Talán lesznek a felvételei között olyan ré-

szek, amelyek közelebb viszik majd őket a nagyra nőtt pókok és a kísértetek rejtélyének megoldásához. Ha egyáltalán lesz még módjuk valaha is ezekkel a kérdésekkel bíbelődni.

Vártak egy kicsit, de Pereira csak nem bukkan fel a nyílásban.

Ortega türelmetlenül felmordult.

– Hol a fenében lehet?

– Keresi a feleségét.

– Mekkora az előkamra?

– Nem túl nagy.

– Meddig keresgélhet még benne?

– Ha arra céloz, hogy mennyi idő alatt győződhet meg róla, odabent van-e, vagy sem... cirka húsz másodperc elég hozzá.

– Ez meg már percek óta bent van.

– Mi a fenét csináljunk?

Domingos döntött.

– Utána megyünk. Csak vigyázzanak...

Nem is kellett tovább mondania, mindenki értette, mire céloz.

– Mindenki tegye fel a sisakját. Akinél van lámpa, világítson előre. Ne lepődjenek meg, ha először nem látnak semmit.

– Én már semmin sem lepődök meg – legyintett Ortega.

– Azért csak vigyázzanak. Lisete, gyere ide, kérlek!

A lámpák fénycsóvája nekiütközött a fekete bársonynak, és nagy részben el is veszett benne.

– Jézusom! – fohászkodott Ortega. – Hova a fenébe kerültem? Mi a franc ez?

– Nyugodtan megtapogathatja – biztatta Domingos.

– Eszem ágában sincs!

Debbie-nek azonban nem voltak gátlásai. Kinyújtotta a karját, és a fekete függönynek bökte a mutatóujját.

– Ez valami... ruhaanyag?

– Bársony – bólintott Domingos. – Fekete bársony.

– Maga akasztotta ide?

Domingos elmosolyodott.

– Ez a bársony, senhorita, legalább háromszáz éves.

Debbie megkövülten bámulta a csodát.

– És... miért lógatták ide?

Domingos megvonta a vállát.

– Talán azért, hogy elfedje a kincseskamrát. Ha valaki véletlenül megbontotta volna a falat, és rábukkant volna a kamrára, ha bevilágít a lyukon, sem látott volna egyebet, csak sötétséget. A bársony beszívja a fényt. De lehetett más oka is.

– Például?

– Azt javaslom, hogy találgatás helyett menjünk inkább tovább.

– Hova tovább?

– Bújjanak át a bársony alatt. És ne lepődjenek meg semmin.

Hogy jó példával járjon elöl, Domingos lehajolt, fellebbentette a bársonyfüggöny alját, aztán átbújt alatta.

– Ne ijedjenek meg, akármit is látnak. Nem veszélyes.

Debbie megköszörülte a torkát, és követte.

– Te szentséges isten! – hallották röviddel ezután a hangját. – Ez meg mi az ördög? Domingos, kérem, magyarázza meg...

Ortega megtorpant a függöny előtt.

– Biztos, hogy egyáltalán be akarok én oda menni? Bár kicsit szűkös a hely, azért jól érzem én itt is magam.

– Menjen nyugodtan – biztatta Lisete –, nem esik baja.

Ortega keresztet vetett.

– Isten nevében, előre. Bár ezt inkább a papnak kellene mondania, ha nem szívódott volna fel ő is.

Eulália megállt a függöny előtt, és a szájába vette a hüvelykujját. Lisete észrevette. Érezte, hogy keserédes sajnálat szorítja össze a szívét. Visszaemlékezett saját tizenhat éves önmagára, és feltette magában a kérdést, hogy ő hasonló esetben, *akkor,* hogyan viselkedett volna? – Bizonyára én sem lettem volna bátrabb – gondolta, de aztán nyomban el is szégyellte magát. – De hiszen ez a kislány bátor, nagyon is az. Annyi mindenen ment át az elmúlt órák során, amennyi egy század képzett kommandósnak is elég lett volna. És nem tört össze, jön velük, jóval kevesebbet nyafog, mint Ortega. Miért is lenne gyáva Eulália?

Átkarolta a kislányt, és magához húzta. Eulália megadón Lisete vállára hajtotta a fejét. Lisete érezte, hogy a lány teste finoman remeg: mintha láz rázta volna.

– Félsz, Eulália? – tette fel az ostoba kérdést.

Eulália azonban nem tarthatta annyira ostobának, mert mélyet sóhajtott.

– Félek.

– Nyugodj meg, ki fogunk jutni innen.

A lány arcán óriási könnycseppek futottak végig.

– Ez... megöl bennünket.

Domingos türelmetlen hangja átkúszott a függöny alatt.

– Hol vagytok, Lisete?

Lisete sóhajtott, és intett Euláliának, hogy másszon előre.

A végtelen hosszú labirintus ezer oldaljáratával és tízezer kanyarulatával eltűnt a szemük elől.

91.

Lisete először senhor Pereirát pillantotta meg. A kamra sarkában kucorgott, fejét a térdén nyugtatva. Senhora Pereira nem volt a kamrában. Pereira keze remegett, mintha szenteltvizet szórna a gonosz képébe.

Ortega lehajtott fejjel állt, mintha nem akarna a koponyákra és a csontkötegekre nézni. Eulália a szájára szorította a kezét.

Debbie érdeklődve szemlélte meg a láncon himbálódzó koponyákat és a csontkévét.

– Mi a csoda ez? – kérdezte jobbra-balra pislogva. – Esküszöm, több itt a látnivaló, mint a vidámparkban.

– Előkamra – mondta Domingos.

Debbie a bejárattal szemközti falra mutatott, ahol laza téglák árulkodtak a korábbi bontásról.

– Az ott az a valami, amelyet keresünk?

Domingos bólintott.

– Még egyszer kérdezem, hogy ez itt mi?

– A *három szűz varázslata* – mondta Lisete.

Debbie felkapta a fejét.

– Három micsoda?

Ortcga elvigyorodott.

– Nem is csodálom, hogy maga ezt a szót még csak nem is ismeri.

Debbie azonban nem vette a lapot. Mintha valahogy átalakult volna. A járatokban még csak egy kíváncsiskodó és rémüldöző turista volt, ahogy azonban megpillantotta a kamrát, átváltozott érdeklődő riporterré.

Lisete néhány szóban elmagyarázta neki, hogy mi az a három szűz varázslata.

– Ez komoly? – kételkedett Debbie.

– Többek szerint igen. Például senhora Hartman állítja, hogy…

– Ő kicsoda?

Lisete folytatta volna a magyarázatot, de Debbie hirtelen leállította.

– Már rémlik valami… A Földrajzi Társaság múzeumában találkoztam vele. Csinos fiatalasszony… Ezek szerint… az egyik fehér, a másik fekete, a harmadik ázsiai…

Lisete bevallhatta volna neki, hogy magával vitte a koponyákat és az igazságügyi szakértők megállapították, hogy a csontok kétségkívül XVIII. századiak, de akkor lebukott volna Domingos előtt. Márpedig meg kell őriznie Domingos feltétlen bizalmát.

– Nem lehet hogy… tévedünk? Mondjuk, a csontok korát illetően?

Lisete rövid habozás után megrázta a felét.

– Néhány kis szilánkot megvizsgáltattam belőlük. A XVIII. századból valók.

– Eszerint nem hamisítvány. – Váratlan fordulattal Domingosra kiáltott. – Hol a maga ácsolata, főépítész?

Domingos a feje fölé mutatott.

– Világítson csak fel a mennyezetre

Debbie felfelé irányította a lámpáját. Aztán olyannyira meglepődött, hogy majdnem le is ejtette. A várt gerendák és deszkalapok helyett néhány alumíniumcső és összekötőkábel feketedett csupán odafent.

– Ez meg mi a fene?

Domingos meghökkenve nézett rá.

– Hogyhogy mi a fene? Állványzat!

– Ez? Állványzat? – kérdezte egyszerre Lisetével.

Aztán meg is bánta, hogy megkérdezte, mint ahogy Lisete is, hogy egyáltalán megmukkant. Domingos feje egyetlen pillanat alatt jókora padlizsánná változott.

– Nem tetszik?

– Nem arról van szó, Domingos – próbált meg visszatáncolni Lisete. – Csak egy kicsit… furcsa. Mármint a laikusnak – tette hozzá.

Domingos megpödörgette a bajusza hegyét, és igyekezett úrrá lenni felháborodásán.

– Mostanában az a szokás – kezdte remegő hangon –, hogy az amatőrök, sőt dilettánsok egyre határozottabban beleszólnak a szakemberek dolgába. Főleg azok, akik azt hiszik, hogy a technika fejlődése olyan lassan halad, mint a háromlábú teknősbéka. Maguk bizonyára gerendákat vártak, vastag deszkalapokat – megjegyzem, egyetlen azért ebből is akad, annak a végét látták odakint, a többi azonban a legmodernebb technológia. Az a legfájdalmasabb a dologban, hogy még maguk, nyitott szemű lények is ilyen idegenül állnak szemben a modernnel. Mit gondolnak, hogy viszonyulnak akkor a gyepes agyú bürokraták az újításaimhoz?

– Remélem azért… tartós – rebegte megfélemlítve Debbie.

– Ne aggódjék, senhorita, szilárdabb, mintha himalájai fenyőből építettem volna.

Ebben a pillanatban a sarokban ücsörgő senhor Pereira felpattant, és a levegőbe bökte az ujját.

– Itt van – mondta az egyik csonthalomra mutatva. – Itt van.

Domingos óvatosan mellé lépett.

– Ki van itt, senhor Pereira?

– Lucilla. A feleségem.

– Hol… van?

– Itt. Ez ő. Ezek az ő csontjai.

Domingos igyekezett visszatartani, nehogy a koponyához és a hozzá tartozó csontkupachoz rohanjon.

– Ez egy ázsiai nő csontja, senhor Pereira. Emlékezzék csak vissza, amikor itt jártunk… Itt találtuk őket, és akkor még a felesége is velünk volt.

– Maga azt ígérte, hogy… megtaláljuk.

Domingos homlokán verejték gyöngyözött.

– Meg is találjuk… csak…

Senhor Pereira ekkor célpontot váltva a másik koponyára bökdösött az ujjával.

– Akkor ez… ő.

– Ez sem senhora Lucilla… ez…

– Akkor ez az.

Domingos behunyta a szemét.

– Az egy afrikai…

Senhor Pereira elmosolyodott.

– Pedig itt van. Érzem. És él.

Valamennyien önkéntelenül is körbeforogtak, de nem láttak senkit a kamrában. Sem senhora Pereirát, sem mást. Sem a földön, sem a falon, de még a Domingos által megerősített mennyezeten sem.

Senhor Pereira is forogni kezdett, mintha csak egy kört akarna húzni maga köré a levegőbe. Lisete önkéntelenül is arra gondolt, hogy a középkor szellemidéző varázslói rajzolgattak maguk köré köröket, bár az is igaz, hogy inkább csak a földre.

– Ott! – mondta Pereira a meglazított téglákra bökve. – Ott… a kamrában.

Lisete Domingosra pillantott, és sokatmondón megcsóválta a fejét.

Domingos bólintott, és megnyugtatón Pereira vállára tette a kezét.

– Kibontjuk, senhor Pereira. Arra kérem, senhorita Fisher és senhor Ortega, hogy… jól figyeljenek meg mindent, hiszen ünnepélyes pillanatnak lehetnek a szemtanúi.

Ortega nyögött egy nagyot.

– Nekem az lenne a legünnepélyesebb pillanat, ha

végre bezárkózhatnék a saját WC-mbe. De azért figyelek, ne nyugtalankodjék.

Domingos az egyik sarokhoz lépett, és kihúzott az árnyékból két csákányt.

– Indulhatunk, senhor Pereira?

Pereira nagyot ordított.

– Jövünk már, szívem! Csak még egy kicsit tarts ki, Lucilla!

Sem Lisete, sem Domingos nem ilyennek képzelték az ünnepélyes pillanatot. Pereira olyan elszánt dühvel szorongatta kezében a csákányát, mintha fejbe akarná verni vele a pokol legszörnyűségesebb ördögét; Domingos idegesen a bajuszát huzigálta; Debbie a szemüvegét törölgette; Eulália bőgött; Ortega viszont meglepően nyugodtan viselte a magasztos perceket. Miután meggyőződött róla, hogy a pók egyelőre még távol tartja magát tőlük, megragadta az alkalmat, hogy lopva kicsempéssze a zsebéből azt a kis laposüvegecskét, amelyről az elmúlt órák során egészen megfeledkezett, és jót húzott belőle.

Ekkor elszabadult a pokol. Domingos minden óvatossága ellenére Pereira a falhoz ugrott, és minden tudatosság nélkül csépelni kezdte a téglákat.

– Hé! Várjon egy kicsit, senhor Pereira! – kiáltott rá Domingos, és körülnézett, hogy meggyőződjön róla, valamennyien ott vannak-e.

És ez volt a szerencséje. Abban a pillanatban ugyanis, ahogy elfordult, lerepült senhor Pereira csákányának a feje, és Domingos arcát súrolva az egyik koponyába vágódott. Tompa, szinte túlvilági puffanás hallatszott, és a hajdan fekete bőrű nő koponyája darabokra törött. Senhor Pereira a puszta nyéllel rávágott még néhányat a téglákra, aztán elhajította a nyelet, leguggolt és sírni kezdett.

Senhor Ortega úgy érezte, hogy ismét csak le kell

nyelnie néhány kortyocskát. Eulália abbahagyta a sírást, és kidülledt szemmel bámulta a szerencsétlen koponya töredékeit.

– Ez összetörött... – nyögte könnyeit törölgetve. – Ez össze...

– Ez össze – morogta Ortega. – És ha szabad ilyet mondanom, ez nem jó jel.

Valamennyien így gondolták. Ha egy lerepülő csákányfej telibe talál egy koponyát, amely darabokra törik tőle, ez semmiképpen nem lehet jó jel.

Domingos óvatosan kikotorta a koponya darabjai közül a csákányfejet, és maga elé morgott valamit. Lehajolt, felvette a nyelet, és ráillesztette a fejet. Megnézegette, aztán megcsóválta a fejét.

– Ezt... babrálta valaki – mondta.

Lisete érezte, hogy összeszorul a torka.

– Bab... rálta? – nyögte.

Domingos bólintott.

– Mielőtt leküldtem volna Calvaóval, gondosan ellenőriztem. Valaki szórakozott a nyéllel.

– Ki a fene...?

Lisete úgy érezte, mintha Domingos tekintete néhány töredék másodpercre megállapodna rajta. Az a furcsa gondolata támadt, hogy Domingos tisztában van vele: miután elváltak, ő még visszajött ide a föld alá. Csak nem őt gyanúsítja...?

Domingos a zsebébe nyúlt, és néhány szeget húzott elő belőle. Ortega kíváncsian mellé állt, és elmélyülten nézegette, ahogy Domingos megpróbálja rendbe hozni a csákányával a másikat.

– Mi történt vele?

– Megfaragták – mondta Domingos. – És be is fűrészelték a nyelét.

– A francba... hol?

Domingos mutatta, hogy hol.

– Meg tudja javítani őket?

– Azon vagyok. Adjanak egy kis időt.

Ők adtak volna, de más nem adott. Abban a pillanatban ugyanis, ahogy Domingos elkezdte körültekerni a csákány nyelét a zsebéből kikotort szigetelőszalaggal, halk kiáltás hangzott fel a fal túloldalán.

– Hé...! Van ott... valaki?

Senhora Lucilla hangja volt.

92.

Ettől aztán meglódultak az események. Pereira abbahagyta a csendes sírást, felugrott, és tátott szájjal a falra bámult.

– Istenem... ez... Lucilla! Én megmondtam...

A falhoz ugrott, és puszta kézzel nekiesett a tégláknak. Domingos felemelte a csákányát, hogy segítsen neki, de abban a pillanatban kettétörött a nyele. A csákányfej a lábuk elé hullott.

Domingos felhördült. Lisete rémülten lépett egyet hátrafelé. De Carvalho előremeredő bajuszával támadó bikához hasonlított.

– Vigyázzon onnan, a hétszentségit!

Senhor Pereira könyörögve nyújtotta felé a kezét. Domingos azonban ekkor már nem volt tekintettel senkire. Egyetlen mozdulattal félreseperte az útjában tébláboló Euláliát, eltaszította Pereirát, és a falnak ugrott.

Lisete megkövülten bámulta a jelenetet.

– Vigyázzon, Lucilla!

Domingos iszonyú erővel a tégláknak vágódott. Lisete önkéntelenül is felsikított. Elképzelte amint Domingos bombaként csapódik a már egyszer kiemelt téglák közé, azok pedig a szerencsétlen Lucilla asszony fejére hullanak.

Nem ez történt. Domingos a falhoz vágódott,

majd ugyanilyen erővel repült is vissza. Mintha a téglafalat gumifalra cserélte volna ki valaki.

A visszafelé száguldó Domingos telibe találta Ortegát. Ortega a csontokat tartó láncokba kapaszkodott. A láncok megcsörrentek, a csontok a földre hullottak. Eulália nagyot sikoltott, és ha Debbie el nem kapja, kirohant volna a folyosóra.

– Ki akarok... menni! – sikoltotta. – Én innen... ki akarok menni!

Debbie nem szerette volna ennél jobban megrémíteni, mégis meg kellett tennie.

– Bele a pók hálójába?

Ettől Eulália valamelyest magához tért.

– De hát... mi történik itt?

Mielőtt választ kaphatott volna rá, senhor Pereira nagyot ordított.

– Ott vagy... Lucilla?

– Jézusom... Vitor?

– Én vagyok... szívem.

– Hol... vagyok?

– Azonnal érted megyünk.

– Hol... vagyok?

– Simões ősöm kamrájában, szívem.

– És mi volt ez a... zaj?

– Kibontjuk a falat.

– Hogy kerültem...

– Azonnal megyünk, szívem. Mit szarakodik már itt, ember? – kiáltott Domingosra. – Hol vannak a csákányok?

Domingos felvonta a vállát.

– Eltört a nyelük. Valaki befűrészelte őket.

Pereira sápadtan bámult rá.

– Ez azt jelenti... hogy más is tud a kamráról?

– Hát néhányan tudunk, az kétségtelen.

– Én teljes diszkréciót kértem... Próbáljuk meg puszta kézzel...

Domingos megcsóválta a fejét.
– Valaki szórakozik velünk.
– Ezt hogy érti?
– Visszafalazta a téglákat.
Senhor Pereira felkacagott. Lisete a fülére szorította a tenyerét. Vérszomjas kísértetek kacagnak így, túl az éjféli órán.
– Ne beszéljen baromságokat, ember! Akkor a feleségem... hogy került oda?
Domingos meghúzogatta a bajuszát.
– Vagy egy másik bejáraton... vagy...
– Vagy?
– Gyorsan kötő műanyaggal dolgoztak.
– Jézusom, ne akarja azt mondani, hogy itt van a feleségem tíz centire tőlem, és nem vagyunk képesek kiszabadítani?
Lisete előhúzta a zsebéből a zsebkését, és Domingosnak nyújtotta.
– Próbáld meg ezzel.
Domingos morgolódva és fejcsóválva a fal mellé térdelt.
– Hall engem, asszonyom?
– Jól... hallom – hangzott a válasz a fal túlsó oldaláról. – Kicsoda ön?
– De Carvalho vagyok. Csak egy kis türelmet kérek öntől. Azonnal kibontjuk a járatot.
– Nem sietnének... kérem?
– Egy kis türelmet, senhora.
Megpróbálta bemélyeszteni a kés pengéjét a téglák közeit kitöltő habarcsba. Először nehezen ment, aztán amint egyre mélyebbre hatolt, egyre sebesebben futott be a résbe a késpenge.
– Még nem volt ideje megkeményedni – morogta az építész. – Ha kicsit később jövünk...
Két perc múlva kiesett az első tégla. Domingos tovább akart dolgozni, de Pereira úgy eltaszította,

hogy földet fogott. Felpattant, és egy laza egyenes tolmácsolásával meg szerette volna kérni senhor Pereirát, hogy ha lehet, húzódjon kissé félre, de aztán kénytelen volt leereszteni az öklét. Senhor Pereira bedugta a kezét a nyíláson, és könnyektől fuldokolva elkapta az asszony kezét.

– Itt vagyok, drágám. Itt vagyok, szívem. Csakhogy megvagy. Már annyira aggódtam.

A következő néhány percben Domingosnak sikerült jó néhány téglát kihúzni a falból. Ahogy potyogtak a téglák, és növekedett a rés, egyre többet pillantottak meg senhora Lucillából. Előbb csak a kezét, a karfát, majd az arcát, végül az asszony senhor Pereira karjába zuhant.

– Istenem, Vitor… már azt hittem… végem.

Senhor Pereira ölelte, csókolta, ahol érte.

– Csakhogy megvagy, kincsem, napsugaram… már a legrosszabbtól tartottam.

– Képzeld, én is.

– De hát… mi történt veled?

Az asszony megrázta a fejét.

– Nem tudom. Semmire sem… emlékszem.

– Semmire?

– Csak annyira, hogy… mentem a folyosóban, és egyszerre csak mintha óriási erő rántott volna fel.

– Fel?

– A magasba. Úgy éreztem, hogy felszállok a levegőbe. Aztán mintha finom bársony borult volna rám, és… többre nem emlékszem. Itt ébredtem fel, és… csak egy fáklya égett mellettem.

Ebben a pillanatban Eulália élesen felsikított.

– Jézusom… ez meg ki?

Egyszerre fordultak hátra.

A némasági fogadalmat tett pap állt a hátuk mögött. Kezében szenteltvízszórót tartott.

93.

– Uramisten, atya, nem is jöhetett volna jobbkor! Hol járt idáig? – nyögte felé Pereira.

A pap meg sem mukkant, ehelyett a háta mögé mutatott.

– A folyosókon?

A pap bólintott. Ide-oda lépegetett, mintha azt mutatná, hogy hol erre, hol arra fordult.

– Eltévedt?

Az atya még szaporábban bólogatott.

– Az a fő, hogy itt van. Jó lenne, ha behintene egy kis szenteltvizet a kamrába.

Lucrecio atya hátrahőkölt, és olyan mozdulatokat tett, mintha el akarna menekülni. Domingos azonban résen volt, és elkapta a csuhája szélét.

– Hova menne, atyám? A sötétségbe?

Lucrecio atya bólintott, és a nyíláshoz lépett. Bedugta a régimódi mikrofonra hasonlító szenteltvízszórót, és befröcskölt néhány cseppet a félhomályba.

– Gondolja, hogy ennyi elég lesz? – elégedetlenkedett Ortega, akinek ismét csak kezdett elmúlni a bátorsága.

– Nem a mennyiség számít, hanem a minőség – szegezte le Debbie.

– Ezt maga találta ki?

– Egy indiai barátnőm mondta, nagyokos. Szerinte ugyanaz az eredmény, ha egy lavór Gangesz-vízben mosakszom otthon, mintha a folyóban fürdenék.

– Kicsoda a maga barátnője, hindu pap?

– Bakteriológus.

Lucrecio atya közben befejezte a szórást, és óvatosan elhúzódott a nyílás elől.

Senhor Pereira levette a sisakját, átkarolta a felesége vállát, és igyekezett ünnepélyes képet vágni.

– Itt a pillanat, hogy elsőként lépjem át annak a kamrának a küszöbét, amely néhány évszázadon át a föld mélyén rejtezett.

– Ebben tévedsz, Vitor – vágott közben az asszony. – Én mintha... megelőztelek volna.

Senhor Pereira arcán árnyék suhant át.

– Én vagyok az első – kiáltotta aztán ellentmondást nem tűrő hangon. – Én vagyok...

– Jól van, csak menj már!

Pereira ment volna, de aztán mégis megtorpant.

– Mondd, Lucilla, nem láttál odabent valamit... ami esetleg... szóval, mit láttál?

Lucilla asszony megvonta a vállát.

– Ha jól emlékszem... polcok sorát.

– És mik voltak a polcokon?

– Edények, Vitor. Simões mester edényei.

– És ezt te csak így mondod?

– Akkor nem ez volt a legsürgetőbb gondom.

Pereira a paphoz fordult.

– Adja ide ezt az izét, Lucrecio atya.

El akarta venni tőle a szenteltvízszórót, de a pap elrántotta előle.

Pereira azonban nem hagyta magát.

– Adja már ide, ne vacakoljon, na! Vagy jöjjön szorosan a nyomomban!

Lucrecio atya ez utóbbit választotta.

– Akkor én most... akkor én most... belépek Simões mester, ősöm kamrájába. Arra kérem önöket, hogy csak akkor kövessenek... ha szólok.

– Szíves örömest – morogta Ortega. – Én mintha már nem is lennék olyan kíváncsi rá, hogy mi van odabent.

– Nem is akarja látni? – csodálkozott Debbie.

– Dehogynem. Majd ha kihozzák őket.

Világosság gyulladt odabent. Lángok lobbantak a falakon, és a mennyezeten is lángok lobogtak.

– Meggyújtottam a fáklyákat! – kiáltotta Pereira. – Sok fáklya van idebent. Talán még Simões mester készítette ide őket. Ó, istenem, csakhogy megérhettem ezt a napot! Hála neked! És neked is, Simões mester!

Lucrecio atya elkapta Domingos karját, és a szenteltvízszóróval befelé integetett.

– Hé! – kiáltott be Domingos a lyukon. – A páter azt kérdezi, hogy szüksége van-e rá?

– Egyelőre úgy látszik, hogy nincs. Istenem, óh, istenem!

Ekkor már Domingos és Lisete is átbújtak a nyíláson. Eulália követte őket. Ortega megállt a nyílás előtt, és megpróbálta előreengedni az atyát.

– Menjen csak, menjen atya, öné az elsőség.

Az atya azonban nem mozdult.

– Maga tudja, atyám – adta be végül a derekát Ortega. – Ha baj lenne, fröcsköljön egy kicsit a hátamra.

Egyelőre azonban nem volt baj.

Egyelőre.

94.

Domingosnak el kellett ismernie, hogy Simões mester kincseskamrája, vagy inkább műhelye, impozáns látványt nyújt. A zseblámpák és a lobogó fáklyák romantikus fényt adva neki, még jobban kiemelték a monumentalitását.

Ameddig Domingos szeme ellátott, falipolcok húzódtak fejmagasságtól lefelé a falakon; rajtuk számtalan, évszázadok porától ellepett tárgy. Serlegek, sótartók, kelyhek, tányérok. Domingos úgy gondolta, legalább háromszáz lehet belőlük a kamrában. Óvatosan leemelte az egyik súlyos kelyhet és megnézegette.

Első pillantásra nyilvánvaló volt, hogy Simões mester nem aranytárgyakkal dolgozott. A kehely színe ezüstre utalt, de lehetett ötvözet is. A távolabbi polcokon teáscsészéket és kannákat látott.

Senhor Pereira mintha megzavarodott volna, fáklyával a kezében haditáncot járt a kamra közepén.

– Megtaláltuk! – kiáltozta. – Végre megtaláltuk!

Domingos letette a kelyhet, és végigsétált a kamrán. Huszonöt lépés hosszú volt és tizennégy széles.

Amíg sétált, igyekezett mindent az eszébe vésni. Nem nyúlt semmihez, így is észrevette azonban, amire kíváncsi volt. Távora márki akárhova is rejtette a kincsét, ide biztosan nem. Bár bizonyára nem kis örömet jelent majd a muzeológusok és régészek számára a kamra, nem olyasfajta kinccsel van teli, amilyenre Pereira annyira áhítozott.

A terem nem kincseskamra volt, hanem műhely. Volt benne egy jókora asztal, üllő, kalapácsok, fogók. Ahhoz azonban kevés volt belőlük, hogy igazi műhelynek lássék. Mintha Simões mester csak jelezte volna velük, hogy hol járnak.

Senhor Pereira még mindig önfeledten ugrándozott a terem közepén.

– Az enyém! Mind az enyém! Ez az örökségem! Itt minden az enyém!

– Ebben alighanem téved, senhor Pereira – mondta egy reszelős hang a bejárat felől.

Minden szem arrafelé fordult. Pereira keze lehullott, és száját eltátva bámult a lyukra, amelyből ebben a szempillantásban másztak ki a Gomeiro nővérek.

Mögöttük Person kapitány egy hosszúkás fekete tárggyal a kezében, ami akár pisztoly is lehetett.

Mint később kiderült, az is volt.

95.

Senhor Pereirának csak néhány másodpercre volt szüksége ahhoz, hogy abbahagyja a táncot. Tett egy gyors, örömteli mozdulatot, és már lőtt is. Csak az istenek a megmondhatói, mivel. Egyetlen másodperccel korábban még nem volt semmi a kezében, csupán összeszorított öklét emelgette a mennyezet felé, a következőben pedig már el is durrant a revolvere.

Lisete és Domingos nem hittek a szemüknek. És nemcsak azért nem, mert senhor Pereira egyszerűen varázslónak bizonyult, hanem azért sem, mert Person kapitány semmivel sem maradt el mögötte. Abban a szempillantásban ugyanis, ahogy senhor Pereira Person kapitányra lőtt, a kapitány kezében is eldördült a fegyver. Senhor Pereira keze megbillent, s a kiröppenő golyó a mennyezetbe vágódott. Domingos és Lisete érezte, hogy kőszilánkok hullanak a fejükre; egy nagyobb kődarab jókorát koppant Debbie sisakján.

Nemcsak golyók és kődarabok szálldostak a levegőben, mint riadt madarak a nádas felett, ha megjelenik felettük a sólyom árnyéka, hanem egy revolver is. Senhor Pereira fegyvere felemelkedett a levegőbe, bucskázott egyet, majd lehullott a talajra.

Person kapitány megcsóválta a fejét.

– Még szerencse, hogy nincsenek odafent freskók.

– Hát az bizony nagy szerencse – bólogatott Inês Gomeiro. – Igaz, Hermínia?

Hermínia felrántotta a vállát.

– Ismered a véleményem, Inês. Nem vagyok oda sem a régi képekért, sem a szobrokért. A freskókért még kevésbé. Felőlem valamennyi lepotyoghatna a falakról, akkor sem lennék öngyilkos.

– Vannak, akik azok lennének.

– Akkor ők ők, én meg én vagyok.
– De az csak örömmel tölt el, Hermínia, hogy végre megérkeztünk álmaink földjére?
Hermínia ismét megrántotta a vállát.
– Akkor lennék nyugodt, ha már megtaláltuk volna. Lehet, hogy csak vaklárma az egész.
– Ez az, amit nem hiszek.
Hermínia végighordozta a tekintetét a polcokon, az edényeken, aztán megcsóválta a fejét.
– El fog tartani egy darabig, amíg megtaláljuk. Ugye, segít nekünk, kapitány?
– Azért vagyok itt – bólintott Person. – Felőlem akár el is kezdhetik.
Mindeddig csak álltak megkövülve, senkinek nem mozdult a szája, csupán a csuklóját szorongató senhor Pereira nyögött nagyokat. Egyszerre aztán megjött a szava. Akkorát ordított, hogy Domingos attól tartott, a lövéstől meglazult kövek ismét hullani kezdenek a mennyezetről.
– Hé! Hé! Álljon meg már a menet! Mi a francot akarnak itt maguk, mi? Honnan az ördögből... és hogy veszik maguknak a bátorságot...? Ezért felelni fognak...!
– Jó estét, senhor Pereira – mosolygott illedelmesen Inês Gomeiro. – Bocsásson meg, hogy elfelejtettünk köszönni, de ebben a nagy izgalomban, tudja...
– Mi a fenét keresnek itt maguk? És mi az, hogy egyszerűen csak lövöldözni kezdenek... Lisete, kérem, ön rendőr, vonja kérdőre őket. Követelem, hogy tartóztassa le mind a hármat, és... állítsa bíróság elé. Nem is értem, hogy az ördögbe kerülhettek ide?
– Magukat követtük – mosolygott Inês. – Az a helyzet, hogy már napok óta követjük magukat.
– Követnek?

– Úgy van. Sejtettük, hogy előbb-utóbb meg fogják találni a kamrát.

– Honnan az ördögből tudnak egyáltalán róla?

– Ó, hát Simões mester kamrájáról mindenki tud. Amióta megjelent róla az a bizonyos cikk.

– Milyen cikk?

– Egy újságcikk.

– Milyen újságban?

– A *Tudomány és technikában*. Maga nem olvasta?

– Nem, nem olvastam.

– Kár, pedig érdekes cikk.

– Hm. És ki írta?

– Csak monogram volt a cikk alján. Természetesen megpróbáltuk kideríteni, ki a szerző, de a szerkesztőség nem adja ki a munkatársait. A folyóirat ugyanis tudományos népszerűsítő jellegű, nem egy cikkében vitatkozik a tudósok állításaival, ezért nem akarja, hogy szerzőinek, akik úgyszintén a tudomány területén dolgoznak, kellemetlenségük származzék belőle. Ők maguk is tudósok; ebben a folyóiratban megírhatják azokat a nézeteiket is, amelyeket kellő bizonyítékok híján tudományos szaklapokban aligha publikálhatnának.

– Megtudhatnám…

– Természetesen, senhor Pereira. A cikk Távora márki és Pombal márki harcáról szól, kellőképpen hangsúlyozva Simões mester szerepét is.

– Hogyhogy én nem tudok róla?

– Nyilván nem hívták fel rá a figyelmét.

– Ez még mindig nem magyarázza meg, hogy önök hogy kerültek ide, és főleg, hogy ez a vén idióta miért lőtt rám.

A „vén idióta” elvigyorodott.

– Mert különben lepuffantott volna. Azért annyira még sem vén, sem idióta nem vagyok, hogy hagyjam magam.

– Akárhogy is van, börtönbe fognak kerülni. Engedély nélkül berontottak a tulajdonomat képező... hm... kamrába, rám lőttek... akár meg is ölhettek volna!

A kapitány bólintott.

– Ha olyan vén és főleg idióta lennék, amilyennek ön gondol, ön már biztosan nem élne. Akkor aligha találtam volna el a fegyverét. Szerencsére még nem remeg a kezem, és a szemem sem rossz. Fiatal koromban tükörből lelőttem a hajó kéményén tollászkodó sirályt.

– Tükörből?

– Sosem látott még olyat? Hátat fordítottam a kéménynek, egyik kezemben tükröt tartottam, a másikban pedig a stukkeromat. Úgy lőttem le a madarat. Azóta már megbántam, mert állatvédő lettem. Így aztán önt sem akartam eltalálni.

– Állj! – ordított egy nagyot senhor Pereira. – Nem is értem, mi a francot beszélgetek itt magukkal! Szenilis hülyék! Tegye le azt a fegyvert, kaptány, vagy mi a franc, mert megbánja. Esküszöm...

– Ne tegye, Lucilla! – Inês hangja fenyegető volt, tekintete pedig Lucilla asszonyra irányult. – Én nem vagyok olyan jó lövő, mint a kapitány: lehet, hogy az én golyóm félremegy. Ezért meg is kérném, hogy dobja csak le szépen, ami a kezében van.

Senhora Lucilla azonban nem engedelmeskedett. Felemelte a kezében szorongatott kis revolvert, és lőni akart vele. A kapitány kezében ekkor ismét eldördült a pisztoly. A golyó ezúttal közvetlenül Lucilla asszony lába előtt csapódott a földbe.

Senhora Lucilla kezéből kiesett a fegyver. Éppen oda, ahova a kapitány lőtt.

– Nagy megkönnyebbülés ez nekem, higgye el, asszonyom – mondta a kapitány. – Sosem bocsátottam volna meg magamnak, ha meg kellett volna sebeznem... ne adj' isten, meg kellett volna ölnöm önt.

Pereira nagyot ordított, és a feleségéhez ugrott.

– Jézusom, Lucilla, nem esett bajod?

Az asszony arca halálsápadt volt: ezt még a fáklyák lobogó, sárga fénye sem volt képes elrejteni.

– Jól vagyok... szívem.

Domingos felemelte a kezét, hogy lássák, nincs nála fegyver.

– Beszélhetnék magukkal?

Hermínia kedvesen mosolygott rá.

– Hát hogyne, senhor Domingos. Van időnk, bár még egy kicsit kotorásznunk kell idelent.

– Önök tényleg követtek bennünket?

– Hát persze – csodálkozott senhora Hermínia –, hát hogyne. Különben hogy találtunk volna ide?

– Korábban is jártak már idelent?

– Természetesen jártunk, Domingos... Ugye, szólíthatjuk így?

– Ahogy óhajtja, asszonyom.

– Maga meg csak hívjon Inêsnek.

– Engem pedig Hermíniának.

A kapitány nem szólt semmit: mogorván hallgatott.

– Nagyon tetszik a bajusza – dicsérte Hermínia. – És elárulhatom, hogy Inêsnek is.

– Hermínia!

– Jól van, már be is fogom a számat. Azért még kérdezhetnék valamit?

– Hát hogyne, senho... Hermínia.

– A senhor és a senhorita kicsoda?

Ortegára majd Debbie-re bökött a mutatóujjával.

– A senhorita és a senhor újságírók. Azért jöttek, hogy részesei legyenek Simões mester kamrája felfedezésének.

– Kérem, mutasson be bennünket.

Domingost belülről éhes oroszlán harapdálta, de

azért rezzenetlen arccal eleget tett Hermínia Gomeiro kívánságának.

– Még az atyát sem ismerem.

Az atya meghajtotta a fejét, de néma maradt.

– Nem tud beszélni? – kíváncsiskodott Hermínia.

– Némasági fogadalmat tett.

– Azt hittem, manapság már nem szokás. Furcsa. De hát mi nem vagyunk az egyház elkötelezett hívei, igaz, Inês?

– Hát nem, és ezzel még nem mondtunk sokat.

– A francba is, ember! – támadt Pereira, a csuklóját fogdosva, Domingosra. – Mi a fene van magával? Ezekkel a hülyékkel társalog, ahelyett hogy elkapná őket? Vágja fejbe a csákányával...

– Nyeletlen csákánnyal?

– Akkor a nyelével, mit bánom én. Követelem, hogy csináljon rendet, és ön is senhorita... izé...! Nagy felindulásában egyszerűen elfelejtette Lisete nevét.

– Pedig társalognunk kell a hölgyekkel és a kapitánnyal is – ellenkezett Domingos. – Már csak azért is, mert ha nem tévedek, éppen ránk szegeződik a fegyvereik csöve.

– Nem téved, Domingos – mosolygott Inês.

– Jézusom, de hát miről?

– Arról, amit akarnak.

– De hát mi a francot akarnak? Mit akarhatnak itt, ahol semmi keresnivalójuk, he? Ez az én területem, az én ősöm kamrája, rajtam kívül senkinek nincs itt helye, kivéve azokat, akiket beengedek ide.

Inês mosolygott, és felemelte a kezét. Pereirában bennszorult a szó, pedig nem volt szándékában abbahagyni az elégedetlenkedést. Domingos úgy gondolta, hogy most tör ki rajta az elmúlt óra összes rémülete.

– Éppen azt szándékoznánk elmondani önnek.

Pereira becsukta a száját, majd kinyitotta.
– Mi… it?
– Hogy miért vagyunk itt.
– Miért vannak… Mit keresnek…?
Befejezni már nem tudta. A torkán feltörő felháborodás egyszerűen beléfojtotta a szót.
Inês ismét elmosolyodott.
– Olyan valamit, senhor Pereira, ami önnek teljesen értéktelen, de nekünk… az életünket jelentheti.
– Az életüket… mi a fene az?
– Simões mester titkos teareceptjei – mondta Inês.

96.

A csend körülöttük repkedett, és halkan zümmögött, mint a dongó hajnali reggeleken a virágzó fák körül. Csupán a fáklyák sercegése zavarta meg a zümmögést.
Elsőnek Lucilla asszonynak jött meg a szava.
– Mi a… fenét?
– Simões mester receptjeit – ismételte engedelmesen Inês Gomeiro. – Teareceptekről van szó.
– Az meg… mi?
Domingos ritkán látott még életében olyan elképedt arcokat, mint amilyeneket a társai produkáltak. Lisete eltátotta a száját, majd lassan a füléhez emelte a kezét. Önkéntelenül is megütögette a tenyerével, mintha attól tartana, hogy nem jól hall. Senhor Ortega szemei kidülledtek, mintha valaki a nyakát markolászná. Debbie levegő után kapkodott; Lucilla asszony elképedt tekintettel a férjére bámult; még az atya is felkapta a fejét, bár ő még a nyögdécseléstől is tartózkodott. Egyedül Euláliát nem rendítette meg a dolog. Sóhajtott egyet, és nagyot nyelt.
– Hogy én milyen szomjas vagyok, istenem!

Először Domingosnak jött meg a szava. Megpödörgette a bajusza hegyét, és elgondolkodva a három betolakodóra nézett.

– Valami… teáról van szó?

– Így is lehet mondani, Domingos.

Domingos agyában egymást kergették a gondolatok. Tea, mérgezés, férjek eltétele láb alól, börtön, Person kapitány… Istenem, mi a fene ez az egész? Lehet, hogy ez a három szerencsétlen valahogy belebuggyant a teába? Furdalja őket a lelkiismeret, s mivel annak idején teával öltek…

– Tudja, hogy a tea szerelmesei vagyunk, Domingos? Ugye, tudja?

– Hát, ami azt illeti… tudom.

– Említettük önnek, hogy… bizonyos bensőséges kapcsolat fűz bennünket a teához. És a teák… hm… ízesítéséhez.

– Említették – bólintott összeszedve magát Domingos.

– Tudja… odabent, ahol voltunk… elbeszélgettünk ezzel-azzal.

– Menyétre gondol?

– Ó, hát persze. El is feledkeztem róla, hogy említettük már önnek. Menyét egészen bele volt zúgva Simões mesterbe. És sokat tudott róla. Menyét nem volt buta ember, annak ellenére sem, hogy nem volt kifejezetten intellektuális a foglalkozása.

– Mi a francot hablatyolnak maguk itt összevisszа!? – támadt rájuk Pereira. – Ki a franc az a Menyét?

Domingos részletes magyarázatba fogott volna, de Inês Gomeiro felemelte a kezét.

– Hagyja csak, Domingos. Elvégre vele kell tárgyalnunk. Sajnálatos dolog, hogy ennyi ember előtt, de hát ezen már nem tudunk változtatni. Igaz, Hermínia?

Hermínia mosolygott.
– Hacsak, Inês, hacsak...
– Ezt nem gondolhatod, komolyan! Nem akarhatod, hogy megöljük ezeket a kedves embereket.
– Én csak attól félek, hogy... eljár a szájuk. Azonkívül... ez a senhor Pereira magától talán oda sem adná.
– De hiszen még meg sem találtuk, hölgyeim – csitította őket a kapitány.
– De megtaláljuk!
– Miről folyik a szó, ha meg szabad kérdeznem? – borult ki ismét Pereira. – Kikérem magamnak, hogy megfenyegessenek...
Inês mosolygott.
– Tudja ön, senhor Pereira, hogy Hermínia és én... hosszú éveket ültünk? És a kapitány is?
Pereira meghökkenve bámult rá.
– Ültek...? Hol?
Inês nagyot nevetett.
– Sajnos nem a kiskertben. Börtönben, senhor.
– Maguk... börtönben? Miért...?
– Gyilkosságért. Megmérgeztük a férjeinket. Én is, és Hermínia is.
– Meg bizony – büszkélkedett Hermínia. – És huszonöt évet csücsültünk érte.
– Te jóságos...
– A kapitány is hidegre tett néhány gazembert. Hányat is, kapitány?
– Fontos ez? – kérdezte kedvetlenül Person.
– Igaza van, nem fontos – vonult vissza Hermínia Gomeiro. – Az ember legyen szerény. A sitten ismerkedtünk meg Menyéttel, a szuperklasszis betörővel. A történet innentől nagyon hosszú, nem is untatnám vele. Menyét tudott Távora márki elrejtett kincséről, és meg akarta találni. Az volt a meggyőződése, hogy Távora márki kincséhez Simões

mesteren keresztül lehet csak eljutni. Őt nem érdekelte különösképpen Simões, bár... bizonyos vonatkozásban mégiscsak volt némi köze hozzá. Úgy támadt fel Távora iránti érdeklődése, hogy megbízásból bizonyos tőröket kellett ellopnia Coimbrából. Szóval, Menyét sok mindent összeolvasott Simões mesterről... és a mi figyelmünket is ráirányította. Azt persze nem tudhatta, hogy gyerekkorunk óta imádjuk a teát. Mármint Inês és én. Könyvtárnyi könyvet olvastunk össze róla; megismerkedtünk a tea és a teázás történetével, a teakészítés fortélyaival, a hozzá kapcsolódó szokásokkal, hiedelmekkel; ha valamelyik egyetemen tea tanszéket nyitnának, bízvást felkérhetnének bennünket előadónak, sőt akár professzornak is. Ezért is történt, hogy a férjeink... hm... szóval, tea végzett velük.

– Ér... tem – nyögte Pereira. – De hát hová... akarnak kilyukadni?

– Menyét kiderítette, hogy Simões mester... alkimista is volt. Legalábbis bizonyos mértékben. Tudja, mi az?

– Hogyne tudnám.

– És a tea szerelmese. Mindent tudott a teáról, amit akkoriban csak tudni lehetett. Ő maga is számtalan keveréket használt, és csodálatos eredményeket produkált velük. Gyógyteái egyszerűen fenomenálisak voltak. Tudjuk, hogy egy vaskos könyvben gyűjtötte össze a receptjeit – ez volt a híres *teakönyv*. Hát ezt akarjuk mi, senhor Pereira. Simões mester teakönyvét.

– És... mit akarnának vele?

– Teázót nyitunk, és... csodákat teszünk. Beleegyezik, senhor Pereira? Megkeressük a teakönyvet – valahol itt kell lennie –, ön aláír egy papírt, természetesen tanúk jelenlétében, hogy nekünk ajándékozza, és lemond minden Simões mester teáival kapcsolatos jogáról. Ha ezt megteszi...

– Akkor mi van?

– Akkor szépen megköszönjük, és ön életben marad.

Pereira egészen közönségesen Inês asszony lába elé köpött.

– Eszem ágában sincs lemondani róla. Itt minden engem illet. Eszem ágában sincs kiengedni egy vagyont a kezemből. Mindenesetre hálás vagyok, hogy elárulták nekem ennek az izé... teának a titkát. Majd én magam... maguk pedig a sitten fognak elrothadni.

Inês asszony sajnálkozva rázta meg a fejét.

– Hát ez bizony nagy kár, senhor Pereira. Hermínia! Menj, és nézz körül egy kicsit.

Hermínia biccentett, és elindult a polcok felé. Senhor Pereira ordított egy nagyot, és megpróbálta megakadályozni benne. A következő pillanatban lövés dörrent, Pereira a karjához kapott.

– Jóistenem... engem eltaláltak!

– Csak a karját – bólintott a kapitány. – Ne féljen, csak a bőrét súrolta. Bár azóta, amióta szegény sirályokat lövöldöztem le a hajó kéményéről, kissé kijöttem a gyakorlatból. Egyáltalán nem biztos, hogy elsőre ki tudnám lőni az ön egyik szemét.

– Maga őrült.

– Csak öreg, senhor Pereira, csak öreg.

Domingos megpróbálta magához ragadni a kezdeményezést.

– Figyeljen ide asszo... akarom mondani, Inês. Önök a férjeiken kívül is meggyilkoltak jó néhány embert... szerencsétlen, ártatlan embereket. Miért tették?

Inês asszony arcáról lehervadt a mosoly.

– Kit gyilkoltunk mi meg?

– Hogy az elején kezdjem: Jorge Medeirost, egy japán lányt, Ernesto Matost…

– Maga megőrült, Domingos! Nem öltünk mi meg senkit! Maga nem tudja, mit beszél.

Domingos megpödörgette a bajusza csúcsát.

– Maguk szellemet játszottak.

– Nem!

– A mosókonyhában kísértettek, ijesztgették a lakókat…

– Nem!

– De azt csak nem tagadják, hogy idelent jártak a járatokban?

– Dehogy tagadjuk! Miért tagadnánk? Hiszen nem tilos. Ezt a kamrát kerestük, amit végül is önök találtak meg nekünk.

– Hahaha! – kacagott fenyegetőn Pereira a karját szorongatva, amelyből éppen csak szivárgott a vér. – Azt árulja el legalább, hogy… melyikük volt a pók.

– Miféle pók?

– Csak látták idelent a hálóját.

– Pókhálót azt valóban láttunk, de… pókot nem.

– Nem önök ölték meg a két zsarut?

– Ismétlem: mi nem öltünk meg senkit. Mi csak a recepteket akarjuk.

Csend ülte meg a kamrát. Aztán valahol megpendült valami, mintha két kupa koccant volna össze. Mintha Simões mester koccintott volna egy régi barátjával Távora márki egészségére.

97.

Még egyszer összekoccantak a kelyhek, aztán valóban nagy-nagy csend támadt a kamrában. Egészen addig, amíg Inês asszony meg nem szólalt.

– Ön mit mond, kapitány?
Person kapitány megvonta a vállát.
– Én tudtam előre. Tudtam, hogy bennünket fognak gyanúsítani. És ismét visszakerülünk a sittre.
– Igaz – bólintott Hermínia. – Ön mindig is vészmadár volt.
– Nem hiszem, hogy vészmadár lennék – tiltakozott a kapitány. – Csak ismerem a szőnyegeket.
– Szőnyegeket? Hogy jön ez ide?
– Úgy, hogy vannak olyan foltok, amelyek semmiféle tisztítószerrel nem távolíthatók el belőlük. Egyetlen megoldás az olló.
– Mit akar ezzel mondani?
– Hogy mi szőnyegek vagyunk, akik foltot ejtettünk magunkon. Nem más ejtette, mi ejtettük. És szerettünk volna megszabadulni tőle. Csakhogy a folt nem hagyja magát. Ha egyszer a szőnyegbe fészkelte magát, örökre benne is marad.
– Értem – bólintott Inês. – Akkor most mi a teendő?
Hermínia megcsóválta a fejét.
– Én annyit, de annyit álmodoztam arról a kis teázóról, Inês, hogy nem szívesen mondanék le róla. Huszonöt, rohadt hosszú évig csak róla álmodoztam.
– És ha megpróbálnánk elmagyarázni ezeknek itt, hogy... nem mi követtük el...
– Ugyan már, Inês! Hiszen ez a hölgy zsaru, és az építész sem az a fajta, aki hinne nekünk... Csak egy megoldás maradna... Kapitány?
A kapitány megvonta a vállát.
– Én az önöké vagyok, hölgyeim. Önök az életemet mentették meg odabent. Öreg fajankó vagyok; nincs senki, aki bármit is számon kérhetne rajtam. Mindent megteszek, amit csak akarnak.

Inês asszony biccentett, és száraz hangon odavetette a kapitánynak.

– Ha húsz másodpercen belül nincs előttem a receptkönyv, sorban lője le őket!

98.

Domingos végső kétségbeesésében rá akarta vetni magát a kapitányra, de már nem volt rá szüksége. Az előkamra felől halk szisszenés hallatszott, mintha kígyó kúszott volna át a résen; villant valami a levegőben, majd mintha szövet hasadt volna szét. Person kapitány csodálkozva nézett Inêsre. Szája kitárult, mintha mondani akarna valamit. A szavak azonban a torkán akadtak, és bárhogyan is tolakodtak, nem sikerült kiszabadulniuk.

Lisete előrántotta a revolverét, de elkésett vele. Érezte, hogy óriási erő taszítja meg a kezét, majd éles fájdalom hasított belé.

Amit ezután láttak, maga volt a csoda. A fáklyák lobogó fényében két emberi alak röppent be a szobába, és egyfolytában ott repkedett körülöttük. Olyan félelmetes sebességgel, mint ahogy villanypóznák rohannak el a száguldó gépkocsi mellett.

Lisete leejtette a fegyverét. Domingos csak anynyit érzett, hogy valaki kitépi a stukkert a markából. Alighanem a többiekkel is ez történhetett, mert mire feleszmélt, revolverek és kis géppisztolyok hevertek szanaszét a földön.

Aztán rövid, pattogó mondatokat hallott.

– Kész vagy, Mijoko?

– Kész vagyok, Macumoto-szan.

– Nem maradt náluk fegyver?

– Biztosan nem, Macumoto-szan.

– Nézz körül a polcon. Ott kell lennie valahol.

A karcsúbb alak odalépett hozzájuk. Ekkor ismerték csak fel, hogy kicsoda. A pattogó, japán nyelvű párbeszédből Domingos kivételével még a neveket sem értették.

Senhor Pereira szeme kikerekedett, ahogy megpillantotta a szürke kezeslábasba öltözött lányt.

– Ön az… senhorita Mijoko?

A lány biccentett. Biccentett, és ezúttal nem mosolygott. Pedig amióta a házba költözött, egyebet sem tett, csak hajlongott és mosolygott.

– És ön… senhor Macumoto?

A férfi icipicit meghajolt.

– Én vagyok.

– Hogy kerülnek ide?

A férfi tekintetéből, úgy áradt a gőg, mint patakból a víz felhőszakadás idején.

– Szatosi kardjáért jöttünk.

– Az meg mi a fene?

Macumoto válaszra sem méltatta senhor Pereirát. Ehelyett a lányra kiáltott.

– Keresd!

A lány meghajolt, és a polcokhoz ugrott.

Domingos ekkor vette csak a bátorságot magának, hogy a kapitány után nézzen. Person a földön feküdt; hátából fényes, csillag alakú fémlemezek álltak ki, mint őslényeyekéből a recés taraj.

– Mi az ördög… ez? – nyögte Lisete.

Domingos megpödörgette a bajusza végét.

– Dobócsillag. Sosem láttál még ilyet?

– Csak képen. Meg… halt?

Domingos a kapitány mellé térdelt. Szeme sarkából látta, hogy Macumoto rá irányítja a fegyverét.

– Még lélegzik – mondta.

– És a két öreglány?

Inês és Hermínia Gomeiro a földön ültek a kezüket szorongatva. Inês már kihúzta a kézfejéből a *surikent*, Hermínia csak most próbálgatta. Eltorzult az arca a fájdalmas erőlködéstől.

Közben a fejük felett viharként tombolt senhor Pereira felháborodott üvöltözése.

– Hé! Mi a francot akarnak itt maguk? Macumoto, követelem, hogy feleljen a kérdésemre! Ez a kamra az enyém, ősöm, Simões mester kamrája; rajtam és meghívott vendégeimen kívül senkinek nincs itt keresnivalója. Megértette?

Macumoto ránézett, de rezzenetlen maradt az arca.

– Mi a fészkes fenét keresnek itt egyáltalán?

Macumoto habozott, hogy válaszoljon-e neki, aztán rövid töprengés után megismételte, amit korábban mondott.

– Szatosi kardját.

– Az meg mi a szar?

Macumoto keze megrándult, de még mindig mozdulatlan maradt az arca.

– Maga tud erről valamit, Domingos?

Domingos Mijokót figyelte, miközben néhány gyors mondatban összefoglalta nekik mindazt, amit a kardról tudott. Lucilla asszony és Pereira arcára kiült a döbbenet.

– Szatosi... kardja? Ez... elképesztő!

Eulália ekkor sírni kezdett. Előbb csak halkan nyüszítve, majd egyre hangosabban. Mijoko felkapta a fejét, és Macumoto is szemrehányón nézett rá.

Lisete oda akart menni a lányhoz, de Macumoto egyetlen ujjpattintással visszaparancsolta. Ő maga ment oda hozzá. Olyan gyorsan, hogy szemmel nem is lehetett követni a mozdulatát, kést rántott elő a zsebéből, és a lány torkára tette.

– Ha nem hallgatsz, meghalsz!

Eulália értett a szóból. Behunyta a szemét, és végigdőlt a földön.

Mijoko ebben a pillanatban felkiáltott. Élesen, diadalittasan.

– Megvan!

– Mit mond? – fordult Domingoshoz senhor Pereira.

– Megtalálta a kardot.

Mijoko valóban megtalálta. A kedves, udvarias lány arca ragyogott az örömtől. Mintha elsőként pillantotta volna meg a frissen nyílt cseresznyevirágokat otthon, a Nara-i szentély udvarában.

Macumoto teljes figyelmével a kard felé fordult.

– Hozd ide!

Mijoko úgy adta a kardot Macumotónak, ahogy csak egy japán adhat át egy rendkívül becses fegyvert egy másiknak. Ahogy annak idején az istenek, majd később a sógunok és szamurájok adták ajándékba egymásnak a néha évtizedekig készült *katanákat*.

Macumoto szeme végigfutott a fekete tokon. Látszott rajta, hogy igazi szakértő.

– A tok valódi – mondta sziszegve. Aztán szempillantás alatt kirántotta belőle a fegyvert.

Ez már nem tetszett Domingosnak. A kard háromszáz éve hever itt a kamrában, tokba dugva; kizárt dolog hogy ilyen könnyen mozogna benne. És a pengéjének sem szabadna ennyire csillognia.

Macumoto is hasonlóan gondolkodhatott, mert egyre gyanakvóbb pillantásokkal vizsgálgatta a fegyvert. Mijoko megérezhetett valamit a másik gyanakvásából, mert nyugtalanul nyújtogatta a kard felé a nyakát.

Macumoto a penge fölé hajolt, mintha valamit silabizálgatna rajta.

– Ez nem... Szatosi kardja – mondta aztán határozott hangon.

– Mit mond? – tudakolta Pereira.

– Nem Szatosi kardja – fordította Domingos.
– Akkor mi van?
– Nem tudom.
– Cukahara készítette – mondta Macumoto.
Mijoko lassan lecsüccsent a földre Eulália mellé. Mintha ő is elájulni készült volna.
– Állj fel!
Mijoko feltápászkodott.
– Nézd meg, nincs-e másik!
Nem volt.
Mijoko tízszer is átkutatott mindent, de az a kard, amit kerestek, nem volt a kamrában.
Vagy már rég elvitte valaki, vagy nem is volt ott soha.

99.

Domingos megvárta, amint a lány befejezi a keresést, akkor megszólalt. Japánul, így a többiek nem is érthették, mit beszél.
– Ki az a Cukahara? – kérdezte.
Macumotót olyan váratlanul érte a japán nyelvű kérdés, hogy önkéntelenül is válaszolt rá.
– Nem tudom. A kard jó, de értéktelen.
Ez annyit jelentett, hogy nem ismert történelmi személyiségé volt.
– Mondhatok valamit? – kérdezte Domingos a bajuszát pödörgetve.
– Beszélj!
– Biztos vagyok benne, hogy az a bizonyos Szatosi-szan nem is létezett.
Macumoto összevonta a szemöldökét.
– Mit akar ez jelenteni?
– Hogy magukat jól átvágta valaki.
Macumoto megrándult, mintha undorító bogár mászott volna rá.

– Még egyszer kutass át mindent, Mijoko.

Mijoko még egyszer átkutatott mindent. És ezúttal sem találta meg Szatosi kardját.

Macumoto ekkor odasétált Domingoshoz, és elmarkolta az inge nyakát.

– Beszélj!

– Szatosi kardja nem létezik. Csak kitalálta valaki.

– Miért?

– Jó kérdés.

– Kérdést csak én tehetek fel. Tőled választ várok!

– Erre sajnos nincs válaszom.

– Mijoko! Megtaláltad?

Mijoko arca maga volt az élő rémület.

– Nem, Macumoto-szan.

– Ez tudod mit jelent?

Mijoko lehajtotta a fejét.

Pereira kihasználta a csendet, és Domingosra mordult.

– Mi a fenét makognak itt maguk? Nem bánnám, ha tudnám, mire számíthatok.

– A legrosszabbra – mondta Domingos.

– Sejtettem, hogy nem szusivacsorára akarnak meghívni bennünket – dünnyögte senhor Pereira. – Mégis, mi az ördög folyik itt?

– Az úr és a hölgy jakuzák. Remélem, tudja, mi az?

– Hogy a fenébe ne tudnám. Japán gengszterek. Mindenesetre most, hogy kiderült, annak az idióta Szatosinak a kardja nem itt rejtőzik, akár… akár el is mehetnek a fenébe.

Domingos megpödörgette a bajuszát.

– Ennél, azt hiszem, azért bonyolultabb a dolog. Macumoto és a kisasszony elvállalt egy feladatot, amit teljesíteniük kell. De nem tudják. Mert a feladat nem teljesíthető.

– És?

– Így is le kell vonniuk a tanulságot a kudarcukból. Mert akárhogy is, de kudarccal végződött a küldetésük.

– Akkor most mi a franc van?

– Azt hiszem… megölik magukat.

– Ő és a csaj?

Domingos bólintott.

– De hiszen találtak egy kardot!

– Csak éppen nem azt, amelyet kerestek.

Lucilla asszony idegesen összeborzongott.

– Csak nem azt akarja mondani, hogy ez a két szerencsétlen öngyilkosságot akar elkövetni. Itt, és a mi jelenlétünkben?

– Attól tartok, senhora, hogy ez a helyzet.

– Én ezt nem bírom végignézni!

– Nem is kell, senhora – nyugtatta meg Domingos. – Nem is kell. Illetve… az a helyzet, hogy nem fogja látni.

– Nagyon helyes – bólintott senhora Sullivan. – És… miért nem fogom látni?

– Mert akkor ön már halott lesz, senhora.

100.

Ez aztán akkora riadalmat keltett, hogy Macumoto jónak látta a feje fölé emelni a kardot. Senhor Pereira üvöltve kérte ki magának, hogy belekeverjék egy olyan ügybe, amelyhez semmi köze. Ő a maga részéről köp Szatosi kardjára, a másikra is köp, egyáltalán köp minden japán kardra, ami csak létezik. A kapitány kinyitotta a szemét, és halkan, hogy ne zavarjon senkit, hörögni kezdett. Óvatossága feleslegesnek bizonyult, hiszen a többiek kiáltásai elnyomták a hörgését. Euláliánál ismét eltörött a mécses; Lisete azt latolgatta magában, hogy vajon el tudná-e úgy érni a fegyverét, hogy közben Macumoto ne vágja le a fejét. A két idős nő is kiabált valamit, de ezt Domingos nem értette. Debbie Fisher a dzsekije elejét tapogatta, amiből az építész arra következtetett, hogy valami baj lehet az elrejtett fényképezőgépével. Senhor Ortega két tenyere közé szorította a fejét, hajladozott, mint búzaszál a szélben, és egyfolytában ordított. Úgy kitört rajtuk a halálfélelem, mint nyugalmasabb időkben a nátha.

Végül aztán Macumoto fenyegető arckifejezése és a felemelt kard hatására lassan elhallgattak.

– Ezek... valóban meg akarnak ölni bennünket – nyögte Lucilla asszony. – De hát... mi a fenéért?

– Mert szemtanúk vagyunk.

– Minek a... szemtanúi?

– Egy jakuza hadműveleté.

– Hiszen nem találtak semmit! Azonkívül ki is akarják nyírni magukat.

– Aki egy jakuza hadművelet szemtanújává válik, az nem maradhat életben. Az ártatlan szemtanúnak is pusztulnia kell.

– Nem lehetne valahogy... üzletet kötni velük?

– Sajnos, ez lehetetlen, senhora. Náluk a becsület minden pénznél többet ér.

– Mondja meg nckik, hogy ha megkímélik az életünket, segítünk nekik megkeresni azt a kardot – próbált meg egyezkedni senhor Pereira. – Elvégre az én ősöm volt Simões mester, talán rábukkanok valami nyomra, amely ahhoz az elátkozott kardhoz vezet.

Domingos Macumotóhoz fordult.

– Ti öltétek meg azokat az embereket, akik a házban haltak meg? Ti voltatok a kísértetek?

Macumoto arca gúnyos mosolyba torzult.

– Mi nem ölünk feleslegesen.

– És az a japán lány?

– Mondom: mi nem ölünk feleslegesen. És nem beszélünk feleslegesen. Mijoko!

A szép, fiatal lány bólintott, és rövid csövű kis géppisztolyt húzott elő a ruhája alól. Macumoto mogorva arccal a kijárathoz állt. Kezében ott csillogott a felemelt kard.

Domingos kétségbeesetten pödörgette a bajuszát.

– Én megtalálom nektek Szatosi kardját.

Macumoto vakkantott egyet, mint a mérges kutya.

– Hol?

– Itt, a föld alatt.

– Hazudsz!

– Ha válaszolsz néhány kérdésemre, megkeresem nektek.

– Mire vagy kíváncsi?

– Honnan tudjátok, hogy Szatosi kardja Portugáliába került?

Macumoto néhány pillanatig habozott. Aztán úgy döntött, hogy pár másodperc még nem a világ.

– Maszanori-szan olvasott egy cikket. Valaki felhívta rá a figyelmét. Maszanori-szan szereti a régiségeket.

Ebből aztán kiderült, hogy a jakuzák főnöke, az a bizonyos Maszanori úr, a műkincs-kereskedelemből is kiveszi a részét.

– Hol a kard?

– Ha senhorita Mijoko még egyszer átkutatná...

– Mijoko, végezd a munkád!

Mijoko meghajolt.

– Igenis, Macumoto-szan.

Felemelte a géppisztolyát.

Lucilla asszony rémült sikoltással a földre vetette magát.

– Neeeee! Kéreeem, neeee!

A géppisztolysorozat a levegőbe hasított. Csakhogy, amint az már korábban is megtörtént, a fegyver nem oda lőtt, ahova a gazdája szándékozott vele.

Abban a pillanatban ugyanis, ahogy Mijoko meghúzta volna a ravaszt, hangos sziszegés támadt a fejük felett. Mintha dühös kígyók kergették volna egymást a mennyezeten. Aztán ömleni kezdett lefelé valami; egyenesen Macumoto és Mijoko fejére.

A fáklyák lobogó fényében nem lehetett pontosan látni, mi az. Mintha hurka csavarodott volna ki a hurkatöltőből: vastag, nedves, csöpögő szálak hullottak alá a mennyezetről, és mintha élőlények lettek volna, rácsavarodtak a két japánra. Macumoto üvöltött, és vele sikoltozott Mijoko is. Kezéből ekkor már kiesett a géppisztoly, akárcsak társáéból a kard. A lefelé hulló, csepegő, tekergőző szálak körülfonták, és mielőtt még kitörhetett volna a pánik, rabságukba ejtették őket.

A pánik csak ekkor tört ki. Mindenki ordított, sikoltozott, kezét a feje fölé emelve megpróbálta megvédeni magát a lehulló szörnyűségtől. Riadt juhnyájként húzódtak a falhoz, hogy minél messzebbre kerüljenek a halál indáitól.

A szalagok, indák vagy liánok azonban őket nem fenyegették: csupán a két japánra hullottak rá. Alig múlt el egyetlen perc, Macumoto és Mijoko gúzsba kötve hintázott jó másfél méterre a föld felett. Ugyanúgy, mint a többiek, akik korábban a pók hálójába kerültek.

101.

Már jó ideje ott hintáztak a hálóban hang nélkül, kidülledt szemekkel, amikor a bátrabbak meg mertek szólalni.

– Jól vagy... Lucilla? – nyögte senhor Pereira. – Jól vagy... bébi?

– Én jól.

– Domingos... élsz még? Gondolod, hogy vége?

Domingos nem tudott válaszolni, mert Eulália iszonyú sírásba kezdett.

– A pók! – sikoltozta, és megpróbálta a haját tépni, csakhogy erőtlenek voltak az ujjai hozzá. Így inkább csak simogatta azt a gubancot, amely nemrég még egy tinédzserlány szépen ápolt hajzata volt. – A pók! Itt a pók! Valamennyiünket megöl! Meghalunk, mint ezek! Itt a pók!

Senhor Ortega lehajolt, felvett a földről egy elejtett elemlámpát, és minden bátorságát összeszedve a mennyezetre világított vele.

Ott azonban nem volt pók. Sőt semmi sem volt. Csak szürke cseppkőként lefelé nyúló kősziklák.

– Csoda! – nyögte Debbie. – Kész csoda!

A pap odaugrott hozzá, elkapta a karját, és többször is nemet intett.

– Jól van – vonult vissza Debbie –, nem *olyan* csoda. Ez másféle csoda, de azért ez is az. Hol a pók?

– Talán... láthatatlan – mondta Inês Gomeiro a kapitány mellől. Person kapitány még mindig a földön feküdt, de már nyitogatta a szemét. – Minél hamarabb ki kell vinnünk innen a kapitányt! Orvosi kezelésre lenne szüksége.

Eulália, aki néhány másodperccel korábban még a haját tépkedte volna, odasettenkedett a hálóhoz, és a két japán arcába nézett.

– Még... élnek. De meg fognak halni. Megöli őket.

– Hogy ölné meg...?

– Kiszívja a vérüket.

– De hát hol van az a rohadék pók?

– Ne szidd, Lucilla, hiszen megmentette az életünket.

Ekkor döbbentek rá, hogy a pók valóban azt tette.

Hiszen ha nem kapja el a japánokat, talán már halottak lennének valamennyien.

– Elmenekült – mondta Hermínia. – Mi lenne, atyám, ha utána löttyintene egy kicsit a szenteltvizéből?

– Maga honnan tud a szenteltvízről? – kérdezte Domingos.

Hermínia elmosolyodott.

– Van fülem, és jól is hallok vele.

Az atya előhúzta szenteltvízszóróját, és megpróbált felhinteni egy kis vizet a mennyezetre. Nem volt könnyű mutatvány, de azért sikerült. Néhány csepp megnedvesítette a lefelé nyúló sziklaujjakat.

A két japán a hálóban mintha mozgolódni kezdett volna. Mintha magukhoz tértek volna. Debbie odalépett melléjük, megnézte őket, aztán megnyomkodta a szemét.

– Meghaltak.

– Uramisten, hogy történhetett?

– A pók megölte őket.

Lisete és Domingos egymásra pislogtak. Mindegyikük arra gondolt, hogy vajon őket miért nem ölte meg a pók? Vagy akiket megölt, azok közül néhányukkal miért késsel végzett? Ha egyáltalán kés nyomát látták a nyakukon…

– Tűnjünk el innen minél gyorsabban! – sürgette őket senhor Pereira. – A hálót pedig gyújtsuk fel! Van nálam gyufa…

– Ne! – kiáltotta Lisete. – Ne!

– Csak nem sajnálja?

– Hátha mérgezett.

– Miből gondolja?

– Abból, hogy ők meghaltak a hálótól, mások pedig nem. Talán kétféle hálót sző. Az egyik arra szolgál, hogy elfogjon valakit, a másik pedig, hogy meg is ölje.

– Akkor kerüljük meg a hálót, és nyomás kifelé! Holnap majd visszatérünk, és…

– Én nem sietnék annyira az ön helyében, senhor Pereira!

A hang a rés felől jött, amelyet eltakart a háló.

Egyedül Domingos hajolt le a fegyveréért, de aztán ő is gyorsan visszakapta a kezét.

A lövés, amely alig néhány centiméternyire a fegyverhalomtól verte fel a port, azt üzente neki, hogy jobb a békesség.

A téglafalba bontott lyukon át két alak bújt be hozzájuk, kezükben természetesen fegyverrel.

Senhor Fonseca és a felesége.

102.

Domingos ekkor gondolt rá először, hogy senhor Fonseca, a régiségkereskedő, alighanem arra a japánra hasonlít, aki a legenda szerint Simões mester testőre volt. Jelentéktelen férfi, diszkrét kis púppal a hátán, vékony libanyakkal, szürke bőrrel; szája széle megállás nélkül nedvedzett, mintha túlontúl sok lenne a nyála, és nem férne el a szájában. Felesége méltó párja volt. Pattanásos bőrű, közönséges arcú, rossz fogú. Egyszóval, a Fonseca házaspár nem nyert volna első díjat a Los Angelesben évente megrendezett *Amerikai párok* versenyén.

Senhor Fonseca előredugta a pisztolyát és elvigyorodott.

– Ez aztán a meglepetés, mi? Gondolom, nem várták a jó öreg Fonsecát?

– Csakhogy megérkezett – próbálta meg elhárítani az újabb vészt a fejük felől senhor Pereira. Talán abban bízott, hogy a szómágiának megfelelően a Fonseca házaspár bármit is forgatott eddig a fejében, segítségükre siet, és töröl minden bűnös gondolatot a lelkéből.

A valóság azonban gyakran felülírja a reményeket. Mint ahogy ebben az esetben is. Senhor Fonseca nem eresztette le a géppisztolyát, csupán a szava akadt el a csodálkozástól.

Senhora Luisa azonban nem volt az a csodálkozó típus. Az ő kezében is fegyver volt, és ha már ott volt, megbökdöste az orra előtt fityegő hálót.

– Ez meg mi a szösz, Honorato? Ki csomagolta be őket?

– Nem tudom – jött meg Fonseca szava. – Jobb lenne, ha nem mennél közel hozzá.

– Ez a két japán, Honorato! A csaj meg az apja. Ezeket kinyírta valaki.

– Menj onnan, Luisa!

– Majd megyek, ha akarok.

Fonseca a kamrára meredt – pontosabban a polcokon található rengeteg edényre.

– Te jó isten! – remegett meg a hangja. – Ez után sóvárogtam, nem is vitás. Magukat meg arra kérem, hogy ne próbálkozzanak semmivel. Ezúttal az öreg Fonseca vezeti a meccset. Aki rosszul viselkedik, kiállítom. Piros lapot kap.

Jelentőségteljesen a fegyver oldalára csapott, mintegy jelezve vele, hogy mit ért piros lap alatt.

– Itt van hát a kamra! Látod, Luisa?

– Nem vagyok vak. Mondhatok valamit?

– Mondd!

– Köpök a kamrára. Engem csak az érdekel, mi van benne. Aranyat ígértél, Honorato. Azért ölök is, de ha nem azt találunk benne, amit ígértél...

– Nyugodj már meg, az lesz benne. Jézusom, itt van egy pap is... Maga mit keres itt, szentatyám? Hűha, ebből baj lesz, Luisa!

– Mi a franc baj lenne belőle?

– Egy papot nem lehet kinyírni.

Senhora Luisa elvigyorodott.

– Majd meglátod, hogy lehet. Rá fogsz zizzenni, hogy még ennyi idő után is tudok újat mutatni neked.

Senhor Fonseca tovább lelkendezett.

– Nicsak, mennyi kedves ismerős van itt... Senhora Sullivan és senhor Pereira. Nahát!

– Mit csodálkozik, ember?

– Ki hitte volna, hogy magukat is idelent találom? Azt hittük, az építészt követjük.

– Én vagyok az örökös – domborította ki a mellét senhor Pereira. – Az enyém itt minden, és az is marad.

– Nocsak – hökkent meg senhor Fonseca. – Nocsak. Ezt nem is tudtam.

– Micsodát? – mordult fel Pereira.

– Hogy a halottaknak is lehet vagyonuk!

103.

Pereira dühösen rá akart támadni, de senhor Fonseca nem hagyta magát, folytatta a látványos csodálkozást.

– Nézd csak, a kis Eulália! Hát te hogy kerültél ide, aranyom? Egy ekkora lánynak ilyenkor már ágyban a helye, és egyedül, hehehe! Senhor Domingos és senhora Lisete, nocsak, nocsak... De azért vannak itt ismeretlenek is. Látom, lesz, aki imádkozzon értem.

Pereira összeszedte magát, és igyekezett nem észrevenni a fegyvereiket.

– Mi szél hozta ide, Fonseca?

Fonseca elvigyorodott.

– Hallod, Luisa? Mi szél hozott ide? Hát ez aranyos. A pénz szaga, senhor Pereira. Semmi más, csak az.

– Mi a fenéről beszél?

Fonseca tovább vigyorgott.

– Tudja, senhor Pereira, hogy már hosszú hónapok óta ezzel a kamrával fekszem-kelek?

– Nem tudtam, és nem is érdekel… Ez az én kamrám, az én örökségem, senki másnak nincs köze hozzá! Ha azt hiszi, hogy bármit is elvihet innen…

Fonseca arcán már nem világított olyan barátságosan a mosoly.

– Valamit elvinni? Ön téved, senhor Pereira. Nekem nem *valami* kell! Nekem az egész kell! Minden, amit itt látok, bár egyelőre fogalmam sincs róla, mit látok. De valóban, mi az ördög ez itt? Egy háló, benne a két japán… Maguk rakták bele őket? Japánok a szatyorban… ez jó.

– A pók – nyögte Eulália. – A pók ölte meg őket.

Fonseca meghökkent.

– Miféle pók?

– Kísértetpók.

– Na, ebből elegem van! – fortyant fel Luisa asszony, fenyegetőn a lány felé közeledve. – Fogd be a szád, te kis kurva! Azt hiszed, megijedek a hülye dumádtól? Én ezt nem veszem be. Ti nyírtátok ki őket. Honorato, csinálj már valamit, éhesek a gyerekek, hamar vissza kell mennünk.

– Várj még néhány percet. Majd duplán esznek, ha visszamegyünk. Ezt egy gyerek is megértheti. Szegényen mentek le a szüleik a föld alá, és gazdagon jöttek vissza. Mint a mesében. Egész életemben ilyesmire vágytam, és most itt van, tessék! Úgy az ölembe hullott, mint az érett alma… Jól van, nézzük csak, mi van itt. Ezek szerint maguk megtalálták Simões mester kamráját. A kincseskamrát.

Távora márki kincseit. Na, akkor gyerünk! Hol is vannak az aranykincsek?

Végigfutott a polcok előtt; itt-ott az edények közé túrt, és már futott is tovább. Úgy tűnt, nem találja, amit keres.

Két kört is futott, majd komor képpel megtorpant Pereira előtt.

– Hol vannak az aranyak?

Pereira felrántotta a vállát.

– Csak ez van. Meg egy japán kard.

A kard ott hevert a háló mellett. Fonseca felvette, megnézte, aztán visszadobta, ahonnan felvette.

– Jó kard. De ez engem nem érdekel. Hol az arany?

Pereira az edényekre bökött.

– Ez van. Még nekem sem jutott időm megnézni őket. De engem nem is az érdekel. Ezek az ősöm munkái!

Fonseca ekkor olyat mondott, ami valamennyiüket úgy vágta mellbe, mint a gőzkalapács.

– Ócskaságok.

Pereira összeszorította az öklét.

– Mit mond?

Fonseca nem válaszolt. Dúvadként vetette magát a polcokra. Mint kiéhezett betörő az éléskamrában talált lekvárosüvegekre. Domingos csodálkozva látta, hogy Fonseca előkap valamit a zsebéből – egy jókora horgászhorogra emlékeztette –, és azokba a tárgyakba, amelyeket felkapdosott, belekarcol vele valamit.

Pereira nem törődve senhora Luisa fegyverével, Fonsecára ordított.

– Mit csinál, hé? Nem megmondtam, hogy itt minden az enyém? Az én tulajdonom. Ha bármit is belekapirgál, és ezzel azt akarja bizonyítani...

Fonseca nevetni kezdett. Élesen, hisztérikusan

szállt a nevetése, mint középkori színművek őrülési jeleneteiben szokás.

– Maga... maga... istenverte őrült! És istenverte őrült vagyok én is... ez az egész itt... egy halom ócskavas. Ez ezüstbevonatú, ez cinkancsó, ez ezüst ugyan, de... mintha egér rágta volna meg...

Dühödt tébolyultként a fal mellé kezdte hajigálni az edényeket. Csak úgy csengett-bongott minden körülöttük, a fáklyák fénye elhajlott a zenére.

– Ócskavas! – szitkozódott tovább Fonseca. – Az a rohadék Menyét árvert... csak azt tudnám, miért? Hol van Távora márki kincse, hol van?

Néma csend ülte meg – ki tudja, már hányadszor – a kamrát, csak a fáklyák sercegtek sértődötten.

Fonseca leroskadt a fal mellé, és nemes egyszerűséggel sírva fakadt.

– Pedig... erre építettem a jövőnket... Távora márki kincsére. De várjanak csak...

Felugrott, és mint egy igazi őrült, táncolni kezdett a kamrában. Nagyokat ugrott, majd a füléhez emelte a kezét. Domingos csak később értette meg, hogy azt hallgatja, nem dobog-e valahol gyanúsan a talaj. Nem vezet-e a kamrából lejárat egy elrejtett pincébe?

Úgy tűnt, hogy nem vezet. Fonseca a falakat is végigtapogatta, de ott sem talált gyanúsat. A kamra, ha volt is neki, őrizte a titkát.

Domingos nem mert elmozdulni a helyéről, mert egyre inkább az őrület szikráit látta csillogni Luisa asszony szemében is.

– Fonseca!

– Mit akarsz, Luisa?

– Beszélj!

Fonseca kétségbeesetten pillantott körbe. Úgy érezte magát, mintha egy trágyadomb tetején állna, amelynek a mélyén kincseket sejtett, de csak szart talált.

– Szemét. Szar. Semmit érő!

– Biztos ez?

– Luisa, hát ez a szakmám.

– Honorato!

– Mi van?

– Te nem ezt ígérted!

Fonseca bólintott.

– Tisztában vagyok vele, Luisa, de... látod, hogy mi lett belőle! Pedig esküdni mertem volna rá, hogy itt kell rejtőznie Távora márki aranyának. Biztos voltam benne, hogy a bajuszos megtalálja. Két éve keresem ezt a rohadt kamrát, Luisa, és mégsem én, hanem ő találta meg.

– Arról beszélj, hogy hol az aranykincs?

– Nem tudom, Luisa.

Az asszony akkor ráemelte a fegyverét.

– Megöllek, Honorato.

Fonseca bólintott.

– Meg is érdemlem. Ide lőj...

Senki nem hitte volna, talán ő maga legkevésbé, de az asszony kezében kétszer is eldördült a fegyver. A második lövés majdhogynem elvitte de Carvalho bajuszát. Az építész ugyanis megpróbált megkaparintani egy fegyvert a földön heverők közül, de Luisa asszony figyelmét nem kerülte el a mozdulata.

– Bárkit lelövök, aki mocorog – fenyegette meg őket a piszkos, kopott, loncsos hajú, szürke bőrű asszony. – Nincsenek gátlásaim. Az én életem már úgysem ér semmit. Akkor elcsesztem, amikor hallgattam ennek a baromnak a szavára. Ostoba vagy, Fonseca!

Lisete elképedve figyelte az eseményeket, és elképedve figyelték a többiek is. Bár lett volna bámulnivaló a kamrában éppen elég, valamennyien a vérző Fonsecát vették szemügyre. Luisa asszony ugyanis nem beszélt, és főleg nem lőtt a levegőbe. Fonseca az oldalára szorította a kezét, és fájdalmasan sziszegett.

– Te megőrültél, Luisa!

– Te mondtad, hogy lőjelek le.

– Nem mondtam komolyan.

– Annak idején esküdöztél, hogy minden szavadra mérget vehetek.

– Istenem, Luisa...

Az asszony sorban végignézett rajtuk. Domingos ekkor vette csak észre, hogy senhora Luisának szürke a szeme és éles a tekintete, mint a késpenge. Biztos volt benne, hogy jobb sorsra érdemes emberi lény, akit az élet kiszámíthatatlan hullámverése sodort Fonseca mellé.

Gyanította, hogy jóval több az esze, mint a férjének.

Senhora Luisa ekkor Euláliára szegezte a fegyverét, és ismét megfenyegette őket.

– Ha bármiben sántikálnának, megölöm a lányt. Mindenkit nem tudok megölni, de őt igen. Gyere ide, Eulália!

A lány tett két rémült lépést az asszony felé.

– Maradj itt mellettem. És nagyon vigyázz, kislány. Az én szívem már kőből van: nem hatnak meg a könnyek, és nincs bennem szánalom. Ha kell, és ha okot szolgáltatsz rá, gondolkodás nélkül agyonlőlek.

Eulália rémülten tette össze a kezét.

– Nem fogok... okot szolgáltatni rá, asszonyom.

– Mutasd magad, Fonseca.

– Kiszakítottad a ruhámat – panaszkodott az oldalát tapogatva Fonseca.

– Majd veszel magadnak újat Távora márki kincséből – gúnyolódott az asszony. Megszívta az orrát, és megcsóválta a fejét. – Ostoba vagy, Fonseca. Hagynád magad átverni?

Fonseca meghökkenve bámult rá.

– Hol itt az átverés?

– Itt, az orrod előtt.

– Én nem látok semmit.

– Azért vagy ostoba. Nem veszed észre, hogy csak hülyítenek?

Domingos és Lisete úgy érezte, rossz irányba fordulnak az események. Nem mintha eddig jó irányban mentek volna. Az azonban nyilvánvalónak látszott, hogy Luisa asszonyon kezd úrrá lenni a paranoia.

– Hülyíte... nek?

– Ezek... tudják, hol a kincs.

– Úgy érted, tudják, hol van Távora márki kincse?

– Nem látod rajtuk?

Honorato Fonseca végigjártatta rajtuk vérere s szemét, de nem lehetett elégedett az eredménnyel, mert megrázta a fejét.

– Hát én... nem is tudom, Luisa. Semmit nem látok rajtuk, ami gyanús lenne.

– Itt van valahol, Honorato!

Fonseca a nagy halom edényre bökött.

– Ezek között?

– Azt mondtam... hogy itt rejtőzik *valahol.*

Fonseca a mennyezet felé fordította az arcát.

– Már mindenütt megnéztem, Luisa. Megnéztem a falakat, a padlót... csupán a mennyezetet nem néztem meg. Uramisten, nézd, Luisa, ezt a hálót! Hogy kerülhetett ide egy ekkora pók?

– Hagyd már a pókot! Én tudom, hol a kincs... Honorato. *Én tudom!*

– Hol van? – kérdezte megnyalva a szája szélét Fonseca.

– A fejükben! Például ennek a fejében!

Megmozdította a fegyverét, és a csövét immár senhor Pereirára irányította. Lisete esküdni mert volna rá, hogy éppen a fejét vette célba.

– A fejében...? – hökkent meg Fonseca. – Ezt hogy érted?

– Úgy, hogy benne van. Pontosan tudja, hol bujkálnak az aranyak. De nem mondja el nekünk... nem akarja elmondani.

– Biztos vagy benne, Luisa?

– Csak nézz rá! Nem látod rajta?

Fonsecán nem látszott, hogy elöntötte volna a nagy felismerés. Inkább nyugtalanul pislogott az aszszonyra.

– Azt kérdeztem, hogy biztos vagy-e benne, Luisa?

– Naná hogy az vagyok! Tehát, Honorato: a fickó fejében van Távora márki kincse. Tudja, hogy hol van.

– Akkor miért nem... találta még meg?

– Mert nem akarja megosztani a többiekkel. Csak hülyíti őket, épp úgy, mint bennünket. Ki akar nyírni mindenkit.

– Kicsoda?

– Hát ez a Pereira!

– Maga nem tudja, mit beszél – nyögte senhor Pereira.

– Én meg azt hiszem, hogy nagyon is jól tudom. Tehát, mi a teendő akkor, ha valakinek a fejében van valami, és mi ki akarjuk venni belőle?

– Luisa... én nem tudom...

– Meg kell lékelnünk a koponyáját, Honorato.

Villámsebesen lehajolt, és felkapta a letört csákányfejet a földről, míg fegyverét a lábához tette.

– Jöjjön ide, senhor Pereira!

Pereira halálsápadtan bámult a nőre.

– Maga... maga... elmebeteg!

– Ezt ne mondja még egyszer! – fenyegette meg

Luisa Fonseca. – Lánykoromban voltak ugyan bizonyos mentális problémáim, de annak már vége. Jöjjön csak ide, azonnal!

Lucilla asszony belekapaszkodott a férje karjába, és visszarángatta maga mellé.

– Ne menj, Vitor! Ez a némber őrült! Meg akar ölni!

– Fonseca!

Honorato Fonseca mintha álomból ébredne, nagyot kiáltott, a Pereira házaspárhoz ugrott, elkapta senhora Lucilla kezét, és mielőtt még senhor Pereira megakadályozhatta volna, a feleségéhez ráncigálta.

– Itt van ez, Luisa, de én nem hiszem...

Luisa asszony elmarkolta senhora Lucilla karját.

– Maradjon itt mellettem!

– Jaj, ez fáj!

– Ha nem marad békén, még jobban fog fájni. Térdeljen le!

Senhora Lucilla térdre esett.

– Istenem, de fáj!

– Te is tudod, aranyom?

Senhora Lucilla arcán patakzott a könny.

– Én nem tudok... semmit!

Ebben a pillanatban, nem törődve a következményekkel, Pereira senhora Luisára vetette magát. Lövések dörrentek; Domingos érezte, hogy golyók süvítenek el mellette; lehajolt, hogy felvegyen egy pisztolyt, de valaki úgy oldalba rúgta, mint a rühes kutyát.

– Vegye el onnan a kezét!

Domingos engedelmeskedett. Fonseca állt mellette fegyverrel a kezében.

– Álljon oda! A barátnője mellé!

Domingos megtörölgette a homlokát, Lisete tekintete tétován végigfutott rajta, aztán tovarebbent.

Domingos rémülten látta, hogy azalatt a néhány

másodperc alatt, amíg fegyver után tapogatódzott, és Fonseca megfenyegette, lényeges dolgok történtek a teremben. Luisa asszony egyik kezével Lucilla asszony nyakát fogta, másikkal pedig a csákányfejet emelte a feje fölé. Senhor Pereira a lábainál térdelt, és könyörögve nyújtotta felé a kezét.

– Ne bántsa, kérem! Ne bántsa!

Luisa asszony nagyvonalúan intett.

– Ha akarja, helyet cserélhetnek!

– Igen, igen, igen! Akarom! – kiáltotta Pereira. – Engem öljön meg inkább!

Luisa asszony bólintott.

– Ez már beszéd. Akkor dugja ide a fejét. Te pedig figyelj, Fonseca, mert ha elszúrod nekem...

De nem szúrtak el semmit. Lucilla kiszabadult a fogságból, senhor Pereira pedig a helyére került.

– Figyeljenek rám... valamennyien. Tudom, hogy ez a férfi megtalálta Távora márki kincsét. Ha sikerül rábeszélniük, hogy árulja el nekem a helyét, mindannyiukat futni hagyom. Ha nem, meghalnak. De előbb még felnyitom a fejét, és megnézem...

Tisztában voltak vele, hogy az őrület beszél belőle. Domingos a bajszát morzsolgatta. Vajon miért nem...? Vajon miért...?

– Senhor Pereira. Vagy elárulja nekem, hol rejtőzik Távora márki kincse, vagy...

Senhor Pereira felemelte a kezét.

– Győzött, Luisa, elárulom!

104.

Luisa asszonyt ellenállhatatlanul a hatalmába kerítette az öröm.

– Látod, Fonseca? – kiáltott diadalittasan a férjére. – Így kell ezt csinálni! Hol van hát a kincs?

– A terem közepén – mutatta senhor Pereira.

Az asszony egyelőre nem látott mást a terem közepén, csupán még egy letört csákányfejet, két elgurult kelyhet, és némi szemetet.

– Ott?

– Egy... lépcső vezet a mélybe – magyarázta Pereira. – Ha dobbant néhányat, meg is győződhet róla.

Az asszony odarohant, két rúgással eltakarította a kelyheket az útból, majd ugrott néhányat. Akárhogyan is hallgatóztak azonban, nem hallották a föld alatti kamra hangját.

– Nem hallok semmit – fordult Luisa asszony Pereira felé. – Ha hazudott nekem, az isten irgalmazzon magának!

– Dehogy hazudtam...

Fonseca nem bírt magával, a feleségéhez ugrott, letérdelt, és összeszorított öklével ütni kezdte a földet.

Így aztán nem is láthatta, hogy mi történik a mennyezeten. Akik nem feledkeztek bele a kincskeresésbe, halk puffanást hallottak odafentről, aztán megindultak lefelé a ragacsos csápok; csillogtak, tekergőztek, s a két térdeplőre hullottak. Éles sikoltások, ordítozás töltötte be a kamrát.

Lisete Domingos vállára hajtotta a fejét. Domingos ismét lehajolt, hogy felvegyen egy fegyvert, de valaki immár a kezére lépett.

Felnézett, senhora Pereirát látta maga felett.

– Ne tegye, Domingos.

De Carvalho elkapta a fegyverektől a kezét.

A láthatatlan pók szőtte hálóban ekkor már ott vergődött senhor Fonseca és a felesége. A háló egyre vaskosabb lett, majd lassan felemelkedett a levegőbe. Mire az emelkedésnek vége lett, Fonsecában és Luisa asszonyban már nem volt élet.

Kiszívta belőlük a pókháló.

105.

Domingos fülére szorította a tenyerét, hogy ne hallja a sikoltásokat. Mert Eulália folyamatosan sikoltozott, és a mindeddig hallgatag Debbie Fisher is csatlakozott hozzá.

Senhora Lucilla ezúttal csendben maradt. Immár az ő kezében is fegyver sötétedett. Amikor Domingos ránézett, éppen az atyát taszította oldalba.

– Oda a falhoz, atya!

Az atya bólintott, és a falhoz sétált. Lehajtotta a fejét, és morgott. Domingos biztos volt benne, hogy imádkozik.

Ortega elkapta Domingos karját, és rémülten a képébe dadogta:

– Ez mit... jelent... ez honnan... tudta, hogy a pók...

– Kérdezze meg talán tőle.

– Ki... től?

– Senhor Pereirától.

Senhor Pereira peckesen sétált a kamra közepén, nagyokat rúgva Simões mester kelyheibe.

– Kész vagy, Lucilla?

Lucilla asszony felkapta a fegyvereket, és a sarokba hajigálta őket.

– Minden rendben.

Először Debbie Fisher tért magához. Megtörölgette az arcát a tenyerével, és az immár két, teli pókhálóra nézett.

– Jézusom, mit akar mindez jelenteni?

Senhor Pereira megvonta a vállát.

– Azt, hogy az utolsó felvonáshoz érkeztünk.

Debbie eltátotta a száját.

– Minek az utolsó felvonásához?

– Ennek a kis színjátéknak, amelyik itt zajlott előttünk.

– Ezt nem egészen értem.

Kissé túlzott, az kétségtelen. Ugyanis egyetlen árva mukkot sem értett a történtekből. Mint ahogy a többiek sem. Sem a Gomeiro nővérek, sem Person kapitány, sem Eulália, sem Ortega, sem Lucrecio atya.

– Ez annyit jelent, hogy... megmenekültünk? – érdeklődött aggódó mosollyal az arcán Debbie.

Senhor Pereira megrázta a fejét.

– Sajnos, nem azt jelenti, senhorita.

– Akkor... mit?

– Azt jelenti, hogy hamarosan valamennyien... meg fognak halni.

106.

Már nem sikoltozott vagy kiáltozott senki: mintha szavukat vette volna az értetlenség. Lucrecio atya előhúzta ugyan a szenteltvízszóróját, de aztán csüggedten leejtette a lába mellé. Úgy gondolhatta, hogy azon, ami ezután következik, a szenteltvíz sem segít.

– Álljon csak meg a menet! – emelte fel a kezét némi habozás után Debbie Fisher. – Én oknyomozó újságíró vagyok... és ha már én sem értek valamit, akkor ott nagyon nem stimmelnek a dolgok. Szeretném tudni... végül is mi a fene folyik itt? Ez Távora márki kincseskamrája, vagy mi az ördög?

Senhor Pereira mosolyogva csóválta meg a fejét.

– Dehogyis az, senhorita. Valóban tudni akarja, hogy mindez mire való és micsoda?

– Hát... ha nem terhelném vele – mondta a lány remegő hangon. Még nem felejtette el, hogy senhor Pereira halált ígért valamennyiüknek, és a fegyverek is gyanúsan feketedtek a házaspár kezében.

– Forduljon bizalommal senhor Domingoshoz –

mondta Pereira. – Feltételezem, hogy ő nagyjából érti, mi történik itt.

– Hát... nagyjából – bólintott az építész, megpödörgetve a bajuszát.

– Legyen szíves, mesélje el a többieknek. Van rá elég időnk, meg kell várnunk az éjszaka közepét, hogy zavartalanul és főleg észrevétlenül visszatérhessünk a felszínre.

– Mi... valamennyien? – kérdezte nagyot nyelve Debbie.

Senhor Pereira mosolygott.

– Sajnos nem, Debbie. Csak a feleségem és én.

107.

Nem értettek semmit a történtekből; tompák voltak és elcsigázottak. Arról az apróságról nem is beszélve, hogy négy holttest is lógott a közelükben, és talán a pók is ott leselkedett alig néhány centiméternyire tőlük.

– Nos, Domingos? – pillantott az órájára senhor Pereira. – Akar nekik mondani valamit, vagy csak a bajuszát pödörgeti?

Domingos mogorván felrántotta a vállát.

– Az pödörgeti, akinek van.

Senhor Pereira felnevetett.

– Ebben igaza lehet. Meg kell mondanom, őszintén sajnálom önt, Domingos, és a kisasszonyt is. Önök megérdemelnék, hogy éljenek... hiszen annyi szép év állna még maguk előtt.

– És ez... nem lehetséges?

– Sajnos nem, Domingos – sóhajtotta senhor Pereira. – Ezt ön is éppen olyan jól tudja, mint én. – Nos... Akkor kielégíti a többiek kíváncsiságát, vagy tovább macerálja a bajuszát?

– A kettő nem mond ellent egymásnak – morogta az építész.

– Lisete kisasszony... nem akar közelebb húzódni senhor de Carvalhóhoz? – kérdezte Pereira. – Ha valaki szeret valakit, szeret a közelében lenni. Márpedig maguk... hm... ha nem tévedek...

Lisete felelet helyett Domingoshoz lépett és belékarolt.

– Így már más – mosolygott senhor Pereira.

Senhora Lucilla azonban nem így látta a dolgot. Grimaszt vágott, és dühösen a férjére förmedt.

– Bolond vagy te, Vitor. Túl sokszor vettél részt filmforgatásokon. Ha mást nem is, de ezt a hülye hollywoodi melodráma klisét megtanultad. Még hogy szerelem, meg közel a szeretteinkhez... istenem, mindjárt elhányom magam. Olyan vagy, mint a hülye gyerek, aki órákig simogatja a kisnyulakat, majd egyetlen mozdulattal kitekeri a nyakukat.

Senhor Pereira bűntudatosan tárta szét a karját.

– Lehet, hogy igazad van, Lucilla. De én már csak ilyen vagyok. Szentimentális marha.

– Gyilkos marha – helyesbített Debbie Fisher.

Senhor Pereira ránézett, aztán harsányan felkacagott.

– Hát ez jó! Életemben nem mondtak még nekem ilyet. Gyilkos marha! Ha nem kellene megölnöm önt, Debbie, megjutalmaznám érte. Nos, Domingos?

Domingos csak azért is alapon megpödörgette a bajuszát. S mivel ezúttal már senkitől sem érkezett megjegyzés rá, beszélni kezdett.

108.

– A történet talán ott kezdődik, hogy én kaptam megbízatást a városi tanácstól az önök házának a tatarozására.

– Ez mindjárt tévedés – szakította félbe az építészt senhor Pereira. – Azok a házak az *én* házaim. Mind a kettő. A Rua de São Miguel 11 és 13.

– Elméletileg – mondta Domingos.

– Hogyhogy elméletileg? – hökkent meg Inês Gomeiro. – Mi neki fizetjük a lakbért.

– Az *önök háza* alatt természetesen azt értettem, hogy önök laknak benne. De ha már kijavított, senhor Pereira, nos, ezzel kapcsolatban az a helyzet, hogy valóban ön a házak tulajdonosa... papíron. A valóságban azonban akkora jelzálog terheli az épületeket, hogy igencsak vitatott lehet a tulajdonjoguk.

– Na és aztán? – mordult fel senhor Pereira, miközben egy csapásra eltűnt a mosoly az arcáról, és a kedélyes, barátságos színezet a hangjából. – Másnak is terhelték már meg a házát a bankok.

– Nincs is ezzel semmi baj – visszakozott Domingos. – Csupán jelezni kívántam, hogy azért nem minden kerek ön körül.

– Ez meg mit jelentsen? – sápadt el ismét Inês Gomeiro. – Mi abban a házban szeretnénk teázót bérelni... Most akkor ki a fenéé a tulajdonjog?

Domingos megpödörgette a bajuszát.

– Azt hiszem... a teázóbérléssel kapcsolatos terveik útjába bizonyos akadályok gördülnek a legközelebbi jövőben, senhora. Mondhatnám úgy is, hogy talán csak a túlvilágon lesznek realizálhatók.

– Mi a fenéért kell magának állandóan erre emlékeztetnie? Ha már elkezdtem álmodni, hadd álmodjam végig.

Domingos nyelt egy nagyot.

– Hát csak... tessék. Szóval... az a helyzet, hogy mikor értesültem róla, hogy enyém a munka, egy-két apróságnak utána kellett néznem a bankokban és a földhivatalban.

– Remélem, mindent rendben talált?

– Úgy nagyjából. Senhor Pereira, bár ön és az örökhagyó, valóban betábláztatták a házait, mind-eddig fizette a részleteket, tehát nincs sara.

– Hála istennek! – könnyebbült meg Inês Gomeiro.

– Az anyagi helyzete azonban ennek ellenére sem valami fényes.

– Ehhez önnek semmi köze! – vágott közbe senhora Lucilla. – Mi a fenéért hagyod, Vitor, hogy összevissza fecsegjen rólunk?

– Csak hadd mondja, Lucilla. Elvégre... nem jár messze az igazságtól. Hát ha annyira kíváncsi rá, Domingos, és önök is, hölgyeim és uraim, bevallhatom, hogy valóban csehül állok – már ami az anyagiakat illeti. Éppen ezért jött jól nekem a városi tanács terve, hogy tudniillik tataroztatja a Rua de São Miguelen lévő házaimat. Ezzel jelentősen megnő az öreg dobozok értéke, mivel a tatarozás lényegében újjáépítést jelent. Csak az utcafront homlokzata marad meg, a többi pedig átalakul.

Domingos bólintott.

– Bár ezzel ön még mindig nincs kinn a vízből, senhor Pereira.

Senhor Pereira legyintett egyet.

– Hát persze hogy nem vagyok kint. Ha kint lennék, nem fanyalodtam volna erre a dologra... hm... aminek végül is ön is szenvedő alanya lesz. Jóllehet én az ön megtisztelő szerepét Pires építésznek szántam. Ön azonban, Domingos, elhappolta az orra elől. Kár, nagy kár. Bizonyos szempontból jobb lett volna, ha Pires kerül ebbe a kutyaszorítóba, amelyben most ön van, mert... ne is haragudjon meg érte, Domingos, ő sokkal jobb név, mint ön.

– Egyelőre – morogta komoran az építész.

– És ez a helyzet sajnálatos módon így is marad. Ön nagy ígéretként fog meghalni, Pires pedig, ha kijött a sittről, nyolcvanéves koráig a siker fényében sütkérezik, ha csak előbb meg nem üti a guta. Sajnos, az élet igazságtalan, senhor Domingos. Ha nem igyekszik annyira, hogy megszerezze ezt a munkát, boldogan élhetne, ki tudja, meddig.

– Akkor nem ismertem volna meg Lisetét – mondta az építész a lányra mosolyogva.

Lisete áhítozó pillantást vetett a fal mellett heverő fegyverekre, majd hálásan Domingosra mosolygott.

– Egyszóval – folytatta Domingos – kinyomoztam, hogy az ön, de mondhatnám úgy is, hogy az önök anyagi helyzete egyszerűen siralmas. S így van ez már jó tíz éve. Önnek nincs semmiféle pénzforrása, senhor Pereira, kivéve azokat az apró munkákat, amelyeket Amerikában, a filmszakma peremén fel tud még hajtani magának. Ez azonban az önök életvitelét tekintve édeskevés.

– Nem lenne jobb, ha befognád a szájukat, Vitor? Idegesít, ha az anyagi helyzetünket csócsálgatják. Úgy érzem magam, mintha a zsebemben turkálnának.

– De hát úgyis meghalnak, kicsim.

– Akkor is utálom.

– Nekem meg nagyon is a kedvemre van. Közben igen fontos lélektani megfigyeléseket végzek. Például, hogy működik a logika közvetlenül a halál előtt. Nem izgalmas?

– Néha már-már azt hiszem, hogy beteg vagy.

– Csak szegény. De az nagyjából ugyanaz. Különben te sem fürdesz az aranytenger hullámai között.

– Hát éppen erről van szó – avatkozott a társalgásba Domingos. – Amikor a házakkal kapcsolatos városi terveket vizsgáltam, megismertem az ön anyagi állapotát is, kénytelen voltam a feleségét, senhora Sullivant, azaz senhora Pereirát is a vizsgálatomba vonni.

– Szemtelen!

– Kénytelen voltam vele, senhora! – védekezett Domingos. – Elvégre önök férj és feleség, a vagyonuk is közös, meg kellett vizsgálnom, nincs-e valami a háttérben, ami miatt meghiúsulhatna az építkezés. A tatarozáshoz vagy újjáépítéshez – ahogy tetszik –, önöknek bizonyos önrészt kell előteremteniük. Márpedig nagyon kínosan érintett volna, ha menet közben derül ki, hogy hiányzik ez a pénz; a munka ez esetben abbamarad, én pedig elveszítem az állásomat. Feltételeztem, hogy vagyonuk elsősorban az ön keresetéből áll, senhora Pereira. A lakóktól befolyó lakbér csupán kiegészíti ezt.

– Eszerint ő tart el engem? – vált élessé Pereira hangja.

– Csúnyán fogalmazva, igen.

– Ez aztán már minden határon túlmegy! – vett egy mély lélegzetet Pereira. – Ez…

– Kussolj, Vitor! – szólt rá keményen az asszony. – Te akartad kidumálni a legbizalmasabb dolgainkat, hát most tessék, de akkor ragaszkodj az igazsághoz. Valóban úgy áll a helyzet, ahogy ön állítja Domingos: Pereirát én tartom el. Ha én nem lennék, ő már éhen halt volna. Most elégedett vagy, drágám? Figyeld az arcukat, hátha újabb lélektani ismeretekre teszel szert. Én meg addig a tiédet figyelem, mert az sem érdektelen.

– Kérlek, Lucilla…

– Most már fogd be a szádat! Igen, senhor de Carvalho, én tartom el ezt a… kedves embert. És azt is meg kell mondanom, hogy már rég kirúgtam volna, ha... ha...

– Ha? – kérdezte Debbie.

Senhora Lucilla elhomályosuló tekintetet vetett a férjére.

– Ha nem lenne olyan isteni az ágyban. Ez a pasi egy főnyeremény, és nem akarom elszalasztani. Inkább dolgozom látástól vakulásig, csakhogy este... brrr... tiszta libabőr vagyok máris.

Debbie zavartan lehorgasztotta a fejét, Lisete pedig Domingos karjába markolt.

– Szóval én tartom... el.

Domingos megpödörgette a bajusza hegyét.

– Csak *tartotta,* senhora.

Az asszony ínye felhúzódott, kimeresztette a körmeit; félő volt, hogy Domingosnak esik. Az utolsó pillanatban aztán visszavonulót fújt.

– Ez rágalom – sziszegte. – Remélem, az amerikai bankok nem adták ki az adataimat.

Domingos elmosolyodott.

– Ők nem, de az adóhivatal igen. Van egy ismerősöm az amerikai Igazságügyi Minisztériumban, akinek egyszer építettem egy házat... szóval, az a lényeg, senhora Sullivan, hogy ön az elmúlt öt évben alig adózott valamit. Ez aztán felkeltette az érdeklődésemet. Az lett a vizsgálatom eredménye, hogy ön... már jó fél évtizede nem kap komoly munkát... ezt különben Connie Bergman is megerősítette.

– A rohadék Connie! – kiáltotta dühtől fuldokolva senhora Pereira. – Az a kis szemét! Egyszer még megfojtom! Sejtettem, hogy ez az építész mindent tud... Jól tetted, szívem, hogy megváltoztattad a tervet. Senkinek sem szabad életben maradnia!

– Nahát, ki gondolta volna Connie-ról? – csodálkozott Pereira.

– Ki a fene az a Connie? – kérdezte Ortega, letörölgetve szinte folyamatosan szivárgó könnyeit. – Csak nem a díszlettervező?

– De bizony ő – bólintott de Carvalho. – Egyszer, még egyetemi hallgató korában, együtt dolgoztunk Indonéziában. Csak ezután helyezkedett el a filmiparban. Most ő az egyik legmenőbb díszlettervező odaát. Felvettem vele is a kapcsolatot. Ő aztán... nem volt valami kíméletes önhöz, senhora Pereira.

Senhora Pereira vörös volt a dühtől, de hallgatott. Domingos biztos volt benne, hogyha tehetné, Connie már egy pók hálójában feküdne, üveges szemekkel, holtan.

– Connie mindig is utált – köpködte ki a száján a szavakat, mintha méreg lett volna bennük. – Egy pohár vízben is megfojtott volna. A kis ribanc.

– Connie Bergman szerint ön mindig is másodosztályú színésznő volt, ha nem harmadosztályú.

Többen is behunyták a szemüket. Azt hitték, ezzel aztán kezdetét is veszi a mészárlás. Senhora Sullivan kezében felugat a revolver, és fél perc múlva úgy elfogynak, mint színházban a sósperec.

– Lucilla! – szólt rá a férje. – Ne próbálkozz semmivel!

Az asszony a kezében tartott fegyverre nézett, és nagyot sóhajtott. Lisete ekkor rádöbbent, hogy senhora Lucilla még nem ölt meg soha senkit. Bármennyi fegyvert is szorongatott már a markában filmforgatás közben, bármennyi gengsztert, indiánt és ellenséges katonát kaszált már le, vaktöltény volt a fegyverében, a halottak pedig a rendező intésére felálltak, és elmentek a büfébe reggelizni. Mennyire más *úgy* lelőni valakit, mint a valóságban.

– Ez... hazugság! – rikácsolta Domingos képébe. – Igenis menő voltam, és most is az vagyok. Egyszer jobban fut a szekér, máskor meg kevésbé, de még soha nem kerültem olyan helyzetbe, hogy... hogy... – elöntötték a szemét a könnyek. – Óh, az a szemét!

– Valamennyi filmje erősen másodosztályú volt.

– Egyszer Oscarra is jelöltek!

– Erről nem hallottam – csodálkozott Domingos.

– John Wayne-nel játszottam együtt.

– Egy epizódszerepet, drágám – javította ki senhor Pereira. – És a filmet jelölték Oscarra, nem téged.

– Fogd már be a szád!

– Szóval, senhora, kiderült, hogy önt... hm... az utóbbi négy-öt évben... hm... már csak elvétve hívják... és akkor is csak elhanyagolható...

– Ez nem igaz!

Amíg az asszony a könnyeivel és a felháborodásával küszködött, Domingos folytatta.

– Ezzel szemben senhor Pereira a forgatások alatt kiváló szakemberré vált.

– Minek a szakemberévé? – hökkent meg Ortega, akin félelmében kérdezési kényszer lett úrrá. Lelke mélyén úgy érezhette, hogy ez talán megkönnyíti számára a nagy utazást.

– Connie Borgman szerint mindenené. Senhor Pereira az elmúlt húsz év minden áldott napján ott ült a forgatásokon. Rossz nyelvek szerint gyakran volt szüksége rá a feleségének. Igényt tartott a jelenlétére, hogy finoman fejezzem ki magam. Az a szóbeszéd járta, hogy senhora Sullivan... képtelen koncentrálni, ha a forgatás előtt... hm... nem zárkózik be vele egy órácskára a lakókocsijába.

– Ez már valami – csettintett Inês Gomeiro. – Mit szólsz hozzá, Hermínia?

– Ha az én férjem ilyen lett volna... porcukrot szórok a teájába.

– Connie azt mesélte, hogy senhor Pereira előbb csak lézengett a hosszú forgatásokon; mindenkitől megkérdezte, hogy nem kell-e valakinek egy kis segítség. Ha kellett, segített, ha nem, akkor csak bámészkodott. És mindezt hosszú éveken át. Connie szerint senhor Pereira ma már mindenhez ért, ami a filmkészítést illeti, méghozzá felsőfokon. Kiváló díszletkészítő, pirotechnikus, elektromos szerelő – amit csak akarnak. Ha maga fogna filmvállalkozásba, a legjobbak közé kerülhetne, mert mondanom sem kell, hogy a rendezés is a kisujjában van. Senhor Pereira azonban sohasem próbálkozott vele, pedig egyszer felajánlotta neki valaki, hogy rendezzen egy filmet, de… valahogy nem jött össze. Connie szerint a felesége nem engedte.

– Hát nem is! – ordította magából kikelve senhora Sullivan. – Ebben a házasságban én mondom ki a végső szót! Nem arra van szükségem, hogy más csajokkal henteregjen a rendezői díványon, hanem hogy bármikor a rendelkezésemre állhasson. Ezért nem engedtem rendezni, és nem is fogom. Inkább dögöljünk éhen, de a kis cafkáktól távol tartom. *Erre mérget vehetnek.*

– Ez egy nagyon csúnya kifejezés, aranyom – csóválta meg a fejét Inês Gomeiro. – Nem szívesen hallom ilyen szép kis szájból.

– Duguljon el, vénasszony! – tajtékzott senhora Sullivan.

Domingos várt egy kicsit, aztán amikor Inês Gomeiróval együtt senhora Sullivan is eldugult, folytatta.

– Bocsássanak meg ezért a kis kitérőért, de a későbbiek során még majd visszatérek rá.

– Csak azért siessen – pillantott az órájára Pereira. – Bár annyi jót mondott rólam, hogy nincs szívem az idő múlására emlékeztetnem.

– Ahogy óhajtja – bólintott Domingos. – Szóval, ez volt a helyzet, amikor senhor Pereira egyszer csak örvendetes hírt kapott. Meghalt a nagybácsikája, és két házat hagyott rá Lisszabonban. Senhor Pereira és Lucilla asszony felkerekedtek, hogy megnézzék az örökséget. Nem volt valami szívderítő látvány. Igaz, senhor Pereira?

– Hát nem – sóhajtotta senhor Pereira.

– A házak enyhén szólva is lepusztultak voltak. De nem is ez volt a leglehervasztóbb. Sokkal szomorúbb volt, hogy az ön nagybácsikája már jelzálogot vett fel mind a kettőre. Amikor ön megörökölte a házakat, már roskadoztak a kölcsön súlya alatt; csupán arra volt lehetőség, hogy némi protekcióval megtámogatva akkora összeget vehetett fel rájuk, amekkora az az önrész volt, amelyet a tatarozáshoz produkálnia kellett. Így volt, senhor Pereira?

– Így – bólintott Pereira.

– Önök ekkor elgondolkodtak a jövőjükön, és ha nem is merték bevallani egymásnak: olyan messze jártak a gazdagságtól, mint az Északi-sarkra keveredett pingvin a fészkétől. Igaz, hogyha a házak elkészülnek – cirka két év alatt – többet hoznak a konyhára, elsősorban a befolyó lakbérekre gondolok, ezekből azonban a jelzálogot kellett volna törleszteniük. Ráadásul ekkor került senhora Sullivan is véglegesen leszálló ágba.

– Én sosem kerültem leszálló ágba – támadott ismét az asszony. – Vegyék tudomásul, hogy még mindig a topon vagyok. Ezer rendező versengene értem… ha akarnám. De valahogy… elment a kedvem az egésztől. Semmi közük hozzá, hogy miért, de… elment. Egyszer azért még visszatérek. Majd ha megfelelő rendezőt találok ezek helyett az újsütetű nyikhajok helyett, akik nem értékelik az igazi művészetet… majd akkor…

Senhor Pereira szánakozva nézett rá. Az asszony talán arra várt, hogy a férje melléálljon, de az nem tette.

Domingos folytatta.
– Nem tételezem fel önről, senhor Pereira, hogy jól ismerte volna Portugália történetét.
Senhor Pereira elvigyorodott.
– Ezt még ellenségeim sem állíthatják rólam. Nem mintha szégyelleném, hogy portugál származású vagyok, éppen ellenkezőleg. Kis nép vagyunk bár, de dicső múlttal: eltörölhetetlenül rajta maradt a kezünk nyoma a világtörténelmen. Csakhogy korán átkerültem Amerikába, nem sokat törődtem régi hazámmal, húsz év alatt egyszer voltam talán idehaza. Aztán jött ez az örökség, és ha akartam, ha nem, ismét kapcsolatba kerültünk. Mivel Lucilla akkor... hm... éppen szabad volt, hosszabb időre hazaköltöztünk.
– Akkor született meg az ötlet – bólintott Domingos.
– Miféle ötlet? – kérdezte a halálfélelem verítékét törölgetve az arcáról senhor Ortega.
– Hogy mi lesz a házakkal tatarozás után.
– Miért, mi lehetett volna?
– Éppen ez volt a kérdés. Lakóházak voltak, magától adódott, hogy azok is maradjanak. Gondolom, senhor Pereira, ön és a neje alaposan végiggondolták, hogy miképpen tudnák a legcélszerűbben és legjövedelmezőbben hasznosítani őket. Igaz?
– Hát hogyne – helyeselt senhor Pereira. – Lucilla és én sokat törtük rajta a fejünket. Valóban fennállt a lehetősége, hogy az legyen belőlük ami volt: lakóház.
– Ekkor találkoztak senhora Hartmannal.
Senhor Pereira a feleségére mutatott.
– Lucilla besétált egyszer a Földrajzi Múzeumba, és szóba elegyedett Giselával. Gisela meghívta egy teára... ezzel gurulni kezdett az események kereke.

– Ő világosította fel, hogy ön valójában kicsoda, igaz?

– Így van, Domingos. Bár őszintén szólva nem töltött el óriási büszkeséggel a hír. Az ember tisztelje a felmenőit – ez rendjén is van –, az azonban, hogy volt egy ősöm háromszáz évvel ezelőtt, aki minden különösebb tehetség nélkül ötvösművésznek tartotta magát, nem kergetett fel örömömben a falra. Lucilla is inkább gúnyolódva beszélt róla, ami viszont nem esett jól. Tudja, magamat kigúnyolom, ha kell... Szóval, megtudtam, hogy Simões mester az ősöm volt. Mivel Lucilla átadta senhora Hartman meghívását egy teára, kaptam az alkalmon. Senhora Hartman olyan dolgokról mesélt nekünk, amikről addig fogalmam sem volt. Beszélt a XVIII. század portugál világáról; Távora márki és Pombal márki, „a nemzet megmentője" élet-halál harcáról. Tőle tudom, hogy az ősöm Távora márki elkötelezett híve és az ötvöse lehetett. Senhora Hartman ugyanakkor biztos volt benne, hogy Távora márki nem elsősorban ötvösi képességei miatt tartotta maga mellett, inkább olyan mindenesként, aki tudta tartani a száját, és képes volt a márki bizalmas ügyeiben eljárni. Simões mester ötvös, titkár és diplomata is volt egy személyben. Ő azonban elsősorban művésznek tartotta magát. Megszállottan hitt a tehetségében – ami nem volt neki –, és minden alkalmat megragadott, hogy általa nagy értékűnek vélt műveket készítsen.

– Ezüstből?

– Ön bizonyára arra céloz, hogy miért nem aranyból? Nos, azért nem, mert nem volt neki. Csupán Távora márki lett volna képes a nemes alapanyaggal ellátni: neki azonban eszébe sem jutott. Tisztában volt Simões ősöm értékével, vagyis értéktelenségével – ezért mondhatnám úgy is, hogy megfelelő nyersanyagot juttatott a megfelelő kezekbe. Ősöm bizonyára nemegyszer szóvá is tette, hogy miért kell neki ezüsttel és egyéb ötvözetekkel bíbelődnie, miért nem bízza meg a márki aranytárgyak készítésével is... Nos, nem tudom, szegény Távora márki hogy bújhatott ki a kutyaszorítóból. Mindezek ellenére Simões mester reménykedett, és istenítette Távora márkit. Pombalt, a nagy ellenfelet viszont gyűlölte. Feltételezhető, hogy mint titkár és diplomata részt vett bizalmas tárgyalásokon, titkos küldetéseket hajtott végre, megpróbálta rendezni a viszonyt Távora márki és a Pombal által megdolgozott király között. Amint a történelem mutatja, nem sok sikerrel.

– Távora vereséget szenvedett a király kegyeiért folyó küzdelemben.

Senhor Pereira bólintott.

– Távora márki a saját életéért folyó küzdelemben is vereséget szenvedett. Megölték őt is, a feleségét is, a gyerekeit is. Mondhatni: Pombal írmagostul kiirtotta a Távora családot. Ekkor Simões ősöm választás elé került: vagy megtagadja korábbi jótevőjét, vagy maga is utána megy. Lehet-e csodálkozni rajta, hogy az előbbit választotta. Nyilván nem minden tépelődés nélkül, de csatlakozott Pombal márkihoz. Aztán egyszer csak eltűnt. Senki nem tudja, hova; felszívta a XVIII. század. Lehet, hogy Pombal mégiscsak megölette; lehet hogy békében és öregen halt meg valahol, visszavonulva a mozgalmas, városi élettől. Senhora Hartman mutatott néhány Simões nevéhez fűződő alkotást...

– Őt tőrt?

– Úgy van.

– Tetszettek önnek?

– Őszintén szólva... azt hiszem, igen. Csinos jószágok voltak, szép, cizellált nyéllel. De nem olyan csinosak, mint amilyeneket később én csináltam nekik.

– Apropó… honnan tudta senhora Hartman, hogy ön Simões mester leszármazottja?

– Gisela mellékfoglalkozásként genealógiai táblázatokat készít. Mindaddig természetesen lila gőzöm sem volt róla, hogy ki az a Simões mester. Bár gyerekkoromban jó tanuló voltam, mégsem emlékeztem rá, hogy valaha is hallottam volna a nevét. Senhora Hartman mutatott egy családfát, amelyen én voltam az egyik levél egy vékony ág végén. Simões mester valóban az ősöm volt.

– Kié volt az ötlet? Öné vagy senhora Sullivané?

Pereira szeretettel nézett a feleségére.

– Lucilla jóval okosabb nálam, ezért az ő bűbájos kis fejecskéjéből pattant ki a terv.

– Miféle terv? – kottyantott közbe senhor Ortega.

– A nagy terv – dörzsölte össze a kezét Pereira. – Nos, Domingos?

Domingos megpödörgette a bajuszát.

– Az a helyzet, hölgyeim és uraim, hogy az élet fájdalmas kísérőjelensége az öregedés. Olyan betegség ez, ami ellen nincs orvosság. Valamennyiünkben ott lapul a férge, és csak rág bennünket, csak rág…

– A lényegre, de Carvalho! – türelmetlenkedett Ortega. – Nem erről akarok hallani. Úgyis elég bajom van a lúdtalpammal, a sérvemet is meg kellene műttetnem, teljesen felesleges, hogy még az öregedéssel is riogasson.

– Csak azt akartam vele mondani – védekezett Domingos –, hogy legyen valaki a világ legnagyobb művésze, ő is alá van rendelve a természet törvényeinek; másképpen szólva, a csinos, sőt szép és szexis színésznők is öregszenek.

Senhora Pereira arcán árnyék futott át.

– Sajnos, ez – bocsánat, senhora – önre is vonatkozik.
– Mi köze magának az életkoromhoz? – csattant fel az asszony. – Én még ma is igen keresett vagyok a piacon.
– Melyik piacon? – kíváncsiskodott Ortega.
– Amint már említettem, Connie-től tudom, hogy az utóbbi néhány évben ön, asszonyom, már alig kapott szerződést. Még a másodosztályú sorozatokból is kikopott. Új színésznőcskék jöttek, ők léptek az ön korosztálya helyére. Önnek pedig már, bocsánat az őszinteségemért, csak az idősebb nővér, vagy az anya szerepe jutott. Ráadásul voltak filmek, amelyekben ön… hm… nem is tudom, hogy szabad-e…
– Csak mondja! – biztatta Ortega.
– Hát… idősödő prostituáltat játszott.
– Szemtelen!
– Ennek megfelelően… ön már rég nem volt képes annyit keresni, hogy megfelelő életszínvonalat biztosítson saját maga és a férje számára. Simões mester felbukkanása viszont megmozgatta a fantáziáját… igaz, asszonyom?
– És ha így van?
– Amíg senhora Hartman szavait hallgatta, járt az agya, mint az ördögkerék. Azon töprengett, hogy miképpen lehetne hasznot húzni Simões mester nevéből. Akárhogy is törte azonban a fejét, kezdetben semmi nem jutott az eszébe. Simões mester nímand volt, ötvösnek dilettáns, sokadik vonalbeli, ráadásul nem is maradt semmi utána, az öt tőrt kivéve. Senhora Hartman bizonyára abban sem volt egészen biztos, hogy ezek is valóban tőle származnak-e. Csakhogy senhora Hartman beszélgetésük során említett valamit, ami Simões mesterrel összekötve már érdekes lehetett. Ez a valami a város alatti labirintus volt. Senhora Hartman elmesélte, hogy a já-

ratok ki tudja, hány száz évesek; már jóval Távora márki és Simões mester előtt is léteztek; szökött rabszolgák, törvény elől menekülők tanyája volt. Egész kis, föld alatti város alakult ki idelent, ahova még a rend őrei sem igen merészkedtek le. Ha Simões mester akarta volna, itt elbújhatott volna Pombal márki elől. Berendezhetett volna egy kis műhelyt, és tovább dolgozhatott volna remekművein. Mert ekkor ön már azon töprengett, hogy miért is ne lehetne Simões mester világrengető tehetség? Portugália legnagyobb ötvöse. Miért is ne? A művészet furcsa dolog; akiről azt a hírt terjesztik, hogy nagy művész, az általában az is lesz. A műértők hajlamosak rá, hogy legendákat építsenek kis tehetségek köré. Szóval, ön elhatározta, hogy új személyiséget ad Simões mesternek.

– Jó, jó, de miért? – okvetetlenkedett Ortega.

– Mint már említettem, önök sokat törték a fejüket a megújuló épületek további hasznosításán – ettől remélték sorsuk jobbra fordulását, amit a művészettől már nem remélhettek – s ezt a reményt ön, senhora Lucilla, összekapcsolta Simões mester személyével. Tegyük fel, hogy Simões mester istenáldotta tehetség volt, s olyan titokzatos életet élt, amely csokoládéként vonzza a művészet szerelmeseit és a turistákat. Ön akkor arra gondolt, hogy miért is ne? Ki kell találni egy jóképű legendafüzért, és máris biztosítva van a jövőjük. Ezenkívül olyan szörnyűségeknek kell történniük a házaik falai között, amelyek valódiak, és napjainkban játszódnak le. Ez az igazi, ezen lehet jókat borzongani! De még a rémtetteket is ki lehet cifrázni. Közönséges gyilkosságok mindenütt előfordulhatnak; olyanok viszont, amelyek igazi borzalmat és az irracionálistól való rettegést váltanak ki, nem mindenütt. Erre lenne jó az önök két háza. Ez volt a kiindulópont. Igaz, senhor Pereira?

– Kétségkívül – hajtotta meg a fejét elismerőn a férfi. – Önnek kiváló a kombinatív képessége, senhor de Carvalho.

– Köszönöm – pödörgette meg a bajuszát Domingos. – Felsorolhatnék néhány filmcímet?

– Mi a fene ez már megint? – hökkent meg Ortega.

– *Kísértet a mosókonyhában; A vak gyűlölet; A romos ház rejtélye; A pók hálójában; Arc a sötétben; Visszatérés*... Mondanak ezek önnek valamit?

– Ezekben játszottam – biccentett párás szemekkel senhora Pereira. – És nem is kis sikerrel.

– Kénytelen voltam a filmmúzeumban megtekinteni őket – pödörte meg a bajuszát Domingos. – Ön akkoriban... hm... igen attraktív jelenség volt, asszonyom.

– Úgy találja?

– *A kísértet a mosókonyhában* címűben ön játszotta azt a fiatal lányt, aki mosni ment az alagsorba, és ott találkozott annak az asszonynak a szellemével...

– ... akit ugyanott néhány évvel ezelőtt agyoncsapott az áram.

– Úgy van, senhora. A gyilkos a férj szeretője volt, aki lefejtette a mosógép kábeléről a gumit, s így ölte meg a feleséget. Nem emlékezteti ez önt valamire?

Lisete sápadt arccal nézett Domingosra. Ennyire félreismerte volna a férfit?

– Vagy vegyük a *Vak gyűlölet*et. Ebben két áldozat is van; mindkettővel a fürdőkádjukban végeztek; az egyiknek felvágták az ereit, a másikat pedig egyszerűen belefojtották, majd az áldozat rúzsával felrajzolták az arcát a fürdőszobai tükörre.

– Hogy magának mennyi esze van! – gúnyolódott senhora Pereira.

– *A romos ház rejtélye* egy tatarozás története. Állványok omlanak össze benne, amelyeket a gyilkos jó előre kipreparált. És így folytathatnám a sort. *A pók hálójában*, az *Arc a sötétben*, a *Visszatérés:* mennyire kifejező címek! Mit szól hozzá, senhora?

– Gratulálok, senhor de Carvalho.

– Ezekre is Connie Bergman hívta fel a figyelmemet. Senhor Pereira hosszú évek alatt sokat tanult a forgatáson dolgozó szakemberektől: kis túlzással ezermesterré képezte ki magát. Apró hangszórókat helyezett el a szobákban – minden lakáshoz volt kulcsa, elvégre ő a háztulajdonos – és a hangszórókon át „kísértetek" hangját közvetítette a lakóknak. Értett az állványzatok készítéséhez és bontásához is, hiszen a forgatásokon számtalanszor megfigyelhette, hogyan csinálják, sőt el is sajátíthatta a technikáját. Így aztán nem volt nehéz preparálni a bontásra ítélt lépcsőházat, lefűrészelni a tartóállványok lábát…

Senhor Ortega megtörölgette fénylő homlokát.

– És ez a hely, ahol most vagyunk? Valóban Simões mester kamrája?

– Simões mesternek nem volt semmiféle kamrája – sóhajtotta Domingos.

– Akkor hogy a fenébe…

– Ez is a Simões-legendárium megteremtésének részlete volt. Senhora Pereira elkészítette egy igazi rémfilm forgatókönyvét, megtervezte a kellékeit, és végül meg is rendezte a filmet.

– Akkor a pók… sem valódi? – kérdezte Debbie óvatosan a mennyezet felé pislogva.

– Attól tartok, ő sem.

– És ez a gyilkos… háló?

– Talán senhor Pereira felvilágosít majd bennünket. Ám ha megengedik, visszakanyarodnék egy kicsit a Simões-legendáriumhoz. Senhora Pereira arra gondolt, hogy felfedezi a föld alatt Simões mester kamráját, amelyet majd nagy csinnadrattával, újságírók jelenlétében találnak meg. A baj csak az volt, hogy a szerencsétlen Simõesnek sem kamrája nem volt, sem ötvösművek nem maradtak utána. Kivéve az öt tőrt. Először ezeket kellett hát megszerezniük. Senhor Pereira felvette az összeköttetést – senhor Fonsecán keresztül – egy Menyét nevű fickóval. Képzelhetik szegény Menyét meglepetését, amikor drága aranytárgyak helyett egy értéktelen késkollekciót kellett ellopnia. Menyét profi volt, pontosan tudta, hogy a tőrök, bár a XVIII. századból származnak, nem sokat érnek. A megbízó azonban jól megfizette, így látszólag nem is törődött tovább a dologgal. Az öt tőr senhora Lucilla birtokába került. A forgatókönyv szerint a tőröknek kellett elvezetniük a felfedezőket a kamrához. Ez aztán végül be is jött. Senhorita Lisete volt az, aki összehasonlította a tőrök markolatát, és rájött, hogy a markolatok cirádái egy térképet adnak ki.

Lisete lehajtotta a fejét. Már egyáltalán nem volt büszke a felfedezésére. Általában senki sem szokott büszke lenni rá, ha átverik.

– Önök természetesen megkérdezhetik, hogyan került a térképet kiadó cirádamező a kések markolatára, nos, ez minden bizonnyal senhor Pereira műve. Nem hiszem, hogy bárkit is be mert volna vonni ebbe a munkába.

– Hé! Hé! – mutatott körbe senhor Ortega. – És ez a sok szemét itt? Ez a sok kupa, tányér, miegymás?

– Pontosan az, aminek mondta, senhor Ortega. Csupa szemét.

– Mi a fenéért kellett lehordaniuk ide, és mi a fenéért kellett…

– Megépíteni a kamrát? Ide vezették volna le a turistákat...

– Volna? – kacagott fel az asszony. – Ide is vezetjük! Micsoda idegborzoló hely egy föld alatti kamra, amelyben neves újságírókat, építészt, zsarut öltek meg a szellemek! Senki nem vitatja majd, hogy ezek az edények valóban Simões mester munkái... Igazi arany lesz a használhatatlan kacatból. A körülöttük zajló események a legjobb alkimisták: nemesfémmé változtatják őket. Mi pedig gazdagok leszünk. Dúsgazdagok. Végre olyan filmeket csinálhatok, amilyeneket csak akarok, és mindegyikben én leszek a főszereplő!

– A három szűz varázslata?

– Ez is a legendárium része – mondta Domingos.

– A csontok... valódiak?

– Csalódnék, ha nem azok lennének. Valamelyik régi temetőből ásatta ki őket senhor Pereira.

Pereira biccentett, de nem szólt semmit.

– Végül is ki falazta be senhora Pereirát? – tudakolta Ortega.

– Senhora Pereira. Azaz ő maga.

– De hát... miért?

Domingos megpödörgette a bajuszát.

– A történet nem úgy alakult, ahogy elképzelték. Önöknek tulajdonképpen meg kellett volna menekülniük, és beszámolni senhora Sullivan hajmeresztő turistacsalogató kalandjáról. Csakhogy a váratlan „vendégek" megjelenése megváltoztatta a helyzetet. Most már nincs más választásuk, mint megölni bennünket.

– Szép kilátások – nyögte Ortega.

Domingos megpödörgette a bajuszát.

– Megállapodtak benne, hogy a terveik végrehajtására bérgyilkost alkalmaznak. Aki gyilkol helyettük. Mert rémfilmek ide, vagy oda, egyikük sem lett volna képes embert ölni.

– Ez aztán az új fordulat! – hökkent meg Ortega. – Szóval bérgyilkost? Tudja, ki az?

– Azt hiszem, igen.

– Akkor ki vele!

Domingos mosolygott, és a fal mellett csendesen ácsorgó papra mutatott.

– Lucrecio atya.

109.

Talán azt várták, hogy a némasági fogadalmat tett páter felkapja a fejét, hátára löki a csuklyáját, és vadul tiltakozni kezd a gyanúsítás ellen, de nem ez történt. A kapucni hátralibbent ugyan, de nem a pap fáradt, öreges arca bukkant elő alóla, hanem egy fiatal, kék szemű lányé.

A lány szép volt, mint egy manöken. Domingosnak azonban már első pillantásra ellenszenves volt akaratos álla, kissé előreugró orra. Biztos volt benne, hogy némi indián vér is keringhet az ereiben.

Mindenki csak hebegni-habogni tudott, azt viszont meg is tette. Még a földön fekvő Person kapitány is morgott valamit, bár a nagy izgalomban senki sem vette észre, hogy magához tért. Person ezen annyira megsértődött, hogy becsukta a szemét, és ismét elájult.

– Ez... kicsoda?

– Mi az, hogy... bérgyilkos?

A legjobban talán Lucilla Pereira lepődött meg. Eltátotta a száját, és hol a férjére, hol a lányra pislogott.

– Stephanie? Te itt? Mi a fenét... keresel te itt?

A kék szemű lány mosolygott, odalépett hozzá, és ütött. Jókorát, senhora Pereira szeme alá.

Az asszony fájdalmasan felkiáltott, és a földre zuhant. A fegyverét azonban így sem ejtette ki a kezéből. Megpróbálta a lányra emelni, de nem volt elég ereje hozzá. A géppisztoly lehullott, s a kék szemű lány messzire rúgta tőle.

Ha bárki is arra számított volna, hogy senhor Pereira a felesége segítségére siet, tévedett. Senhor Pereira úgy forgott a terem közepén géppisztolyával a kezében, mint egy mobil szobor.

– Csak nyugalom, hölgyeim és uraim, nem változott a helyzet.

Senhora Pereira eközben feltérdelt. Szája mindkét sarkából vér szivárgott, arcát szürkére festette a talaj pora.

– Segíts... Vitor... kérlek, segíts! Lődd le, kérlek, lődd le!

Vitor Pereira elfordította a fejét.

Ortega szokás szerint Domingoshoz fordult.

– Maga mindent tud. Azt is tudja... kicsoda ez a nő?

Domingos bólintott.

– Ezt véletlenül tudom.

– Kicsoda?

– Stephanie Kristof, ha nem tévedek. Vagy tévednék?

Ekkor a nő megszólt. Lágy, kellemes hangon.

– Nem téved, Domingos. Kitől tudja?

– Connie Bergmantól.

– Köszönöm az infót – bólintott a lány. – Hamarosan majd vele is elbeszélgetek.

– Te jó isten! – kapott a fejéhez Ortega. – Mintha csak egy whiskys vacsora utáni első álmomat álmodnám. Önök értenek ebből valamit, hölgyeim?

A címzettek megvonták a vállukat.

– Én semmit – mondta Inês Gomeiro.

– Én még annyit sem – tette hozzá Hermínia.

Debbie Fisher csak legyintett. Arcán a halálfélelem mellett jól elfért a válasz.

– Mit jelent az, hogy nem változott a helyzet? – tudakolta senhor Ortega. – Figyelmeztetem, senhora, hogy már így is erőm végére jutottam. Rövidesen ordítani fogok, átkozódni…

– Akkor lelövöm – mondta az ismeretlen Stephanie Kristof.

– Jó, ezt akkor visszavonom – lépett hátrébb Ortega. – De azt csak megtudhatom, hogy kicsoda ön? Nem vagyok túlságosan kíváncsi természet, mégis szeretném tudni, ha lehet, hogy mi az ördögért fenyeget, és nyír majd ki egy bizonyos senhorita Stephanie Kristof, akivel valószínűleg soha életemben még nem találkoztam.

– Előfordul az ilyesmi – mosolygott a megszólított. – Személytelenebbül még könnyebben is megy. Csúnya dolog ismerősöket irtani.

– Ebben lehet valami – bólintott Ortega. – Bár azért vitatkoznék is a megállapításával.

– Én a vitáknak ezzel szoktam véget vetni – csapott senhorita Stephanie a géppisztolya tusára.

– Már be is fogtam a számat – vonult vissza Ortega. – Azt azért árulja el, hogy ön… szerzetes?

– A hölgy kaszkadőr és dublőz – világosította fel Domingos.

Ortega eltátotta a száját.

– Kaszkadőr?

– És dublőz. Ő szokta helyettesíteni senhora Sullivant a nehezebb jelenetekben.

– Úgy van – bólintott Stephanie. – Én szoktam ehelyett a tehetségtelen tyúk helyett vásárra vinni a bőröm.

– Megöllek… te… ringyó! – próbált meg felkelni a földről senhora Sullivan. – Segíts, Vitor!

Pereira meg sem mozdult. Úgy elnézett a felesége felett, mintha nem is hallaná a hangját.

– Ez… mit jelentsen… Vitor? – nyögte az asszony.

Stephanie Kristof megcsóválta a fejét.

– Te tényleg ilyen hülye vagy? Ne mondd, hogy nem vettél észre semmit?

Senhora Pereira arca eltorzult a dühtől.

– Ha elkaplak… megöllek!

– Attól tartok, nem lesz rá alkalmad. Tudod, kicsim, néha előfordul, hogy valaki más férjére veti ki a hálóját. Főleg, ha az, akire kivetette, szívesen kerül bele a hálóba. Egyszer egy szabad pillanatomban, amikor te éppen valamelyik ostoba hősszerelmessel édelegtél az operatőr előtt, rám pedig nem volt szükség, egyszerűen csak besétáltam a lakókocsitokba. A többit már elképzelheted. Vitor szerint még életében nem volt akkora műsorban része, mint amekkorát én rendeztem neki. Azt mondta, beledöglik, ha nem ismételheti meg legalább naponta kétszer. Én pedig humanista vagyok, szívem. Nem hagyhattam, hogy ez a drága ember csak úgy megdögöljön.

– Ó, te rohadék! És még eljátszottad az igaz barátnő szerepét!

– Az sem ment rosszul, nem igaz? Már többször feltettem magamnak a kérdést, hogy miért is ne lehetnék én is színésznő, mint te… *voltál.*

– Én *vagyok* is, te liba!

– Ó, szívem, nézz csak a tükörbe. Szóval, egyszer csak arra az elhatározásra jutottam, hogy bizony az leszek. Méghozzá Vitor fog hozzásegíteni. Igaz, Vitor?

Senhor Pereira bólogatott, és morgott is valamit, de senki nem értette, mit.

– Ehhez azonban te nem kellesz, szívem. Én aratom le mindazt, amit te vetettél. Vitor elárulta, hogy a te kis fejecskédből pattant ki az ötlet. Mármint az, hogy a lebontásra kerülő romtanyából hogy lehetne aranyat csinálni. Te álmodtad meg, aranyom, a szálloda és a rémségek múzeuma tervét is.

– Igenis én!

– Az ötlet jó, vevő vagyok rá. Olyannyira az, hogy még a szerepedet is átveszem. És gyilkolni is fogok, ha kell. Pedig addig, amíg bele nem zuhantam a férjedbe, még nem öltem meg senkit. Tervezni már terveztem, és el is képzeltem sok ismerősöm halálát, a valóság azonban nagyon messze esik a képzelgésektől. Amikor Vitor elmesélte, hogy mik a terveitek, magam is elszörnyedtem tőlük. Egy szerelmes pillanatban pedig, amikor rózsaszín felhők között úsztam, és életem leggyönyörűbb perceit éltem, Vitor megkérdezte tőlem, hogy nem akarok-e ezúttal is a dublőzöd lenni. S akkor én, a pillanat varázsától eltelve, igent mondtam.

Csak akkor döbbentem rá, mire vállalkoztam, amikor Vitor kezdte rám építeni a tervét. Úgy beszélt arról, hogy mit kell tennem, mintha tapasztalt gyilkos lennék. Nekem pedig nem volt erőm ellentmondani. Nem volt erőm lemondani róla. Úgy voltam vele, mint a narkósok a kábszerrel. Először azt hittem, én vagyok az úr: belebújok az ágyába, óriási műsort rendezek neki, aztán kiszállok, és a következő alkalomig meg is feledkezem róla. Csakhogy idő múltával kezdtem elveszíteni a kontrollt magam felett. Egyszer csak azt vettem észre, hogy már nem azért várom az alkalmakat, hogy örömet szerezzenek neki, hanem mert egyszerűen nem tudtam már nélküle élni. Amit adni tudott nekem, az úgy legyűrt, mint a kokain a narkóst. Ordítani tudtam volna a fájdalomtól, ha nem kaphattam meg őt. Ha két-három napig nem találkozhattunk, elvonási tüneteket vettem észre magamon. Remegett a kezem, kivert a veríték, kiszáradt a szám. Egyszer majdnem baj is történt miatta. Egy motoros jelenetnél elszámítottam magam, és csak az utolsó pillanatban sikerült korrigálnom. Annyira kívántam, hogy majd belehaltam.

– Te szemét!

– Éreztél már valaha is így, Lucilla?

– Ne szólíts a keresztnevemen, te szajha!

– Tetszett a terv, ami kiötöltetek; a gyilkosságok, a kísértetjárás, a borzalmak... a pók... Mindig is ilyen szerepekről álmodoztam, csak persze nem élesben. És akkor megkaptam életem nagy lehetőségét. Be kell bizonyítanom, hogy jó színésznő is vagyok. És az is vagyok, Lucilla, drágám, igaz? Olyan jól alakítottam az önfeláldozó barátnőt, dublőzt, kaszkadőrt és seggnyalót, hogy beleremegtem az élvezetbe. Láttam megereszkedett testedet, kissé lötyi hasadat, lötyi melledet... nem akarom részletezni a dolgokat, de egyre jobban sajnáltam a szerencsétlen férjedet. Úristen, hiszen még hozzád érni is undorító!

– Ez nem igaz! – visította Lucilla Pereira. – Be foglak perelni...!

– Ez jó – nevetett a lány, aki ekkor már csupa mosoly és elégedettség volt. – Ez nagyon jó! Majd keress egy jó ügyvédet a pokolban. Szóval, ott tartottam, hogy addig még nem öltem meg soha senkit – el kellett valahogy kezdenem. Mégpedig nem is akárhogyan. Lesből lelőni valakit hangtompítóssal ma már mindennapi dolog, ezzel nem mentem volna semmire. Ide borzalmak kellettek, amiket nekem kellett produkálnom.

Közben Vitor beadta neked, drágám, hogy megtalálta a megfelelő bérgyilkost, aki végez majd néhány szerencsétlennel a lebontásra ítélt házak környékén. Lehet véletlenül arra járó, lehet turista, de néhány áldozatnak feltétlenül a házak lakói közül kell kikerülnie, hogy a kísértetjárás ténye ezzel is hangsúlyossá váljon. Nem egyszerűen csak gyilkolnom kellett, hanem megfelelően brutális módon, azaz kegyetlenül. Ahogy csak egy démon képes. És én ezt is elvállaltam.

Nem mondom, hogy nem voltak álmatlan éjszakáim; voltak pillanatok, amikor meg is inogtam, de a félelem, hogy elveszíthetem Vitort... átsegített a holtpontokon. Vettem egy kést egy konyhai eszközöket árusító boltban, és kerestem magamnak egy áldozatot. Tudod, szívem, rám csak úgy ragadtak a pasik a forgatásokon. Volt egy kis statisztagyerek, aki majd felfalt a szemével. Szőke, göndör hajú srác volt, alig túl a húszon. De már nem volt tapasztalatok híján – ezt észrevettem a tekintetén. Amikor hosszasabban felejtette rajtam a szemét, éreztem, hogy szinte leltároz. És vetkőztet. Előbb a felsőruhámat veszi le a szeme, aztán az alsót. S amikor már pucér vagyok, következett volna a lényeg. Csakhogy ekkor mindig elfordította rólam a tekintetét, nem akart nagyon belemerülni a dolgokba. Nos, ezt a fickót szúrtam ki én magamnak.

Amikor legközelebb leltározni kezdett, és már a bugyimnál tartott, odamentem hozzá, és kedvesen mosolyogva megkérdeztem tőle, ráér-e a forgatás után. Itt leszek a kellékraktárban, és beszélgetni szeretnék vele. Pokolian egyedül érzem magam, a barátom távol, nincs, akivel szót válthatnék.

Nem volt tapasztalatlan fickó, pontosan tudta, miről van szó. Természetesen meghagytam neki, hogy tartsa a pofáját, különben nincs beszélgetés. Olyan hevesen bólintott, hogy meg voltam győződve róla; inkább megöletné magát, semmint elárulja bárkinek is a tervünket.

Tudod, szívem, ilyenkor a pasik még nem szoktak

fecsegni. Az első alkalom előtt befogják a lepcsest. Még a legjobb haver előtt is hallgatnak, nehogy füstbe menjen a buli. A nagy dumák csak a második alkalom után jönnek. Akkor már be lehet vallani, hogy ki volt meg, és a részletekről is tájékoztatni lehet a bandát. De ekkor még nem. Az *első* előtt soha.

Jött is a srác, ajkán magabiztos mosollyal, én pedig egy konyhakéssel. Nem akarom részletezni a történteket, elég az hozzá, hogy kissé zavarban voltam. Azon töprengtem, nem kellene-e szegénykét megajándékoznom valamivel a halála előtt, de aztán úgy döntöttem, hogy nem. Én már Vitoré vagyok, nem dönthetek szabadon magamról.

Semmit nem éreztem, amikor elvágtam a torkát. Csak nézett rám rémülten, mint aki nem érti, mi történt vele. Gyorsan elugrottam, nehogy összevérezzen. Bár szívem szerint elszaladtam volna, hogy ne lássam a haláltusáját, erőnek erejével kényszerítettem rá magam, hogy végignézzem. Végig kellett néznem, mert még többször is meg kellett ismételnem a gyilkosságot; hozzá kellett szoknom, nem követhettem el hibát. Így aztán végignéztem. Előbb kicsit furcsa volt, aztán már nem éreztem semmit. Olyan közömbös lett számomra az áldozat, mintha csak számítógépes játékban öltem volna meg egy virtuális figurát. Hazamentem, megfürödtem, dúdolgattam magamban, ittam valamit és lefeküdtem. És jól aludtam. Már nem emlékszem rá, mit álmodtam, de biztos nem róla. Mielőtt otthagytam volna a holttestét, néhányszor még bele is szúrtam a késsel, hogy bestiális gyilkosságnak látsszék.

Másnap természetesen szünetelt a forgatás; úgy megszállták bennünket a zsaruk, mint sáskák a vetést. Hamar ki is derítették, hogy alighanem az az utazó gyilkos nyírta ki a srácot, aki Montanában,

Kaliforniában és még néhány államban ugyanilyen kegyetlenül végzett vagy húsz szerencsétlennel. Ezer ügynök rajzott szét az ország minden tája felé, hogy elkapják a rohadékot. Mi pedig nyugodtan tovább forgattunk.

Aztán vége lett a filmnek – ez volt az utolsó filmed, drágám, több nem lesz, és nemcsak azért, mert kinyírlak, hanem mert az elmúlt évek nyírtak ki. Méghozzá alaposan. Már csak mesefilmekben játszhatnál, és azokban is kizárólag a boszorkány szerepét.

– Rohadt ringyó!

– Rövidesen befejezem, ne izgulj, csak még egy kicsit dicsekedni szeretnék. Én rendeztem a kísértetjárást – miután Vitor beszerelte a szobákba azokat a mikrokütyüket, amelyekbe érzelmesen belebúgtam. Csuda muris volt. Megöltem Medeirost, a másik srácot, a lányt, a japán lányt – méghozzá, Lucilla drágám, a te terveid szerint. Ahogyan a régi filmecskéidben csinálták. Ez a bajuszkirály itt nem beszélt hülyeséget. Tényleg a régi filmjeidből írtad a forgatókönyvet. Én meg eljátszottam a szerepemet.

– És a pók? – tudakolta Ortega, akit úgy látszott, az izgatott leginkább. – Vele mi a helyzet?

– Azt is én alakítottam.

– Hogy mászott fel a mennyezetre?

– Tapadókoronggal, természetesen. Nekem gyerekjáték.

– De miért volt egyáltalán szükség erre?

A nő megvonta a vállát.

– Az volt Lucilla terve, hogy néhányan életben maradnak majd a kamrát feltárók – azaz önök – közül: nekik kellett volna bizonyítaniuk, hogy valóban egy óriási pók garázdálkodik idelent. Ez is a showműsor része lett volna. És lesz is. Özönlenek majd a pénzes vendégek, hogy megnézzék a borzalmak alagútját. A pók és a hálója természetesen eltűnik, soha többé nem bukkan fel, de a legendájuk tovább él! A turistáknak pedig a legenda is elég. Drakula sem jelenik meg soha, mégis micsoda kultusza van! Sajnos, ezt a forgatókönyvet némileg felülírta az élet. Nem marad szemtanú, bár a legenda így is élni fog. Ne feledjék a Debbie által készített filmfelvételeket. – Senhorita Stephanie ekkor Domingosra mosolygott. – Azért ravasz ember maga, hallja-e!

Domingos csodálkozva nézett rá.

– Én?

– Úgy pödörgeti a bajuszát, mint az ártatlan bárányok, ha lenne nekik. Nos, ön semmit sem bíz a véletlenre, igaz?

– Hát… nem szoktam – pödörgette tovább férfiúi ékességét Domingos.

– Van önnek két alkalmazottja… bizonyos Calvao, a másik pedig Cruseiro, igaz?

Domingos arca elsötétült. Kissé mintha meg is tántorodott volna.

– Va… an.

– Nos, kedves de Carvalho, ön csapdát állított nekem, méghozzá ravasz csapdát.

Domingos a torkához nyúlt. Látszott rajta, hogy alig kap levegőt.

– Mit akar…

– Ön leparancsolta két emberét ide a járatba, hogy kísérjék figyelemmel az eseményeket, és ha szükséges lenne, avatkozzanak közbe. Ön előbb a Pereira házaspárra gyanakodott, majd az a nyomorult Connie Bergman felhívta rám a figyelmét. Hiába, bármennyire is rejtegetni akar valamit az ember, az arcának és a lelkének nem tud parancsolni. Ha boldog vagyok, kiül a képemre. Connie, az a kis görény, észrevehette, csak éppen nem tudta mihez kapcsolni a boldogságomat. De az már a múlt. Szóval, az a lényeg, hogy elkaptam a maga embereit. Jó kis búvóhelyet talált nekik, én mégis rájuk bukkantam. Azt elfelejtettem korábban említeni, hogy két hónapja élek idelent a járatokban: úgy ismerem már őket, mint a tenyeremet. Nagyon egyedül éltem itt, bár néha azért fellopództam Vitor hálószobájába. Néha. Mikor is, Vitor?

– Mindennap – mondta komoran Pereira.

– Sajnos még ez is kevésnek bizonyult. Szóval, kedves Domingos, a pók elkapta a maga embereit.

– Megölte... őket?

– Egyelőre egy hálóban csücsülnek.

Domingos ekkor olyasmit tett, amit senki nem várt volna tőle. Letérdelt, és könyörögve Stephanie felé nyújtotta a kezét.

– Kérem, nagyon kérem... kegyelmezzen meg az embereimnek és nekem is. Mindent megteszek, csak...

Stephanie megvonta a vállát.

– Ugyan, mit tudna maga olyat tenni, ami érdekes lehet számomra? Nekem adja a bajuszát emlékbe? – Megrázta a fejét, és senhor Pereirához fordult. – Nos, Vitor?

Vitor Pereira leszegte a fejét.

– Vitor, hozzád beszélek!

Pereira sóhajtott, és kifújta a tüdejéből a levegőt.

– Stephanie, szívem...

A lány összehúzta a szemét.

– Mi van? Mi az ördög van veled? Rosszul vagy? Hiszen neked nem kell hozzányúlnod senkihez, még nézned sem kell...

– Így is eleget láttam.

– Akkor menj ki a folyosóra! Azonnal megyek én is.

Senhor Pereira megcsóválta a fejét.

– Nem lehet, Stephanie.

Stephanie értetlenül nézett rá.

– Mit nem lehet?

– Kimenned a kamrából.

– Megbuggyantál a félelemtől, szívem? Hogyhogy nem mehetek ki? Ki akadályozna meg benne?

Senhor Pereira mélyet sóhajtott.

– Egy hozzád hasonló pók, szívem.

Senhorita Stephanie villámgyorsan a bejáratra irányította a fegyverét.

– Hol van? Milyen pókról beszélsz?

– Rólam – sziszegte egy hang a mennyezetről.

Stephanie lőtt volna, de leheletnyit elkésett vele. Fegyver dörrent, és senhorita Kristof, mellére szorítva a kezét, tántorogni kezdett.

A következő pillanat ismét a káoszé volt. Karcsú, fürge, kezeslábasba öltözött alak bújt ki a mennyezet kiszögellései közül, amelyek cseppkövekként csüggtek alá, s ruganyos mozdulatokkal eléjük penderült. Olyan gyorsan tette mindezt, hogy még sikerült elkapnia Stephanie elzuhanó testét. Gyengéden átkarolta, és lefektette a földre.

Aztán már rájuk is irányította a fegyverét.

– Bocsánat, de én veszem át Stephanie szerepét.

Stephanie eközben vért köpött, megpróbálta kinyitni a száját. A szájnyitogatás még csak sikerült valahogy, de hang már nem jött ki a torkán.

– Gyerünk, Vitor! – parancsolta a pók. – Gyerünk, szalad az idő!

– Maga kicsoda? – nyögte Ortega. – Ha ezt elmesélem a barátaimnak… senki nem fogja elhinni.

– Nem lesz rá módja – sajnálkozott a pók.

– Nem baj – legyintett Ortega. – Úgysincs barátom.

– Azért én mégiscsak megkérdezném – nyögte a még mindig a földön térdeplő Domingos –, hogy maga… kicsoda?

A pók lekapta vastag keretes motoros szemüvegét.

Lisete hangosan felkiáltott. Domingos követte.

– Jézusom! Senhora... Hartman?

Senhora Hartman mosolygott.

– Úgy bizony, Lisete. Én vagyok. És ezzel a játék be is fejeződött.

110.

Valamennyien ettől tartottak. Hogy a játszma valóban a végére ért. Domingost elöntötte a kétségbeesés. Jól felépített terve összeomlott. Stephanie rájött a cselére, megtalálta Calvaót és Cruseirót, és... A többire nem is akart gondolni.

– Mi a szándékuk... velünk? – kérdezte Domingos remegő hangon. – Remélem, mindketten belátják...

– Mindenki a helyén marad – parancsolta az asszony. – Vége a mesedélutánnak. Én nem vagyok színész, nem akarok nagy jelenetet, és minden magyarázkodást feleslegesnek tartok. Lopni sem akarom az időt. Gyerünk, Vitor, intézzük el a dolgot!

– Kérem szépen, senhora – emelte fel a kezét Ortega. – Azért én mégiscsak tudni szeretném... a halálraítéltnek is van joga...

– Nyomás, Vitor, ez meg csak hadd jártassa a száját!

Vitor Pereira bólintott.

– Rendben van, Gisela.

Senhora Hartman géppisztolya tusára ütött.

– Figyeljenek ide valamennyien. Nem szeretném lekaszabolni magukat. Mindenkinek kijár a gyors, tisztességes halál. Ha nem követnek el ostobaságot, önök is megkaphatják.

– És ha… – kezdte volna Ortega, de az asszony leintette.

– Akkor pokoli fájdalmakban lehet részük. Nem mindegy, hogy mosolyogva, békésen megyünk-e át a túlvilágra, vagy reszketve a fájdalomtól, fogainkat csikorgatva. Tudják, milyen a géppisztolysorozat… A golyók irányíthatatlanul szállnak a levegőben, és ott találnak el bennünket, ahol ők akarják. Én fájdalommentes halált ajánlok. Ezért arra kérem magukat, maradjanak a helyükön.

– Mi az a fájdalommentes…?

Senhora Hartman a mennyezetre mutatott.

– Nem kell félniük tőle.

– A pók… hálója?

– Ön okos ember, senhor Ortega. Gyerünk, Vitor!

Vitor Pereira ismét bólintott, és néhány ugrással az előkamrában termett, a három szűz csontjai között.

– Már itt is vagyok.

– Azonnal megyek én is.

Senhora Hartman tett néhány lépést az előkamrába nyíló rés felé, végig rajtuk tartva a géppisztolyát.

– Maradjanak nyugton, és imádkozzanak. Egy-két perc, és…

A következő pillanatban ő is eltűnt az előkamra sötétjében. Senhora Lucilla felpattant a földről, ahol eddig hevert, felkapott egy pisztolyt, és utánuk iramodott.

Ekkor tört ki az utolsó, nagy kiáltozás. Ki-ki vérmérsékletének megfelelően fogadta a közeledő halál gondolatát. Eulália és Debbie sírt, Ortega a fejét csóválgatta; Lisete Domingosba kapaszkodott; a két nővér rezzenetlen arccal nézett maga elé; a kapitány nagyokat nyögött, és ismét a szemét nyitogatta.

Fejük felett sziszegni kezdett a kígyóhangú pók.

Előbb csak egyetlen, nyálkás, undorító liánféle ereszkedett le közéjük, majd még egy, aztán a harmadik.

Domingos eltaszította magától Lisetét, és előkapott a zsebéből valamit. Lisete pisztolyra gondolt, amelyet a férfi mindvégig magánál rejtegetett.

Miért most? – gondolta elkeseredetten. – Miért nem korábban?

Ahogy aztán jobban megnézte, a stukker egy kis fekete, távirányítóvá változott át.

– Mi ez, Domingos, istenem, mi ez?

Domingos erőteljesen megnyomta a távirányító egyetlen gombját.

A következő pillanatban mennyezetet rázó csörömpölés és kétségbeesett kiáltozás hangzott fel odakintről.

– Mi ez, Domingos, istenem, mi ez?

Domingos elhajította a távirányítót, és elkapta a lány karját.

– Most aztán kifelé! Mielőtt még a pók megkóstolna bennünket!

Alig néhány centiméternyire voltak már csak tőlük a liánok, amikor végre sikerült átpréselniük magukat az előkamrába vezető nyíláson.

111.

A látvány, ami odaát fogadta őket, minden képzeletet felülmúlt. Vitor Pereira és senhora Hartman őrjöngő ragadozóként egy vascsövekből készített ketrec karcsú elemeit próbálták meg elhajlítani, hogy kiférhessenek közöttük. Lucilla asszony élettelenül feküdt a földön.

Domingos csípőre tett kézzel megállt a ketrec előtt, és megpödörgette a bajuszát.

– Nem fog menni – mondta jóindulatúan. – Acélcsövek.

– Honnan a fenéből...? – tajtékzott Pereira. – Honnan a fenéből...?

– Onnan – mutatott az építész a mennyezetre.

– De hát mikor...? Hogyan...?

Domingos elégedetten legeltette a szemét a ketrecen.

– Ismerőseim szerint az az egyik szimpatikus tulajdonságom, hogy előrelátó vagyok – mondta szerényen, és ismét csak megpödörgette a bajusza végét. – Ezenkívül persze még számos egyéb jó tulajdonsággal is rendelkezem... bár ezek részletes felsorolásától ezúttal talán eltekintenék. Tudja, senhor Pereira... valahogy megsejtettem, hogy bajom lesz még nekem ezzel a kamrával. Nem vagyok babonás, de a három szerencsétlen csontváz nagyon is az elmúlásra emlékeztetett. Én pedig nem szeretném elsietni a dolgot. Úgy gondoltam, hogy beépítek ide a kamrába egy biztonsági berendezést, amely megóv attól, hogy a rossz emberek csapdába ejthessenek. És lám, milyen igazam lett!

– Mikor...

– Hogy mikor? Ha még emlékszik rá, elmagyaráztam önnek, hogy a kamra mennyezete beomlani készül. Ezért engedélyt kértem öntől a megerősítésére. Közölnöm kellett önnel a szándékomat, hiszen biztos voltam benne, hogy ön gyakorta lejár ide, és kiszúrhatja, ha az ön tudta nélkül mesterkedem valamiben. Így viszont az ön engedélyével szerelhettem fel a csapdát.

– Maga... gyanakodott rám?

– Bátorkodtam. Elsősorban az ön szobájában található képek keltették fel a gyanakvásomat. Tudja, a szimbólumok...

– Hogy volt képes...?

– Hogy voltam képes megépíteni a csapdát? – Domingos büszkén kifeszítette a mellét. – Saját tervezés. Amikor ön felnézett a mennyezetre, csak rendszertelenül felerősített vascsöveket látott, amelyeket egy okoskodó balfácán drótozott oda. Talán még jókat is nevetett a hülyeségemen. Csakhogy a csövek nagyon is egymásba illenek, s egy kis gombnyomásra… fémketreccé változnak át.

– Átkozott! – lihegte senhora Hartman. – Legyen örökre átkozott!

Megpróbált átnyúlni az acélrácsok között, hogy elérje a ketrec mellett heverő géppisztolyát, de Inês Gomeiro ügyesen odébb pöckölte a cipője orrával.

– Nagy kár, szívem – csóválta meg a fejét. – Pedig meg szándékoztam hívni az első teadélutánomra. Nagy kár, hogy nem lehet ott. Jézusom! Vigyázzanak! A pókháló!

Éppen csak el tudtak menekülni a vasketrec rácsai között benyomuló liánok testvérei elől. Arra már nem maradt idejük, hogy a csapdába esetteket kiszabadítsák.

Domingos biztos volt benne, hogy amíg él, nem fogja elfelejteni a halálsikolyaikat.

Portugál április

1.

A tavaszi nap meggondolatlan bőkezűséggel szórta sugarait a városra. Az Avenida da Liberdade fényárban úszott. Valahol éppen tüntetés kezdődött; a járdákat és az úttestet jelszavakat harsogó diákok öntötték el. Az Avenida fáin gubbasztó madarak riadtan szemlélték a váratlanul felbukkanó sokaságot, majd amikor a fiatalok eltűntek a Praça do Comércio irányában, megnyugodva tovább tollászkodtak.

A csendes terasz az Avenida és egyik mellékutcájának a sarkán helyezkedett el, egy kisebb forgalmú étterem előtt. A kora délutáni órákban még gyér volt a forgalom; a piros kötényes felszolgálónőnek nem akadt sok dolga. Időről időre elővette köténye zsebéből a tükrét, és gondosan megszemlélte magát benne, hogy a korán beköszöntött előnyár nem csalogatott-e máris szeplőket az orrára.

A nagy, kerek asztalnál négyen ültek, csendes beszélgetésbe merülve. A felszolgálónő egy közeli irodaház alkalmazottainak hitte őket, akik felbátorodva a mézízű portugál áprilistól, kissé meghosszabbították az ebédidejüket.

Unottan elfordította a tekintetét, és ismét a tükréért nyúlt. Merthogy azoknak a fránya szeplőknek megvan az a rossz tulajdonságuk, hogy akár másodpercek alatt is felbukkannak, ha a nap is úgy akarja. Akkor aztán elő a megfelelő krémmel!

Ha odafigyelt volna a halkan társalgók szavaira, talán még a száját is nyitva felejtette volna. Hiszen éppen azokról az eseményekről beszélgettek, amelyek hetek óta lázban tartották a közvéleményt. A felszolgálónő azonban nem figyelt rájuk, csupán néha-néha pislogott feléjük, hogy nem kérnek-e ismét valami inni- vagy rágnivalót. Mivel nem kértek, teljes figyelmével nem létező szeplői felé fordulhatott.

Egy furcsa bajuszú, zömök, komor tekintetű fickó tartotta éppen szóval a többieket.

– A történetet senhora Hartman indította el – mondta megpödörgetve a bajusza végét. – Úgy is mondhatjuk, hogy ő forgatta meg az események kerekét.

– Végül is, ki a csoda ez a senhora Hartman? – tárta szét a karját egy elegáns, csíkos öltönyös férfi, aki ugyancsak bajuszt viselt, bár egészen másféle formát, mint a korábban beszélő. A férfi székének háttámláján esernyő lógott, igazolva, hogy gazdája előrelátó ember, aki nem szeretné, ha egy váratlan áprilisi zuhé megáztatná frissen vasalt öltönyét.

– Gisela Riese Hartman – mondta Domingos.

– Német?

– A nagyszülei voltak azok, ő már itt született, de Németországban nevelkedett. A legjobb iskolákba járt, elsősorban művészettörténeti tanulmányokat folytatott, s egészen fiatalon – tizenkilenc éves korában – férjhez ment egy argentin hallgatótársához, bizonyos Hartmanhoz. Házasságuk nem tartott soká: még mielőtt befejezte volna a tanulmányait, elváltak. Valamiért azonban ezután is megőrizte a Hartman nevet. Még akkor is senhora Hartman volt, amikor férjhez ment Pelisardo Pireshez.

– Az építészünkhöz? – hökkent meg a társaság egy másik tagja, aki egészen vékony, fekete gyászszalagot viselt a zakója hajtókáján.

– Hozzá bizony – bólintott Domingos de Carvalho. – Abban a múzeumban ismerkedtek meg, ahol akkortájt senhora Hartman dolgozott. Gisela Hartman ugyanis egyetemi tanulmányainak befejezése után muzeológusként helyezkedett el. Sajnos, a második házassága sem sikerült. Úgy látszik, Gisela Hartmannak azt írták meg odafent, hogy ne találjon rá arra, akiről kislány korában álmodozott...

– Ezt meg honnan a fenéből tudja? – csattant fel a mellette ülő csinos, barna hölgy, Lisete Alves, hűvösen magázva Domingost.

De Carvalho megcsavargatta a bajusza végét.

– Tudomásom szerint minden fiatal lány álmodozik valakiről.

– Remélem, ezzel nem arra céloz, hogy *magáról.*

– Azt nem mondanám, hogy valamennyien rólam, de azért vannak, akik...

– Ha egy ilyen szerencsétlennel találkoznék, felvilágosítanám róla...

Milheiro tanácsos felemelte a kezét.

– Fél óra múlva vissza kell térnem a minisztériumba. Nem fordítanák meg a kedvemért a programot? Előbb intézzük el a hivatalos ügyeket, aztán kiveszekedhetik magukat.

Domingos megpödörgette a bajuszát.

– Részemről rendben.

Lisete Alves nem válaszolt. Olyan haragot érzett de Carvalho iránt, hogy legszívesebben belerúgott volna a lábába, és jól megcibálta volna a bajuszát. Hogy veszi magának a bátorságot egy amatőr, egy dilettáns, egy ilyen nagy bajuszú földkotró, hogy beleavatkozzék a rendőrség munkájába, learassa a babérokat, aztán sunyi tekintettel megpróbálja áthárítani rá az érdemeit. Márpedig ő nem ékeskedik más tollával! Különben is, szívből utálja a fickót. Mi a fenéért is kellett megismerkednem vele, istenem?

– Szóval, senhora Hartman és senhor Pires házassága is tévedésnek bizonyult. Akik ismerik senhor Pirest, nem is csodálkoznak rajta.

– Na igen – morogta Milheiro tanácsos, vastag arany szalagos szivart húzva ki a zakója felső zsebéből. – Furcsa teremtmény, nem is vitás. De azért érti a szakmáját.

Domingos megvetőn biggyesztette le a száját.

– A múlt embere.

– Úgy gondolja?

– Még mindig azt hiszi, hogy egy ház alapból, oldalfalakból és tetőből áll.

Milheiro tanácsos megvakargatta a feje búbját.

– Meg fog lepődni, de eddig én is azt hittem.

– Rosszul hitte.

– Miért, miből áll még?

De Carvalho akkorát ütött a homlokára, hogy a tanácsos majd' leejtette meggyulladni készülő szivarját.

– Ebből!

– Úgy érti... homlokzatból?

– Észből, ember! Elképzelésből és fantáziából!

Ezután a szemére bökött.

– Ablak? – találgatta a tanácsos.

– Szépérzék – mondta a bajuszos. – És esztétika. És szív. Ezek kellenek hozzá.

A beállott csendben Milheiro tanácsosnak sikerült meggyújtania a szivarját. Megkönnyebbülten szippantott néhányat, majd biccentett.

– Folytassa, kérem.

Domingos vett egy mély lélegzetet.

– Senhora Hartman Pirestől is elvált, s bizonyára csalódásaitól sarkallva a munkába vetette magát.

– Ahhoz túlságosan is csinos volt – mondta meggondolatlanul a rendőrfőnök.

– Miért? A csinos nők nem vethetik magukat *csak úgy* a munkába? Maguk szerint csak a szerelmi csalódás kényszerítheti értelmes tevékenységre őket? – csattant fel senhorita Lisete.

Milheiro tanácsos könyörögve nézett de Carvalhóra. Az építész sóhajtott, nyelt egyet, és folytatta a még csak alig elkezdett történetet.

– Senhora Hartman fejest ugrott a munkába, hogy elkezdhesse tudományos karrierjét. Elsősorban a porcelánok érdekelték; de mint igazi tudós, mindent elolvasott, ami a XVIII. századra vonatkozott, lévén, hogy ezt az időszakot választotta fő kutatási területének. Konkrétan Pombal márki korát. Kutatásai során aztán egyszer csak felbukkant előtte Simões mester neve. És itt egy pillanatra meg kell, hogy álljak. Önök feltehetik a kérdést, hogy miért éppen Simões mester ragadta meg a fantáziáját. Tudjuk, hogy szinte beleszeretett Simõesbe... ebbe a mindaddig jószerével ismeretlen ötvösbe. Nos, nem tudok másra gondolni, hogy azért, mert... az a kevéske anyag, ami fennmaradt róla, senhor Piresre emlékeztette.

– Mi a fene! – hökkent meg Flores rendőrfőnök.

– Pedig így van. Nem szeretnék senhor Piresről hosszasabban beszélni – a végén még valaki azt mondaná rólam, hogy dicsérem, vagy mi a fene –, elég az hozzá, hogy elég kalandos életet élt. Senhora Hartman még mindig szerette Pirest, csak talán magának sem merte bevallani. Úgy érezte, hogy Simões és Pires között megdöbbentő a hasonlóság: mintha Pires Simões mester újjászületése, inkarnációja lenne. Simõesről nagyon kevés anyag maradt fenn. Ha le kellene írnunk az életét, tíz gépelt sorban elintézhetnénk. Senhora Hartman hiába tett éveken át nem mindennapi erőfeszítéseket, hogy többet tudjon meg róla – mindhiába. Mindössze annyit sikerült kiderítenie, hogy Simões mester Távora márki híve volt, elsősorban ékszereket készített – ezeknek azonban senki nem bukkant a nyomára –, majd Távora márki halála után Pombal márki környezetében bukkant fel. Ezután pedig végérvényesen elnyelte a történelem köde.

– Hát ez valóban nem sok – ismerte el Milheiro tanácsos.

– Senhora Hartman ekkor arra gondolt, hogy újjáteremti Simões mestert. Pontosabban szólva teremt egy történelmi figurát, aki olyan lesz, amilyennek szerinte Simões mesternek lennie kellett volna.

– No de… miért?

Domingos megvonta a vállát.

– Mert belebuggyant Piresbe. Nem tudom, mi a fene van abban a pasasban, hogy annyira kiborítja a nőket.

Lisete elpirult, és könnybe lábadt a szeme. Domingos úgy tett, mintha nem vette volna észre. Pedig ekkor már tudott róla, hogy valaha az idők mélyén Lisete és Pires között is volt valami, s hogy rövid időre Lisete kórházba is került miatta; amint azt a központi egészségügyi nyilvántartásban dolgozó ismerőse állította.

– Senhora Hartman ettől kezdve Simões mesterre alapozta tudományos karrierjét. Első lépésként létrehozta azokat a dokumentumokat, amelyek újjászülték a mestert. Megírta egy bizonyos Lucius visszaemlékezéseit…

– És ezt bevették?

Domingos széttárta a karját.

– Simões olyannyira érdektelen figura volt, hogy nem törődött vele senki. Senhora Hartman pedig szép csendben és szívósan dolgozott. Cikkeket írt a nagy semmiről, más cikkeiben idézte őket; s ezeket lassan mások is idézni kezdték. Néhány év, és Simões mester igazi, színes történeti személyiséggé vált. Ha az imént azt említettem, hogy tíz, géppel írt sorban megírható volt az életrajza, nos, akkor ez néhány év alatt ugyanennyi oldallá bővült. Immár senki nem kételkedett a létezésében és munkássága fontosságában. Senhora Hartman azért persze arra vigyázott, hogy ne korbácsoljon fel a kelleténél nagyobb hullámokat, hiszen még mindig könnyen lebukhatott volna. Idők multával aztán gondolt egy merészet, és disszertációt írt Simõesről, amit végül is nem fogadtak el. Nem azért, mintha valaki is rájött volna, hogy a disszertáció minden mondata kitaláció, hanem mert a bizottság nem tartotta jelentősnek a témát. Senhora Hartman ekkor arra gondolt, hogy immár elérkezett az idő nyilvánosság elé tárni Simões mester munkáit.

– A nem létező munkáit?

– Akkor már léteztek.

– Honnan a fenéből…?

– XVIII. századi ötvösmunkák mindig is léteztek. Csak a szignóját kellett belevésnie néhányukba.

– És a tőrök?

– Ki tudja, ki készítette őket? Senhora Hartman addigra már igazi Simões-szakértővé nőtte ki magát, s a múzeumban – legalábbis a Simõessel kapcsolatos kérdéseket illetően – megfellebbezhetetlen volt a véleménye. Az öt tőrt kiállították – természetesen Simões neve alatt. Bizonyára még több emlék és még több cikk is bizonyította volna Simões létét és fontosságát, ha nem bukkan fel senhora Hartman életében senhor Pereira.

– A fenébe is! – morogta Milheiro tanácsos.

– Senhor Pereira élete nyitott könyv előttünk. Évtizedekig senhora Lucilla Sullivan férje volt – ennek minden előnyével és hátrányával együtt.

– Mi volt az előnye? – kérdezte kíváncsian a szivarfüstje mögül Milheiro tanácsos.

– Azt hiszem, maga senhora Sullivan. Már úgy értem… fiatalabb korában egészen... hm… szemreváló…

– Igazán? – kérdezte élesen Lisete.

Domingos de Carvalho megpödörgette a bajuszát.

– Hát… igen. Mindenesetre… alighanem túl sokat követelt senhor Pereirától. Így aztán senhor Pereira…

– Fűvel-fával megcsalta!

Olyannyira őszintének tűnt Alves zsaru felháborodása, hogy Flores rendőrfőnök értetlenül kapta fel a fejét.

– Ha talán fűvel-fával nem is, azért jócskán akadtak kalandjai. Például Stephanie Kristof-fal is. Éppen ő volt az ügyeletes amerikai barátnője, amikor összekerült senhora Hartmannal. Ő lett aztán életében a nagy szerelem. És megfordítva is. S ők ketten olyan tervet eszeltek ki, amely gazdaggá, sőt dúsgazdaggá tehette volna őket. Mert hiába a szerelem, ha nincs anyagiakkal megfelelően alátámasztva.

– Gondolja? – kérdezte ismét éles hangon Lisete.

Mi a fene? – hökkent meg magában Flores rendőrfőnök. – Ezek alaposan összekaphattak valamin. Lehet, hogy Lisete féltékeny a bajuszos sikerére?

– Tudniuk kell, hogy senhor Pereira és senhora Sullivan anyagi helyzete az elmúlt jó néhány évben már egyáltalán nem volt rózsás. Pereirát mindig is a felesége tartotta el. Lucilla asszony nem is akarta, hogy Pereira dolgozzék; amolyan háztartásbeliként kezelte, aki mindig kéznél van, ha szüksége lenne rá.

Az urak diszkréten lesütötték a szemüket.

– Idő multával azonban kezdtek rosszra fordulni a dolgok. Senhora Sullivan már nem kapott jól fizető szerepeket – sőt eljött a pillanat, amikor semmilyet sem kapott. Addig sem első kategóriás színésznő volt, a másodosztályú filmeknek viszont valóban ő volt az egyik sztárja. A dolgok, ismétlem, rosszra fordultak, azaz senhor Pereirának egyre kevesebb lett a pénze. Szerencsére megörökölte a két házat; bár ezek egyelőre inkább bajt hoztak rá, mint örömet. Nagybátyja tetemes jelzáloggal terhelte meg őket, amelyet neki kellett volna majd visszafizetnie. Ekkor lépett be az életébe Gisela Hartman. Ő pedig elhatározta, hogy Simões mester segítségével dúsgazdaggá teszi mindkettőjüket.

– Az igaz, hogy senhor Pereira Simões mester leszármazottja... volt?

– Dehogy igaz! Simões mester le- és felmenőiről aztán végképp nem tudunk semmit. Senhora Hartman rajzolta meg senhor Pereira családfáját. Mindent kiterveltek, majd senhor Pereia visszautazott Amerikába.

– Mindent kiterveltek? – kérdezte Flores rendőrfőnök. – Mi mindent?

De Carvalho mélyet sóhajtott.

– Amikor beütött náluk a nagy szerelem, rádöbbentek, hogy nem tudnak egymás nélkül élni. Márpedig ez az együttélés nem ígérkezett problémamentesnek. Többek között azért sem, mert senhor Pereirának már volt felesége, aki nem engedte volna ki egykönnyen a markából a férjét. Főleg, mert igazán szerette, amellett... hm... másképpen is szüksége volt rá.

– Másképpen? – hökkent meg Flores rendőrfőnök.

Domingos csak hebegett-habogott, irult-pirult, végül is Lisete megkönyörült rajta.

– Szexuálisan – segítette ki.
Senhor Milheiro megsimogatta a bajuszát.
– Na igen – mondta.
– Na igen – egészítette ki zavartan a rendőrfőnök.
– Szóval… nem engedte volna ki a markából. Azt hiszem, senhor Pereira komoly bajba került volna, ha megpróbálja. Így aztán fel sem merült benne a gondolat, hogy elválik a feleségétől, és ezt meg is mondta Gisela Hartmannak. Az asszony tudomásul vette a helyzetet. Megértette, hogy a sima válás valóban járhatatlan út. A bosszúszomjas, otthagyott feleség minden alkalmat megragadna, hogy tönkretegye őket. Márpedig ahhoz, amire készülődtek, a legkevésbé csatazajra volt szükségük. Ha reflektorfénybe kerülnek, az szándékaik meghiúsulásához vezethetne. Summa summarum: senhora Hartman kidolgozott egy tervet. Ennek az volt a lényege, hogy senhor Pereirának el kell hitetnie a feleségével, hogy ő, Vitor Pereira, Simões mester leszármazottja, és hogy ez a tény dúsgazdaggá teheti őket. Készít a házak alatti járatokban egy hamis kamrát, telerakja XVIII. századi ötvösművekkel – ezek megvásárlásához némi anyagi befektetés szükségeltetik ugyan, de ez busásan megtérül –, aztán ijesztő hírét kelti a házaknak. Mindezt azért, hogy a borzongani vágyó turistákra alapozva berendezhessen bennük egy szállodát, egy múzeumot; a kazamatákban pedig Simões mester feltárt kamrája szolgáltatná az attrakciót. A mester „ötvösműveiről" nem is beszélve. Nemegyszer előfordult már, hogy olyan alkotások, amelyek tegnap még a kutyának sem kellettek, ma már dollármilliókért cserélnek gazdát. A terv ekkor még csak alakulgatott, de ez is éppen elég volt ahhoz, hogy felkeltse senhora Sullivan fantáziáját. Alighanem azonnal igent mondott, hiszen maga is épp eleget gondolkodott, a *hogyan tovább*on. Egyik

ismerősömtől tudom, hogy ebben az időben már az ékszereit adogatta el, hogy fenntarthassák valahogy magukat.

Gondolhatják, hogy milyen jól jött neki senhor Pereira terve. Ha sejtette volna, hogy milyen kiemelkedő szerepet szánt neki senhora Hartman! A gyilkos őt is éppúgy megölte volna, mint azokat, akiket kiszemelt magának. Tőle is megszabadultak volna, nemcsak a szegénységtől.

Senhora Sullivannek nem voltak gátlásai. Csupán azt kötötte ki, hogy neki ne kelljen gyilkolnia. Férje megígérte, hogy bérgyilkost fogad. És ezt meg is tette.

Meg kell jegyeznem, hogy senhora Hartman sem lett volna képes előre megfontolt szándékkal ölni. A jegyzőkönyvekből tudják, hogy miképpen beszélte rá senhor Pereira Stephanie Kristofot a gyilkosságokra, gazdagságot és házasságot ígérve neki is. Ő aztán nem lacafacázott. Némi ujjgyakorlat után gyilkolt is rendesen.

De visszatérve senhor Pereirára: amíg Portugáliában tartózkodott, volt tennivalója éppen elég. Miután sikerült további jelzálogot felvennie az egyik, még teljesen be nem táblázott házra, fel kellett építenie a kamrát, méghozzá saját kezével, hiszen idegenekre nem bízhatta a munkát. Valószínűleg a közben Portugáliába költözött Stephanie segített neki. A lány biztos volt benne, hogy ha sikerül a tervük, életük végéig gazdagságban-boldogságban élhetnek.

Mindeközben senhora Hartman, azaz Gisela, elkészítette a részletes forgatókönyvet. Lépésről lépésre kidolgozott mindent, sőt még az áldozatok személyét is meghatározta. Csakhogy hiba csúszott a számításába. Közbejött a könyörtelen végzet egy kiváló férfi képében.

– És az kicsoda volt? – kérdezte Milheiro tanácsos.

Domingos megpödörgette a bajuszát, és kihívó tekintettel nézett végig a másik hármon.

– Én.

2.

Mivel senki nem tett megjegyzést, mindenki az asztal lapját bámulta nagy-nagy figyelemmel, folytatta.

– Senhor Pereira azt szerette volna, ha Pires, ez az úgynevezett „sztárépítész" vezeti a munkálatokat. Az ő halála... hm... úgymond, nagyobb port vert volna fel, és még kétesebb hírbe hozta volna az épületeket. Helyette azonban valahogy én kerültem az építkezés élére, ami óriási csalódást okozott neki. Hátha még sejtette volna, hogy milyen veszélyes ellenfél áll az ajtaja előtt...

Milheiro tanácsos az órájára nézett, aztán Lisetére pislantott.

– A jegyzőkönyv szerint ön találta meg a kamrát, senhorita Alves.

Lisete bólintott.

– Mondana erről valamit?

De Carvalho nem vette jó néven, hogy megszakították a meséjét, s ez látszott is az arcán. Sértődötten a bajuszához nyúlt, és olyan közömbös arccal kezdte pödörgetni, mintha a továbbiakban semmi köze sem lenne ahhoz, ami miatt összegyűltek.

Mielőtt azonban Lisete elkezdhette volna, Milheiro tanácsos felemelte az ujját.

– Nehogy azt mondja nekem, hogy magától jött rá a megoldásra, Lisete. Jómagam akár ezer évig is elnézegethettem volna a kések nyelét, akkor sem jöttem volna rá, hogy a mintáikból kiolvasható a kamrához vezető út.

Domingos látványosan elmosolyodott, és ismét lebiggyesztette az ajkát, ami viszont nem kerülte el a tanácsos figyelmét.

– Miért, talán ön rájött volna, senhor de Carvalho?

Az építész megsimogatta a bajuszát.

– Természetesen, tanácsos úr. Már persze, ha lett volna rá elég időm. Csakhogy akkor nekem ott, a föld alatt, tengernyi tennivalóm akadt.

– No igen – bólintott a tanácsos. – Lisete... akarom mondani, senhorita Alves?

– Látszólag valóban én jöttem rá a megoldásra – mondta sóhajtva a lány.

– Látszólag?

– Sajnos.

– Akkor végül is ki jött rá? Csak nem mégis senhor de Carvalho?

– Talán kezdjük ott – mondta Lisete –, hogy senhora Hartman tervei szerint egy kisebb csoportnak kellett volna megtalálnia a kamrát. A kérdés az volt, hogyan? Ha senhora vagy senhor Pereira bukkant volna rá, gyanúra adhatott volna okot. Ezért senhora Hartman úgy tervezte, hogy ne ők legyenek a megtalálók, hanem valaki más.

– Kicsoda?

– Mindegy volt. Az volt a lényeg, hogy valaki rábukkanjon. A tőrök nyelének a preparálása természetesen senhora Hartman ötlete volt. Talán kideríthető, hogy eredetileg honnan származnak – még az is elképzelhető, hogy nem portugál kéz készítette őket. Senhora Hartman beszerzett tehát öt tőrt, senhor Pereira elvégezte rajtuk a megfelelő átalakítást, majd senhora Hartman írt egy cikket, amelyben Simões mester munkáiként határozta meg őket. Tehette, hiszen a kutyát sem érdekelte Simões mester. A tőrök a coimbrai múzeumba kerültek, s a tárlókra rákerült a mester neve. Később már senki nem kérdőjelezte meg a származásukat, de miért is tette volna? Ki akart volna ágyúval verébre lőni?

Miután megtörtént az átalakítás, senhora Hartman írt egy újabb cikket, amit később volt szerencsém elolvasni. Ebben részletesen értekezett a középkori szimbólumokról, majd elemezte az öt tőr nyelét. Arra a következtetésre jutott, hogy a tőrök bizonyára egy felderítetlen rejtekhelyre utalnak. A labirintust nem említette, abban bízva, hogy ha egy szellemdús újságíró elolvassa a cikkét – például Debbie Fisher –, megtalálja a kamrához vezető utat. Merő véletlen, hogy én találtam rá a megoldásra.

A tőröket később ő lopatta el Menyéttel a coimbrai múzeumból; ezek aztán senhor Fonsecán és senhor Pereirán keresztül Stephanie-hez kerültek. Stephanie-t nem érdekelte, hogy mi végre ez a cirkusz a tőrökkel, vakon bízott a szeretőjében. Pereira intelligenciáját tekintve olyannyira felette állt, hogy a lány óvakodott megkérdőjelezni a döntéseit. A tőrök végül is a rendőrség birtokába jutottak, s volt szerencsém megvizsgálni őket. Senhora Hartman cikkeit elolvasva aztán már gyerekjáték volt rábukkannunk a kamrára. Senhora Hartman az orromnál fogva vezetett – ez az igazság.

Sóhajtott, aztán folytatta.

– Senhora Hartman összesen 17 cikket írt Simões mesterről. Természetesen valamennyi merő kitaláció.

Milheiro tanácsos ismét az órájára pillantott. Sóhajtott, és bocsánatkérően nézett a többiekre.

– Sajnos ismét csak figyelmeztetnem kell önöket az idő múlására. Hogy lerövidítsük a beszélgetést, megengednék, hogy én tegyek fel kérdéseket? Töviről hegyire áttanulmányoztam a jegyzőkönyveket, és nem egy olyan homályos pontra bukkantam, amelyekre fényt szeretnék deríteni. Szívesen venném, ha senhorita Alves és az urak megmagyaráznának bizonyos dolgokat...

– A legnagyobb örömmel – készségeskedett Flores rendőrfőnök. – A legnagyobb örömmel.

Milheiro tanácsos apró cédulát húzott elő a zsebéből, és kitette maga elé az asztalra. Összehúzott szemmel próbálta meg kisilabizálni, mi áll rajta. Amikor aztán nem ment, szapora fejcsóválás közepette előkotorta a szemüvegét, és az orrára bigygyesztette.

– Így már más – morogta elégedetten. – Szóval, felírtam ide a papíromra néhány kérdést... megtisztelnének, ha válaszolnának rá. Nos, akkor... először is... mi a helyzet a kísértetjárással, Lisete?

A lány biccentett.

– Senhora Hartmannak az volt az elképzelése, hogy a két házat kísértetjárta házakként teszi hírhedtté.

– Ezt már említette. Jobban érdekelne, hogy ki volt a kísértet, és hogyan csinálta, amit csinált?

Lisete ismét biccentett.

– A „kísértet" természetesen Stephanie Kristof volt. Mint képzett dublőznek, kisujjában volt a maszkírozás és az öltözködés művészete. Gyerekjáték volt számára egy XVIII. századi, halálra ítélt nemes hölgy ruhájába és bőrébe bújni. A ruhát senhora Hartman szerezte valamelyik múzeumból. Ő készítette el a kísértetjárások koreográfiáját is. Azt akarta, hogy a kísértetben Távora márki szerencsétlen sorsú feleségét ismerjék fel.

– Nem állhatom meg, hogy meg ne kérdezzem – vágott közbe a tanácsos –, vajon senhora Sullivan és senhora Hartman mit tudtak Stephanie Kristofról?

– Lényegében semmit. Mivel egyikük sem akart gyilkolni, örömmel nyugtázták, hogy senhor Pereira leveszi a vállukról az emberölés gondját. Talán nem is akarták tudni a nevét. Amiről nem tudok, amiatt nincs is lelkifurdalásom, nem igaz? Senhora Hartman csak tervezte a gyilkosságokat, de nem érdeklődött az iránt, hogy ki hajtja végre őket. A gyilkost a végén úgyis megölték volna.

– Kicsoda?

– Valószínűleg a pók végzett volna vele.

– Térjünk azért még vissza egy kicsit a kísértetjárásra. Önök szerint a kísértet vendégcsalogatónak kellett? Úgy értem, ha teljesült volna senhor Pereira terve, és felépül a kísértetszálloda a hozzá kapcsolódó létesítményekkel... Simões mester kamrája... a labirintus... fáklyafény, félhomály... nem is olyan rossz.

– A labirintusban is szállodát épített volna – mondta Lisete. – Bárki lakhatott volna jó pénzért a város mélyén, számtalan halott társaságában...

– Brrr! – rázkódott össze a tanácsos. – Gondolják, hogy lett volna olyan marha...

– Ezernyi – legyintett Flores rendőrfőnök. – Csak úgy dőlt volna a lé Pereira zsebébe.

– Mindig is mondtam, hogy az emberiség megérett az utolsó ítéletre – dünnyögte a tanácsos. – Tehát: hogy kerültek a kísértethangok a szobákba?

– Aprócska hangszórókon át, természetesen.

– És ha szabad kérdeznem, hova rejtették őket?

– Az áldozatok lakásába, hova máshova? – emelte fel a hangját Lisete.

– Akkor hogyan lehetséges, hogy a helyszínelők egyetlenegyet sem találtak meg belőlük?

– Mert mire keresték volna, Pereira vagy a felesége, vagy Stephanie Kristof eltávolították őket. Mindannyiuknak volt kulcsa minden lakáshoz, lévén, hogy senhor Pereira volt a háztulajdonos. Azonkívül még sűrített levegővel is dolgoztak, hogy gyanús légmozgásokat idézzenek elő vele. Merthogy a kísérteteket állítólag néha érezni is lehet. Ettől a légmozgástól aztán még az apróbb tárgyak is felemelkedtek a levegőbe. Bármikor előidézhettek áramszünetet; ajtókat nyitottak ki, és csuktak be – egyszóval megtettek mindent, hogy a házak igazi kísértettanyának tűnjenek. Némelyik szobában vércseppeket is találtunk. Természetesen paradicsomlé volt. Feltehetően kis lyukakon át fújták be a zárt térbe.

– A kísértetnek vörös volt a szeme és égett, mint a villanykörte... – sorolta senhor Milheiro tanácsos.

– Talán az is volt. Vagy piros kontaktlencse. Korábban már említettem, hogy senhor Pereira hosszú évtizedek forgatásai alatt mennyi mindent elsajátított a trükkmesterektől, pirotechnikusoktól, ügyes kezű díszletezőktől. Nem lehetett különösebben komplikált feladat számára a piros szem, a robbanó tükör, a magától leolvadó rúzs, vagy akár a gyorsan megszilárduló műanyag habarcs.

– És a fej a levegőben?

– Gyerekjáték. Mindezek arra voltak jók, hogy minél valószínűbbé tegyék a kísértetjárás „tényét".

– Akkor vegyük sorban a gyilkosságokat. Miért éppen Medeiros, Matos, Rosa Lobo és a japán lány?

Lisete felhúzta a vállát.

– Talán senhora Hartman azért választotta őket, mert egyedülállóak voltak, sok időt töltöttek házon kívül, bármikor kipreparálhatták a lakásukat. Medeirost azért gyilkolták meg, mert éppen alkalmuk nyílott rá. Stephanie Kristof a gyilkosságok elkövetése után Eulália Fontoura kezébe nyomta a megfelelő kést, hogy az illetékesek – sajtó, rendőrség – minél hamarabb értesüljön róla. A rendőrség pedig megpróbált összefüggést találni a gyilkosságok között...

– Volt is – mondta szemrehányón Flores rendőrfőnök.

– Csak nem úgy, ahogy gondoltuk. A „kísértet", mint tudják, még omlást is előidézett az építkezésen. Ez is természetesen senhor Pereira műve volt. A felbukkanó XVIII. századi női alak – Stephanie Kristof – csupán a látványt erősítette.

– És a japán lány halála?

Lisete megdörzsölte a szemét.

– Amikor senhora Hartman megalkotta Simões mester élettörténetét, kitalált mellé egy japán fickót, egy púpos szamurájt. Elméletileg természetesen elképzelhető lett volna a dolog, hiszen Portugália és a XVIII. századi Japán között voltak bizonyos kapcsolatok. A japán uralkodók engedélyezték például a portugál jezsuitáknak, hogy missziót hozzanak létre japán földön. Előfordulhatott volna, hogy egy japán fickó idekeveredik valahogy. Senhora Hartman – hogy még izgalmasabbá tegye Simões mester történetét – a fantom japánt Szatosi kardjával ruházta fel.

– Az meg mi a fene?

– Egy híres, mondhatni legendás japán kard. Valamikor a középkorban tűnt el. Ha előkerülne, óriási esemény lenne a hagyománytisztelő országban – arról nem is beszélve, hogy felbecsülhetetlen az értéke. Senhora Hartman nem sejtette, hogy darázsfészket bolydít fel a cikkével. Az történt ugyanis, amire végképp nem számított: valaki odaát elolvasta a cikkét. Jelentette a jakuzáknak, akik közül egy bandafőnök, egy *gumi,* azaz klán vezetője ráharapott a dologra. Mivel senhora Hartman még az épületet is megjelölte, amely alatt a kardnak rejtőzködnie kell, a két jakuza beköltözött a házba, hogy megkeressék Simões mester kamráját. Senhor Macumoto és Mijoko kisasszony egyre az alagutat járták: isten csodája, hogy nem akadtak össze odalent Pereirával. Ha összeakadtak volna, talán ez a történet meg sem történt volna.

– Az lett volna a jó – bólintott Milheiro tanácsos.

– Nem!

Milheiro tanácsos eltátotta a száját.

– Tessék, senhor de Carvalho?!?

Az építész fülig vörösödött, és Lisetére pislogott.

– Én csak arra gondoltam, hogy... gondoltam... merthogy...

– Rendben van, menjünk tovább, fut az idő. Tehát, a japán lány...

– Meggyilkolása a véletlen számlájára írható, akárcsak Medeirosé. Egyszerű turistalány volt; nem akart ő semmi különöset, csupán egy kis kalandra vágyott. Stephanie-nek pedig nagyon is jól jött a dolog, hiszen így a gyilkosságot össze lehetett kapcsolni Szatosi kardjával, amelyet majd a kamrában kellett volna megtalálnunk. De hangsúlyozom: merő véletlen, hogy japán volt az áldozat. Bárki megfelelt volna, aki a lebontott ház romjai között kóborol.

– Ki sebesítette meg Pereirát?

– Természetesen ő maga. Az esetlegesen felmerülő gyanú elterelésének legjobb módja, ha magunkat is megsebezzük. Abban az esetben persze, ha mi magunk vagyunk a gyilkosok.

Milheiro tanácsos ismét a papírjára pislogott.

– Van itt még valami, ami felkeltette a figyelmemet. Ön azt írja, Lisete, hogy a kamrában tulajdonképpen minden valódi volt... Ja, és még valami... Mi az ördög ez a három szűz varázslata?

– Senhora Hartman kitalációja.

– Annak a nőnek forgatókönyvírónak kellett volna lennie. Veszélytelenebb tevékenység, mint a gyilkosságra való felbujtás.

– Csak kevesebbet jövedelmez. Mindenesetre kellett szereznie három korabeli koponyát...

– Méghozzá nem is akármilyet.

– Egy afrikait, egy keletit, egy fehéret. És senhor Pereira megszerezte őket.

– Honnan a jó fenéből?

Lisete felrántotta a vállát.

– Valószínűleg a katakombákból. Ne feledjék, a járatok telis-tele vannak föld alatti temetőkkel, bár mi ezekből nem láttunk egyet sem. Senhorita Stephanie hosszú időt töltött odalent az előkészületekkel. Volt alkalma felkeresni őket.

– Azért különböző emberfajták koponyáinak kiválasztásához mégiscsak szükségeltetnek bizonyos antropológiai ismeretek – dünnyögte a tanácsos.

– Senhora Hartman ehhez is értett. Addig kerestek, amíg nem találtak megfelelő koponyákat.

– És a bársonyfüggöny?

– Ezt is senhora Hartman szerezte be valamelyik múzeumból. Köztiszteletnek örvendő, tudós-muzeológus volt, könnyen hozzáférhetett a múzeumok raktárkészletéhez. A muzeológusok néha maguknál felejtenek ezt-azt, hogy otthon még elbíbelődhessenek velük. Ugyancsak a föld alatti járatokból szerezték be a régi csempéket, téglatörmelékeket, kőlapokat. A nagy földrengéskor majd' az egész város megsemmisült: óriási mennyiségű épülettörmelék kerülhetett a föld alá. Csak tudni kell, hol keressük őket.

Milheiro tanácsos megcsóválta a fejét.

– Hogy akarta Pereira lejuttatni magukat a járatokba?

– Úgy, ahogy végül is lejuttatott – vette át a szót a

sértődöttségéről lassan megfeledkezni látszó de Carvalho. – A véletlen látszatát keltve.

– *Látszatát?*

– Úgy bizony. Merthogy a bobcat nem véletlenül szakadt be abba a lyukba, de nem ám.

– Azt mondja, lyukat ástak alá?

– Azt nem, de tudták, hogy létezik a ház udvarán egy levezetőakna, amely alatt feltétlenül be fog szakadni a gép. Ha jobban megvizsgálom a talajt, észre kellett volna vennem, hogy üreg van az udvar alatt. Sajnos, bizonyos körülmények elterelték a figyelmemet.

– Éspedig?

– Magánügy – mondta Domingos Lisetére pislogva, aki erre gyorsan lesütötte a szemét.

– És ha mégsem szakadt volna be az akna a gép alatt?

– Ne aggódjék, tanácsos úr, senhor Pereira akkor is megtalálta volna a módját, hogy a város alá vigyen bennünket.

– Rendben van – biccentett Milheiro tanácsos. – Akkor nézzünk csak néhány lakót. Rosa Lobo?

Domingos intett Lisetének, hogy vegye át tőle a szót.

– Ártatlan, mit sem sejtő áldozat – mondta Lisete, őszinte sajnálattal a hangjában. – Akárcsak Ernesto Matos vagy Medeiros.

Lisete bármennyire is titkolni szerette volna az elkeseredettségét, meg kellett törölgetnie a szemét. Szerencsétlen, fiatal emberek, mit vétettek azok ellen a szemetek ellen? Vagy a kis japán turistalány. Ezerszer is megérdemelték volna az életfogytiglant, nagy kár, hogy megúszták.

– A japán lány?

– Csupán egy forró éjszakát szeretett volna Cruseiróval.

Lisete érezte, hogy egy térd nyomódik a térdéhez. Mivel elég szűkös volt a választék, biztos volt benne, hogy de Carvalhóé az.

Elhúzta a lábát, és várta az újabb kérdést.

– Fonseca és a felesége?

– Látja, tanácsos úr, ez már bonyolultabb probléma. Senhor Fonseca nyakig benne volt az eseményekben.

– Pechjére – bólintott a tanácsos.

– Így is lehet mondani. Ismereteink szerint már nemegyszer vonták felelősségre orgazdaság miatt. Alvilági körökben jól csengett a neve, ezért is kerülhetett senhor Pereira látómezejébe, no meg azért is, mert a házában lakott. Senhora Hartman tanácsára Pereira őt kérte fel a tőrök ellopásának a megszervezésére. Fonseca egy Menyét nevű fickót bízott meg a betörés végrehajtásával, aki aztán sikeresen el is intézte a dolgot. A tőrök Pereira kezébe kerültek.

Csakhogy a történetnek ezzel még korántsincs vége. Menyét is, és Fonseca is megszagolták, hogy nincs rendjén valami az öt gyilokkal. Nem érnek annyit, amennyibe a betörés kerül. Arról már nem is beszélve, hogy vajon miért csak ez az öt tőr kellett a megbízónak a múzeumból, semmi más? Nem kerek itt valami – gondolták. Ettől kezdve egy csavarra járt az agyuk. Fonseca is, és Menyét is mindent elolvastak Simões mesterről, amit csak olvasni lehetett – ez a minden pedig kizárólag senhora Hartman műveiből állt.

– Na és? – értetlenkedett Milheiro tanácsos.

– Fonseca és Menyét egymástól teljesen függetlenül ugyanarra a következtetésre jutott: nevezetesen, hogy Simões mester igazi kamrájában nem csak Simões mester munkái rejtőznek, sőt egyáltalán nem azok.

– Akkor mi?
Lisete vett egy mély lélegzetet.
– Távora márki eltűnt aranykincsei.

3.

Milheiro tanácsos úgy meghökkent, hogy beleharapott a szivarja végébe.
– A fenébe is… honnan vették ezt a hülyeséget?
– Nem is biztos, hogy olyan hülyeség – vette vissza a szót de Carvalho. – De hogy honnan vették? Természetesen senhora Hartman egyik cikkéből.
– Az egyik hamisítványból?
– Inkább kitalációt mondanék. Csakhogy ennek a kitalációnak… lehet bizonyos alapja.
– Mi a fene?
– Távora márki kincsei valóban eltűntek, és soha senki nem jutott a nyomukra.
– De hát mi az ördög az a kincs? Tud róla valaki egyáltalán? Nem lehetséges, hogy csak senhora Hartman fantáziájának a terméke?
– Nem valószínű – tiltakozott Domingos. – Utánanéztem a dolognak: nem egy megbízható forrás említi a Távora család aranykincseit.
– Bizonyára Pombal márki birtokába kerültek.
– És most hol vannak? Pombal márki aranytárgyai ugyanis többnyire a múzeumok kiállításait gazdagítják. Távora márkié azonban nem.
– Mit akar ezzel mondani?
Dc Carvalho megbirizgálta a bajuszát.
– Csak annyit, hogy a kortársak által annak idején megcsodált, és részben le is írt aranytárgyak nem kerültek Pombal márki birtokába.
– Úgy gondolja, hogy valaki… talán maga Simões mester elrejtette őket?

– Miért ne?
– És maga szerint… hova rejtette volna?
– A föld alá. A labirintus valamelyik folyosójába.
– Abba a kamrába, amelyet feltártak?
Domingos határozottan rázta meg a fejét.
– Abba biztosan nem.
– Azt akarja mondani, hogy egy másik kamrába?
– Miért ne?
– Hol van az a kamra?
– Ez a kérdés, senhor tanácsos.
Milheiro tanácsos ismét beleharapott a szivarjába.
– Nem tetszik nekem valami, senhor de Carvalho.
– Micsoda, tanácsos úr?
– Az ön hangja. Mintha sejtetne valamit. Mintha azt sejtetné, hogy ön többet tud erről a titokzatos kamráról, mint amennyit eddig elárult nekünk.
– Lehetséges – biccentett Domingos.
– Akkor ki vele! – vezényelt a tanácsos. – Mi az, amit tud még?
– Csak sejtek – mondta de Carvalho a megrökönyödött Lisetére pislogva.
– Mi a fenét sejt? Nyögje már ki, ember!
De Carvalho megpödörgette a bajuszát.
– Inkább mutatnék valamit.
Lisete eltátotta a száját. Flores rendőrfőnök nem tátotta el, mert az övé már eddig is tátva volt. Csak nézték megbabonázva, amint de Carvalho előhúz a zsebéből egy papírlapot. Vastag, pergamenszerű papírt, amelyen fekete, kopott tintanyomok látszottak.
– Mi a fene ez? – nyögte Milheiro tanácsos. – Hol találta?
– Odalent a kamrában. Méghozzá az előkamrában, a csontok között. Amikor felszereltük a csapdát.
– És mi… van benne?
Domingos megpödörgette a bajuszát.
– Bizonyos értelemben Távora márki végrende-

körül. Pombal egyre nagyobb befolyásra tett szert az udvarban; csupán idő kérdése volt, hogy mikor számol le a Távora családdal.

– És?

– A kincsek lekerültek a föld alá. Pereira pedig megtalálta. Vagy Stephanie találta meg neki. Ön mit tett volna senhor Pereira helyében?

– Én? – csodálkozott a tanácsos. – Haditáncot jártam volna, és értesítettem volna a sajtót.

– Ezután?

– Mit ezután? Híres lettem volna.

– De nem gazdag.

– Ezt hogy érti?

– Kié lett volna a kincs?

– Az államé természetesen… illetve, Távora márki leszármazottaié.

– Akik nem léteznek. Pombal gondoskodott róla, hogy ne létezzenek.

Milheiro tanácsos erre gondolkodóba esett.

– Úgy gondolja, hogy… Pereira meg akarta tartani magának a kincset?

– Maga mit gondol?

– A fenébe is… Ebben lehet valami. Az már biztos, hogy neki, mint megtalálónak nem sok jutott volna belőle. Kivéve…

– Kivéve?

– Ha bizonyítani tudja, hogy ő a kincs örököse. Vigye el az ördög… De hát ez a papír itt hamisítvány!

– Miből gondolja?

– Ön állította!

– Csakhogy ha senhora Hartman és Pereira terve beválik, soha nem derül ki. Senhora Hartman volt annyira tapasztalt, hogy kiváló hamisítványt alkosson. Holtbiztos, hogy a papír korabeli, a tinta is, a pecsét is; az írásformáról már nem is beszélve.

Ugyan ki kérdőjelezte volna meg senhor Pereira tulajdonjogát? Ha minden igaz, senhor Pereira nemcsak milliomos, hanem egyenesen milliárdos lett volna. És még valamit... Nem tették még fel maguknak a kérdést, hogy végül is miért akartak odalent eredeti terveikkel ellentétben végül is mindenkit megölni?

– Fogalmam sincs róla – morogta a tanácsos. A rendőrfőnök vele morgott.

– Nos, azért, mert hiba csúszott a terveikbe.

– Miféle... hiba?

Domingos megpödörgette a bajuszát, és elhessegette az orra elől Milheiro tanácsos szivarjának a füstjét.

– Pereira, illetve senhora Hartman tervei szerint először azt a kamrát kellett feltárnunk, amelyben Simões mester állítólagos munkái találtatnak. Addigra már alaposan megfogyatkoztunk, hiszen a pók megritkított bennünket. Néhányunknak viszont életben kellett maradnunk, hogy a későbbiekben tanúként szolgálhassunk a Távora kincseit rejtő kamrák felfedezéseit illetően. Csakhogy hiba csúszott a számításukba. Nem gondolhattak rá, hogy senhora Hartman cikkei nem kívánt eredménnyel is járnak: nevezetesen, hogy felkeltik néhány kétes hírű személy kíváncsiságát, és arra sarkallják őket, hogy nézzenek csak szét a titkok labirintusában. A japánok Szatosi kardját keresték – mellesleg találtak is egy kardot, amely bizonyára senhora Hartman tevékenysége következtében került a kamrába –, a Gomeiro nővérek és a kapitány pedig a titkos teakönyvet, amely ugyancsak senhora Hartman fantáziájából pattant ki. Honnan gondolta volna, hogy a Gomeiro nővérek is a föld alatti járatokban bóklásznak majd a teáskönyv után kutatva? Aztán még itt volt Fonseca is, rólam már nem is beszélve. Ez már túl sok volt senhora Hartman és Pereira számára. Nem tudhatták, hogy nem vettünk-e észre valamit, ami végzetes lehet számukra. Ezért villámgyorsan úgy döntöttek, hogy változtatnak a tervükön: senki sem maradhat életben a jelenlévők közül... ők maguk lesznek kénytelenek „felfedezni" a második számú kamrát, Távora aranykincseit, amiről például Lucilla asszony mit sem tudott. Azért persze, ha meg is öltek volna bennünket, még így is maradt volna tanújuk, aki a pók létét, Simões kamrájának a felfedezését, és a kísértet garázdálkodását hitelesen igazolta volna.

– Ezek szerint mégiscsak életben hagytak volna valakit?

– Sajnos, nem – sóhajtotta de Carvalho.

– Akkor ki az a tanú? Egy tanúról beszélt, nem?

– Így van. Végig ott rejtőzködött Miss Fisher ruhája alatt.

– No de, kérem...

– Egy kis filmkamera. Senhorita Fisher végig filmezte a történteket. A pókot és a gyilkosságait, a titokzatos fejet a levegőben... A film kellőképpen összevágva – ehhez senhor Pereira kiválóan értett –, kellő bizonyítékkal szolgált volna arra nézve, hogy a gyilkosságokat titokzatos erők hajtották végre, a kamrákra pedig Simões mester útmutatásai segítségével bukkantak rá. A filmfelvételek minden esetlegesen rájuk irányuló gyanút elhárítottak volna. A megvágott felvételek azt is bizonyították volna, hogy még éltek néhányan közülünk, amikor az aranykincs felfedezése megtörtént.

Milheiro tanácsos ismét Domingos mellének szegezte a szivarját.

– Mikor szándékozik megkeresni Távora márki kincseskamráját? Sietnie kell, mielőtt még valaki más...

– Nem szándékozom megkeresni – rázta meg a fejét Domingos. – Távora kincseskamráját nem lehet megkeresni.

– Nem lehet?

– Csak megtalálni lehet. Egyszer majd valaki véletlenül rábukkan.

– De hát ott kell lennie a másik kamra szomszédságában!

– Lehet az Lisszabon túlsó végében is. Miért építették volna az egyik kamrát a másik mellé?

– És ön… rendőrfőnök úr? Ön sem kereseti?

– Én? – hökkent meg Flores rendőrfőnök. – A rendőrség nem arra való, hogy kincsekre vadásszon.

– No persze, persze – tért vissza a valóságba Milheiro tanácsos. – Az az igazság, hogy elragadja az embert a hév. A kincskeresés valami ősi ösztön lehet, vagy micsoda. – Az órájára pillantott, és megköszörülte a torkát. – Maradt még tíz percem… Az ördögbe is, felkavart ez a második számú kamra… Szóval, mielőtt még az aranykamrára tértünk volna, senhor Fonsecáról és a családjáról társalogtunk. Ők is Távora kincsét keresték, és csak mellesleg Simões edényeit… ha jól sejtem.

– Úgy van, tanácsos úr.

– Mit gondolnak… végül is Fonsecáék megölték volna magukat, ha nem mutatják meg nekik Távora márki aranyát?

Domingos megcsavargatta a bajusza végét.

– Nagyon úgy néz ki a dolog, hogy nem úsztuk volna meg ép bőrrel. Luisa asszony teljesen bezsongott. Nem volt normális az a nő… Fonseca pedig azt tette, amit az asszony parancsolt neki.

– És a Gomeiro nővérek?

Domingos megvonta a vállát.

– Ki tudja? A halálfélelem, a kincsek és a gazdagság utáni vágy képes gyilkossá tenni az embert. És az is, ha összetörni látjuk az álmainkat. Könnyű meghúzni egy géppisztoly ravaszát; a következményekkel viszont már nehezebb megbirkózni. Örüljünk, hogy élve maradtunk, és ne törődjünk a *mi lett volna, ha*? problémával.

– Csak éppen a Gomeiro nővérek vígan élnek, és él a kapitány is, bár ez utóbbi elég ramaty állapotban... De várjon csak, Domingos... van még egy-két dolog, amit nem értek. Mi a helyzet például a pókkal?

Domingos megpödörgette a bajuszát.

– Azt nem kérdezi meg, hogy korábban már gyanakodtam-e a Pereira házaspárra? – kérdezte.

– De – bólintott Milheiro tanácsos. – Megkérdezem. Gyanakodott a Pereira házaspárra? Ha igen, mikortól?

– Köszönöm a spontán kérdését – mondta Domingos. – Velük kapcsolatban több jelenség is felkeltette a gyanakvásomat. Az egyik mindjárt a pók volt. Valamire emlékeztetett engem. Serdülőkoromban láttam egy filmet, amelyben egy hatalmas pók embereket falt fel. És tudják, mi volt a legizgalmasabb felfedezésem? Hogy ebben a filmben senhora Sullivan játszotta a főszerepet. Bizonyára senor Pereira is részt vett az akkori pók elkészítésében.

– Csak lassan, hogy én is megérthessem – csillapította az építészt a tanácsos. – Ki csinálta végül is a gyilkos pókhálóinkat?

– Senhor Pereira, természetesen.

– Miből?

Domingos megvonta a vállát.

– Meg kell vizsgáltatni a maradványokat. Bizonyára valamilyen műanyagból, amely hála istennek, eléggé gyúlékony. Talán az *Alien* is ott lebeghetett a szeme előtt.

– A… micsoda?
– Nem látta a filmet?
– Nem járok moziba.
– Én sem, de ezt mégis megnéztem. Szóval, vannak olyan műanyagok, amelyek gyorsan megszilárdulnak…
– Állj! – intette le a tanácsos. – Csak azt mondja el, hogyan működött.
Domingos sóhajtott, és megpróbálta megmagyarázni az általa sem ismert szerkezet működési elvét.
– A folyékony műanyagot tartalmazó tartályokat Pereira felszerelte a járatok mennyezetére. A tartályok zárja vagy hőérzékelővel, vagy távirányítóval, vagy mindkettővel működött. Néha elég volt csak megállni alatta; a csapok kinyíltak, a műanyag pedig gyilkos szörnyeteggé változott. A hőérzékelő nem tudott különbséget tenni barát és ellenség között; így történhetett, hogy a saját maguk által készített halálos csapda ölte meg őket. A történtek ismeretében holtbiztos, hogy kétféle csapda is létezett. Az egyik csak megfogta az áldozatot, és nem engedte el, a másik pedig mérget csorgatott rá, és megölte.
– De mi az ördögért volt gyúlékony?
– Hogy szükség esetén könnyebben meg lehessen semmisíteni.
Milheiro tanácsos megcsóválta a fejét.
– Ön azt állítja – a jegyzőkönyv szerint legalábbis –, hogy ön ugyancsak csapdát szerelt fel a külső kamra mennyezetére. Ahol azoknak a bizonyos tartályoknak is lenniük kellett. Hogyhogy nem vette észre őket? Ez egyszerűen hihetetlen. Nehogy azt mondja nekem, hogy láthatatlan tartályokkal dolgoztak.
– Pedig ez az igazság – sóhajtotta Domingos. – A tartályok láthatatlanok voltak – legalábbis számomra. Ön nem járt még odalent, tanácsos úr…

– …nem is fogok.

– …így nem is tudhatja, hogy a mennyezet nem sima, hanem olyan, mintha cseppkövek lógnának le róla. Jókora kőtömbök függenek odafent, a látszat ellenére sem zuhannak azonban le, sőt még levésni sem lehet őket. Nos, a ravasz Pereira a kőhöz megtévesztésig hasonló tartályokat használt. Embereim ott dolgoztak mellettük alig néhány centiméternyire, és mégsem vették észre, hogy amit kőnek hisznek, az nem az.

– És az élő pók?

– Természetesen Stephanie Kristof volt. Semmiség volt számára megkapaszkodni a mennyezeten. Főleg tapadókorongokkal. És hogy még inkább élőlény benyomását keltse, néha késsel ölte meg áldozatait, köztük Brandaõ és Faria detektíveket is, hogy a sebet óriáspókok csípésének higgyék.

– Tehát ön gyanakodott a Pereira házaspárra…

– Sőt senhora Hartmanra is gyanakodni kezdtem. Főleg, amikor a zsaruk megtalálták Piresnél a kísértetasszony ruháját és a gyilkos tőrt. Senhora Hartman tudta, hol lakik Pires, akkor még azt hittem, hogy a volt férjét akarja becsukatni. Szörnyű féltékenységi drámának véltem a történteket.

– No de miért rejtette el az említett tárgyakat Piresnél?

– Hogy nagyobb legyen a sajtó érdeklődése. Minél nagyobb a felvert por, annál többet érnek majd Távora márki aranyai és Simões ezüstedényei. De még egyéb is volt, ami senhor Pereirára terelte a gyanúmat.

– Ugyan micsoda?

– Három kép – mondta Domingos megcsavargatva a bajusza végét.

– Milyen… három kép?

– Amikor meglátogattam senhor Pereirát… három férfi portréját láttam a fogadószobája falán. Az egyik Benvenuto Cellinié, a másik Caravaggióé, a harmadik Villoné volt.

Milheiro tanácsos megrágcsálta a szivarja végét.

– Két digó? Jézusom, ha azt mondja, hogy a jakuzák mellett még a maffia is kivetette a hálóját Simões mester semmit sem érő kincseire... már csak az oroszok hiányoznak!

– Három kiváló művészről van szó, tanácsos úr – mondta rosszalló tekintet kíséretében de Carvalho.

– Ja, vagy úgy! És mi van velük?

– Inkább mi a közös bennük? Nos az, hogy mindhárman iszonyúan nagy művészek voltak, ugyanakkor még a kor szokásaihoz mérten is kalandos életet éltek.

– Mint például?

– Ha a történészeknek hinni lehet, köztörvényes bűntetteket követtek el. Raboltak, erőszakoskodtak, embert öltek.

– És?

– Feltettem magamnak a kérdést, hogy vajon miért akasztotta őket a szobája falára senhor Pereira? Azért – adtam meg magamnak a választ –, mert bizonyára lelkileg közel állnak hozzá. Nem volt ez akkor még kifejezett gyanú, csak elgondolkodtam a dolgon. Aztán, ahogy egyre jobban kibontakozott előttem Simões mester senhora Hartman által megteremtett figurája, kezdtem arra gondolni, hogy valahogy ő is az említett három férfi mellé illik. Az ő életük lehetett a minta senhora Hartman számára, amikor megalkotta Simões mester személyiségét. Mintha valami akkor, ott, abban a szobában azt súgta volna nekem, hogy Simões nem is létezik, mindössze egy álomlény, akit éppen a három nagy művész hatására talált ki senhor Pereira. Hát nem is jártam messze az igazságtól!

Milheiro tanácsos biccentett, és felállt.

– Sajnos, lejárt az időm. Fontos tárgyalásom lesz, mennem kell. De azért még engedjen meg így, futtában egy-két rövid kérdést, senhor de Carvalho.

– Kérem, csak tessék – készségeskedett az építész.

– Az egyik – emelte fel már menet közben az ujját Milheiro tanácsos –, hogy vajon senhora Hartman hogy volt képes megölni senhorita Kristofot, amikor korábban irtózott az emberöléstől?

Domingos elmosolyodott.

– Ha a szükség úgy kívánja, valamennyien képesek vagyunk gyilkolni. Ennyi maradt belőlünk az ősemberből.

– Úgy gondolja? – hökken meg a tanácsos. – Lehet, hogy igaza van... Azután még arra is kíváncsi lennék, hogy mi a fenéért játszotta meg senhora Sullivan, hogy elrabolta a pók? Mi a csodáért kellett befalaznia magát Simões mester kamrájába?

Domingos elmosolyodott.

– Mert tudták – ő és férje –, hogy Debbie Fisher végig filmezi a történteket. A film még misztikusabbá tette volna a környezetet, és még nagyobb vonzerőt gyakorolt volna a borzongani vágyó turistákra.

– Azt már meg sem kérdem, hogy ki cserélte ki a sisaklámpákban az elemeket, ki fűrészelte be a csákányok nyelét... Ezt is azért tették, hogy még félelmetesebbé tegyék a maguk kalandjait...?

– És hogy a pók minél zavartalanabbul dolgozhasson.

– Szóval, Pereira átverte és halálba küldte a feleségét és a szeretőjét is senhora Hartman miatt... Mondja, Domingos, vajon mikor leszünk végre tisztában ennek a szövevényes történetnek minden apró részletével... ámbár ezt talán inkább Flores rendőrfőnök úrtól kellene megkérdeznem.

Flores rendőrkapitány nagyvonalúan de Carvalho felé intett.

– Mondja csak, senhor de Carvalho.

– Nos, Domingos?

– Soha – pödörgette meg a bajuszát az építész. – Meggyőződésem, hogy soha.

Milheiro tanácsos biccentett, feltette a kalapját, és távozott.

5.

Egy órával később ott ültek a padon, a Praça do Comérción, ahol nem is olyan régen a rendőrség letartóztatta őket. Egymástól meglehetős távolságban ültek, hivatalos arccal, ridegen. Még a csodálatos lisszaboni április sem tudta felvidítani őket.

– Akkor most... vége? – kérdezte Domingos közömbös hangon, és megpödörgette a bajuszát.

– Vége – mondta a lány.

– Én is úgy gondolom – dörmögte de Carvalho. – Csak ha elmondanád... miért?

A lány az építész szemébe nézett.

– Mert nem voltál őszinte hozzám. Beszélned kellett volna a csapdáról.

– Hiszen jól funkcionált!

– Akkor is tudnom kellett volna róla.

– Te sem szóltál, hogy az első föld alatti utunk után te még visszamész, és elviszed megvizsgáltatni a koponyákat. Szóltál róla?

– Nem szóltam – mondta a lány. – De nekem megbocsátható, mert én zsaru vagyok.

– Én meg építész.

– A kettő nem ugyanaz.

– Szerencsére.

– Most már a hivatásommal sem vagy megelégedve?

– Ez tévedés, én *veled* nem vagyok megelégedve!
– Miért nem mondtad, hogy neked, a menő építésznek, nem kell egy zsaru? Sok felesleges... érzelmi stressztől megóvhattam volna magam.
– Mi a fene az az érzelmi stressz?
– Például az... hogy beléd szerettem. Ne izgulj... ennek már... *majdnem* vége.
– Nálam is éppen ez a helyzet.
– A... *majdnem?*
– Úgy valahogy.
– Már nem szeretlek, de a bajuszodat... hm... azért még kedvelem.
– Én meg a nyakadat.
De Carvalho mintha csak véletlenül tenné, egy kis csusszanással gyakorlatilag nullára csökkentette a kettejük között lévő távolságot.
Aztán szintúgy véletlenül úgy hajolt, hogy a bajusza a lány nyakát súrolja.
– Jaj... istenem... Domingos! – csukta be a szemét Lisete. – Ezt ne csináld, kérlek!
– Miért? Mit csináltam?
– A bajuszod... a nyakamat...
– Ó, csak levegőt vettem. Ha levegőt veszek, kicsit mindig megmozdul a bajuszom.
– Ismét levegőt... vettél?
– Muszáj lélegeznem.
– Domingos... kérlek... én ezt nem bírom ki... Csak egy kicsit még a bajuszoddal... Csak egy kicsit... Azt hittem, soha többé nem akarsz megcsókolni...
– Nem is akarlak.
– Akkor... miért...?
Április volt, igazi portugál április. Azt a kis felhőcskét is a boldogság irányíthatta, amely végigszáguldott a Praça do Comércio felett, és mint az igazán komisz kisfiúk, még le is pisilt egy kicsit a térre.

– Esik – mondta kibontakozva az építész karjaiból a lány. – Mennünk kell.

– Ez igaz – mondta az építész, éppen akkor, amikor elállt a csepegés.

– Méghozzá sürgősen, mert bőrig ázunk.

– Menjünk be egy étterembe?

– Az nem lesz jó – rázta meg a fejét a lány. – Alighanem megfázhattam egy kicsit, mert kapar a torkom, és a cigarettafüst csak rontana rajta.

– Hozzám is mehetnénk – morogta félénken de Carvalho. – Igaz, csak afféle legénylakás.

– Itt lakom nem messze – mondta a lány.

– Tudom.

– Lenne kedved...? Esetleg még egy pohárka bort is...

Ki tudja, miért, de Domingosnak kedve támadt a pohárka borra. Ekkor már kéz a kézben bandukoltak az Avenida felé.

A bulváron tolongtak az emberek, mindenki örült a tavasznak. Ők azonban nem láttak semmit egymás szemén kívül. És olvastak is benne. Így egyetlen perc alatt többet tudtak meg egymásról, mintha hosszú-hosszú órákon át beszélgettek volna.

Aztán egyszerre csak megtört a varázs. Valaki elkapta Domingos karját és megszorongatta.

– Halló, ellenőr, hogy van?

Domingos nyurga fickót látott maga előtt, rövidre vágott hajjal, jeansben, sárga pulóverben.

– Üdvözlöm, kisasszony.

Lisete kérdőn nézett Domingosra, Domingos vissza rá. Pedig jól tudta, kicsoda a pasas.

– Nem ismernek meg? – mosolygott a férfi. – Odalent találkoztunk a város alatt, amikor egereket kerestem. Akkor éppen a Kálidászát fordítottam... Leslie L. Lawrence vagyok. Hogy vannak? Amint látom, jól.

– Én jól – mondta Domingos. – Hát ön?
– Én is. És a kisasszony?
– Én is jól.
Ezután beállott a csend. Toporogtak egy kicsit egymással szemben, majd a fickó végre lépett egyet hátrafelé.
– Én akkor… mennék is. További jó ellenőrzéseket.
– Kellemes egérfogást!
Amikor Lawrence felszívódott a járókelők forgatagában, de Carvalho Lisetéhez fordult.
– Kellemetlen fickó.
– Én inkább barátságosnak látom – ellenkezett a lány.
– Valami azt súgja a lelkem mélyén, hogy nem ez volt az utolsó találkozásunk, lesz még dolgunk egymással.
– Igen? És mikor?
– Talán a távoli jövőben – vonta meg a vállát de Carvalho. – Ki tudja?
Vettek egy üveg bort, és felmentek Lisete lakására.

6.

Mivel Lisetének is volt odahaza egy üveg ritka alkalmakra tartogatott portóija, mire az este leszállt, már vidám hangulatban köszöntötték a felkelő holdat. Lisete de Carvalho ölében ült, és a bajuszát húzogatta.
– Nem gondolod, hogy… már haza kellene menned?
– Haza? – hökkent meg Domingos. – Máris?
– Holnap kemény munka vár rám. Ki kell aludjam magam. Mindenféleképpen le kell feküdnöm.
Domingos nagyot csapott a homlokára.

– A fenébe is… erről teljesen megfeledkeztem. Az elmúlt napok izgalma, úgy látszik, annyira megrázott, hogy se látok, se hallok. Én is már holnap reggel hétkor…

– Akkor most mi lesz? – tudakolta a lány.

– Hazamegyek – mondta de Carvalho.

– Ilyenkor nehéz taxit kapni. Sok a turista…

– Akkor gyalog megyek.

– Ha úgy gondolod, itt is maradhatsz.

– Azt már nem! – mondta Domingos kicsit megcsiklandozva a lány nyakát a bajuszával. – Keskeny a sezlonod. Ülni sem könnyű rajta.

– Ki mondta… hogy a sezlo… non?

– Akkor hol aludjak?

– Az… ágyban.

– És te?

– Találd… ki.

– Nem hagyom, hogy a szőnyegre feküdj miattam.

– Elment az eszed? Ki akar a szőnyegre… mars be az ágyba!

– Nincs pizsamám… se…

– Április van, hé! Portugál április! Különben zavar?

– Csak akkor, ha rajtad van… rajtam meg az események ismert alakulása következtében…

– Kuss! Már rajtam sincs semmi. Be az ágyba!

A hold kíváncsian bekukkantott az ablakon.

– A bajuszodat… akarom! Kérlek… csiklandozd meg a nyakam… még… még… és most megmondom, hol csiklandozz még… lejjebb… még lejjebb…

A hold rémületében kis fekete felhőt rántott az arca elé.

Lisszabonon könnyű, tavaszi zápor futott át.

7.

Éppen nepáli útjáról tért vissza, amikor a Rua de São Miguelen megpillantotta az új teaházat. „Simões mester teái” hirdette a felirat.

Úgy döntött, bemegy. Teát nem iszik, csupán körülnéz egy kicsit. Esetleg megeszik egy szendvicset. És megnézi az épületeket is, hiszen valamennyi az ő keze nyomát viseli magán.

Azt hitte, ismerőssel találkozik majd odabent, de a három felszolgálólány összesen nem lehetett több hatvan évesnél.

Domingos leült egy asztalhoz, és körülnézett. A teázó Kelet és Nyugat furcsa keveréke volt; a falak mellett cirádás posztamensenek, keleti szobrok álltak, ravaszul megvilágítva, s mintha időről időre megelevenedtek volna, további teaivásra buzdítva a vendégeket.

Domingos olyannyira belefeledkezett a buddhák és indiai szentek bámulásába, hogy észre sem vette az asztalához suhanó felszolgálólányt.

– Parancsol, senhor?

– Kérdezni szeretnék valamit, senhorita.

– Igen, senhor?

– Ki a teázó tulajdonosa?

A lány gyanakodva mérte végig.

– Miért akarja tudni, uram?

– Mert ha senhora Inês és senhora Hermínia, akkor régi ismerősök vagyunk.

A lány tekintete megenyhült.

– Szóljak valamelyiküknek, uram?

Öt perc sem telt bele, s mindketten felbukkantak a terem végében. Domingos meghökkenve nyugtázta, hogy szemernyit sem öregedtek; sőt mintha még fiatalabbak lettek volna, mint *akkor.*

– Jézusom, senhor de Carvalho! – csapta össze a

kezét Inês Gomeiro, ahogy megpillantotta az építészt. – Igazán ön az? Annak idején búcsú nélkül tűnt el a szemünk elől... Látja, mi lett belőlünk?

– Sikerült megvalósítaniuk a terveiket?

– De még mennyire! – tapsolt Hermínia. – De még mennyire! Nem akarok dicsekedni...

– Ne is tedd, Hermínia.

– Akkor dicsekvés nélkül mondom, hogy miénk a legjobb, legszebb, legfelkapottabb és legdivatosabb teázó egész Portugáliában. Éppen azt tervezzük, hogy fióküzletet nyitunk Portóban, aztán meg, ki tudja? Tele vagyunk tervekkel, senhor de Carvalho. És magának hogy megy a sora? Mi van az aranyos kis Lisetével?

– Rendőrfőnök – mondta Domingos elkomorodva.

– Lisszabon rendőrfőnöke? Ha tudtuk volna...

– Portó rendőrfőnöke.

– Annak idején mintha... lett volna maguk között valami...

Valami? – gondolta Domingos. – Atomvihar, amely másfél csodálatos évig tartott.

– Én építész vagyok, ő zsaru, és ez a kettő valahogy nem passzolt egymáshoz... De azért jó barátok maradtunk – sóhajtotta.

– Melyik teánkat óhajtja kipróbálni, Domingos? – kérdezte finom, vigasztaló mosollyal Hermínia. – Szívem szerint a *Simões mester titkos kamráját* ajánlanám. Mit szól hozzá?

– Nincs ellenvetésem.

Megitták a teájukat. Aztán Hermínia Domingosra emelte a szemét.

– Végül is... mi szél hozta hozzánk, de Carvalho? Ne mondja, hogy annyira hiányoztunk magának?

Domingos elmosolyodott. Nem, ezeket nem lehet átverni.

– Azt szeretném megkérdezni maguktól… ha már erre jártam… hogy akkor odalent maguk valóban megöltek volna engem, ha… képesek lettek volna gyilkolni…?

Hermínia határozottan rázta meg a fejét.

– Soha, senhor Domingos! A mi kezünkhöz nem tapadt vér, és nem is tapadt volna.

Domingos megkönnyebbülten felsóhajtott.

– Tudják… valahogy megszerettem magukat, és… rossz lett volna arra gondolnom…

– Ugyan már, Domingos! – ütött a vállára senhora Inês. – Nem volt odalent egyetlen igazi gyilkos sem, csak az a Stephanie nevű lány. No és természetesen azzá vált senhora Hartman is.

– A kapitány?

– Tavaly halt meg – mondta Inês. – Még megérhette a teázó megnyitását. Nem akarja megkóstolni *a pók kedvenc italát*?

De Carvalho ezután kisétált a pályaudvarra, és jegyet vett a portói vonatra.

Úgy döntött, hogy meglátogatja a kikötőváros rendőrfőnökét.

Vége

A szerző eddig megjelent művei

Sindzse szeme
A Karvaly árnyékában
A gyűlölet fája
Holdanyó fényes arca
Siva utolsó tánca
Huan-ti átka
A vérfarkas éjszakája
A Suttogó árnyak öble
A gonosz és a fekete hercegnő
A megfojtott viking mocsara
A keselyűk gyászzenéje
Az ördög fekete kalapja
Omosi mama sípja
Naraszinha oszlopa
A vérfarkas visszatér
Halálkiáltók
Sziget a ködben
A rodzsungok kolostora
A Nagy Madár
Lebegők
Ahol a pajpaj jár
A láthatatlan kolostor
Tulpa
Ganésa gyémántjai
Véresszakállú Leif és a lávamező

Csöd
A vérfarkasok kastélyában
Siva újra táncol
A Fekete Anya kígyója
Szádhuk
Három sötét király
A vízidisznók gyöngyökről álmodnak

A Lendvay-sorozat

A fojtogatók hajója
A halál kisvasúton érkezik
Gyilkosság az olimpián
A láp lidérce
Nebet Het, a halottak úrnője
Miranda koporsója
Damballa botja
Monszun
A vadász

Történetek sorozat

A felakasztott indián szigetén
(Bob McKinley története)

A maharáni arcképe
(John C. Lendvay története)

Lőrincz L. László
életműsorozatának eddig megjelent kötetei:

Lőrincz L. László:

A Nagy Kupola szégyene
A hosszú szafári
A föld alatti piramis
Üvöltő bika
Gyilkos járt
a kastélyomban
Kegyetlen csillagok
A gyilkos mindig visszatér
A sámán átka
Az elátkozott hajó
A halott város árnyai
A Nagy Mészárlás
A Kő fiai
Kéz a sziklán
Az éjszaka doktora

Leslie L. Lawrence:

Sindzse szeme
A Karvaly árnyékában
Holdanyó fényes arca
Huan-ti átka
Nebet Het,
a halottak úrnője
Miranda koporsója
A vérfarkas éjszakája
A vérfarkas visszatér
Damballa botja
A gyűlölet fája
Naraszinha oszlopa
A Gonosz
és a Fekete Hercegnő
Sziget a ködben
Az ördög fekete kalapja

Előkészületben:

Leslie L. Lawrence: Omosi mama sípja

Lőrincz L. László: A Kicsik

ISBN 978 963 9591 30 1

Gesta Könyvkiadó, Budapest
Felelős kiadó: *Herczeg Ferencné* ügyvezető igazgató
Felelős szerkesztő: *Halmos Ferenc*

A kiadvány a debreceni könyvnyomtatás
több mint négy évszázados hagyományait őrző
Alföldi Nyomda Zrt.-ben készült a 2007-es évben
Felelős vezető: *György Géza* vezérigazgató
A nyomdai megrendelés törzsszáma: 8961.49.01
Készült 23,50 (A/5) ív terjedelemben